LES CONSERVES

LES CONSERVES

ODED SCHWARTZ

Photographies de
IAN O'LEARY

Stylisme par
ODED SCHWARTZ

Sélection
Reader's Digest

MONTRÉAL

Équipe de Sélection du Reader's Digest
Rédaction : Agnès Saint-Laurent
Lecture-correction : Gilles Humbert
Direction artistique : John McGuffie
Graphisme: Manon Gauthier
Soutien technique : Jean-Claude Gadbois

Collaborateurs externes
Traduction-adaptation : Franck Jouve
Rédaction : Geneviève Beullac
Correction : Joseph Marchetti

Édition originale
© 1996, Dorling Kindersley Limited, Londres
Copyright pour le texte © 1996 Oded Schwartz

Édition française
© 1997, Éditions Solar, Paris

Édition canadienne
© 1997, Sélection du Reader's Digest (Canada) Ltée

ISBN 0-88850-761-5

Pour obtenir notre catalogue ou des renseignements sur
d'autres produits de Sélection du Reader's Digest
(24 heures sur 24), composez le 1 800 465-0780.
Vous pouvez aussi nous rendre visite sur notre site
Internet : www.selectionrd.ca

03   04   05/5   4   3   2

Imprimé et relié en Chine
par L. Rex Printing Co. Ltd.

SOMMAIRE

Avant-propos 6
Palette des produits 12

*De très belles photos consacrées aux légumes, aux
viandes, aux poissons et aux fruits, donnant une idée
de l'extraordinaire diversité des conserves à réaliser*

Conservation • Équipements et techniques 36

*Un guide complet des équipements et des ingrédients
de base, avec de précieux conseils sur l'art et la manière
de réussir toutes les conserves*

Recettes 88

*200 recettes de conserves, classiques ou nouvelles,
traditionnelles ou exotiques, pour se régaler toute l'année
de produits « maison » authentiques, originaux
et toujours délicieux*

AVANT-PROPOS

LA CONSERVATION des aliments obéit à un rythme naturel
qui étale les recettes au fil des saisons.
L'hiver est une période de repos pour la nature, pendant laquelle
certains produits frais sont souvent moins facilement disponibles
sur les marchés : profitez-en pour vous organiser,
ranger vos placards pour les réserves à venir,
ou entreprendre des marmelades d'agrumes !
Le printemps apporte tendres légumes et cerises gourmandes,
et il s'accompagne de l'envie de stocker un peu
de lumière et du goût de ces belles journées. Quand vient l'été,
les étals regorgent de fruits et de légumes
aux couleurs et aux parfums appétissants : le temps des confitures,
des gelées, des marinades et des ketchups...
Puis l'automne approche : votre cuisine commence à exhaler
les senteurs merveilleuses des épices
et des aromates en train de sécher. C'est désormais
le moment de préparer des viandes, des saucisses
et des champignons, de fumer des poissons,
et de confectionner des pâtés en vue du temps des Fêtes.

Je souhaite sincèrement que ce livre vous encourage,
vous aide et vous apporte l'immense satisfaction
de conserver les produits que vous aimez. Avoir sur
votre table, en toute saison, les légumes, les sauces,
les viandes et les fruits accommodés par vos soins
est une joie que vous savourerez et que vous vous plairez
à partager avec votre famille et vos amis...
Faites-vous plaisir !

Oded.

LES ORIGINES DE LA CONSERVATION

DES ÉTAGÈRES prometteuses...

Aujourd'hui, tout magasin d'alimentation, quelle que soit sa taille, propose à ses clients une profusion de nourritures conservées de toutes les manières possibles. Avec le temps, le choix ne fait même que s'accroître — si bien qu'on trouve aujourd'hui sur les étalages des conserves provenant des quatre coins du monde. Mais, en dépit du raz de marée des conserves industrielles et de l'avènement des méthodes modernes, comme la congélation et la surgélation, nombreux sont ceux qui n'ont pas renoncé aux recettes traditionnelles que permet la conservation « à l'ancienne ». Il faut dire que ces techniques ancestrales, fruit de siècles d'expérimentation et de perfectionnement, où brillent marinade et macération, salage et fumage, confisage et cristallisation, font mieux que préserver les produits frais : elles les enrichissent d'une saveur nouvelle, bien particulière et vraiment délicieuse. Dans ces conditions, conserves et gastronomie vont de pair.

Le temps maîtrisé, le temps retrouvé

Qui plus est, les conserves artisanales permettent de faire subsister les aliments que nous aimons, et qui sont habituellement éphémères, accommodés à notre façon. En ces temps de cuisine rapide, de plats minute au micro-ondes, elles offrent le double avantage du tout prêt et de la qualité, du vite fait et du raffiné. L'art de préparer soi-même ses conserves (au sens large où l'entend ce livre : les bocaux, bien sûr, mais aussi les terrines, la charcuterie, le poisson fumé, la viande séchée, les pâtes de fruits, les fruits confits, les confitures...), de telle sorte qu'on puisse les déguster au moment choisi, permet de vivre au rythme des saisons et d'apprendre ainsi à puiser en temps et en heure dans les produits que Dame Nature met à notre disposition au fil de l'année. Ainsi la conservation aide-t-elle à retrouver des valeurs, des sensations souvent oubliées, particulièrement par ceux d'entre nous qui habitent dans un environnement urbain. Mais comment s'est formé cet art culinaire authentique qui, pour riche et varié qu'il soit, n'en demeure pas moins méconnu ?

FUMER LE POISSON au XIXᵉ siècle
exigeait des talents d'équilibriste.

LE SEL, CE FEU DÉLIVRÉ DES EAUX,
fut longtemps une denrée de prix.
Cette évocation de
la gabelle rappelle que
le sel fit en France
l'objet d'un impôt
(manuscrit de
1528).

Prolonger la durée de fraîcheur

La nourriture est malheureusement périssable, c'est la loi universelle. La matière organique se dégrade naturellement sous l'action des enzymes, au fur et à mesure que se développent les levures, les moisissures et les bactéries. Par ailleurs, ce processus est favorisé par certaines conditions : exposition à l'air, à la chaleur, à l'humidité... Que l'on élimine un ou plusieurs de ces facteurs, et la détérioration sera considérablement ralentie, voire bloquée. D'où le rôle fondamental qu'a joué la conservation des aliments dans l'histoire des hommes. Mus par le désir d'empêcher leurs précieux vivres de se dégrader trop vite, ils ont cherché et trouvé au fil des siècles maints ingénieux moyens de retarder l'inévitable.

« Assurer une bonne conservation à la nourriture a été, bien évidemment, le premier souci des hommes. On comprit très vite (sans trop savoir encore pourquoi) qu'un des secrets consistait à isoler les denrées du contact de l'air, de la lumière ou de l'humidité, en les enrobant ou en les enfermant dans certaines substances imperméables comme l'argile, le miel, plus tard l'huile, le vin ou le vinaigre, la graisse... ou d'autres encore qui, en outre, modifiaient l'aspect ou le goût, comme la cendre et le sel, dont on saura plus tard que, substances antiseptiques et desséchantes, elles s'opposent à l'oxydation et donc à la prolifération des bactéries de dégradation. La fumée ou tout simplement la dessiccation, tout en protégeant l'aliment, surtout carné, modifient également les processus chimiques et biologiques favorables à la décomposition. Les Sumériens furent, historiquement, les premiers à utiliser ces derniers procédés combinés, mais tous les peuples, par empirisme, desséchaient les provisions de viande par des méthodes diverses. [...] Dès que le feu fut connu, on s'était aperçu que la viande ou le poisson se montraient moins périssables cuits que crus. La cuisson n'est jamais qu'une modification chimique des substances et la destruction temporaire des germes. De même, on peut dire que les premières galettes grillées furent les premiers aliments destinés à être conservés. »

Maguelonne Toussaint-Samat, *Histoire naturelle et morale de la nourriture.*

Le soleil, le feu et la fumée

Il paraît probable que la toute première méthode de conservation fut le séchage des aliments, ou dessiccation. Tout commença sans doute avec un quartier de viande abandonné au soleil. Toujours est-il que ceux qui les premiers découvrirent l'effet du séchage eurent une bonne surprise : la viande crue... ne l'était plus, elle avait une odeur appétissante et, fait

LES ANCIENS cuisinaient
et conservaient leurs aliments
à grand renfort de miel.

L'EXTRACTION DU SUCRE
au XVe siècle : de ces cônes
suspendus s'égoutte un jus qui
deviendra du sucre de canne.

ON FAIT DU VINAIGRE à partir de différentes
sortes de vins et alcools, chacun lui donnant
une couleur et un arôme particuliers.

hautement appréciable, elle restait consommable plus longtemps — sans compter qu'elle était plus légère et donc plus facile à transporter. Or, pour un chasseur, la possibilité de rapporter son butin sur les lieux de son campement était une véritable révolution dans l'espace et le temps : il n'était plus impératif de consommer la viande rapidement et sur place, là où l'animal avait été abattu ; on pouvait désormais la sécher, la mettre ensuite en lieu sûr et la stocker en fonction des besoins. C'est ainsi que la conservation par dessiccation permit aux hommes préhistoriques de commencer à s'établir, à organiser la gestion des vivres de la communauté, bref à planifier leur existence autrement qu'à très court terme. Alors nos ancêtres purent voyager au loin et s'aventurer dans des terres plus fertiles en gibiers et autres proies. Peu à peu, les campements nomades primitifs se changèrent en hameaux et en villages.

La conservation des aliments au grand air et au soleil s'imposait naturellement dans les contrées chaudes et sèches, mais n'était pas adaptée aux climats froids et humides. Là où le bois abondait, on recourut au feu et à la fumée pour accélérer le processus de séchage. Ce faisant, on ne tarda pas à se rendre compte que le poisson et la viande fumés étaient particulièrement savoureux et se conservaient mieux encore (en partie parce que la fumée décourageait les insectes).

Le sel de la vie

L'alimentation se composait désormais de denrées moins périssables et souvent plus saines — bien qu'on ne le sût pas encore — auxquelles les condiments vinrent bientôt apporter plus de saveur et de raffinement. Le sel, par exemple, cette poudre blanche qu'il suffisait de ramasser à la suite de l'évaporation de l'eau de la mer, allait métamorphoser la nourriture. Mais, par la même occasion, il allait aussi favoriser sa conservation en agissant en qualité d'agent déshydrateur. Nécessité biologique absolue pour l'homme, le sel devint son complice de chaque repas et acquit le statut d'aliment de luxe, hautement prisé et farouchement gardé. La toute première guerre qu'évoque la Bible (Genèse, 14) n'eut-elle pas lieu pour le contrôle du gisement de sel et d'asphalte de la mer Noire, dont l'eau, dite « lourde », est incomparablement chargée de sel ? Ce même sel, ce même asphalte dont les Égyptiens se servaient pour embaumer leurs momies, en même temps que de miel et de vinaigre — autres grands conservateurs devant l'Éternel.

L'acide, le doux et le gras

CONSERVER LE BUTIN de l'été (photographie de 1920). C'est un rêve ancien que de pouvoir profiter de produits à contre-saison.

LES CONSERVES « MAISON » illumineront votre cuisine avant d'honorer votre table.

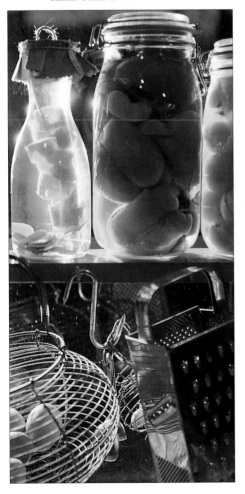

A l'instar du sel, le vinaigre se révèle être un agent fondamental de la conservation, de par son acidité toxique pour les microbes et autres bactéries. Quant au sucre, il est pour eux l'un des plus puissants poisons naturels : à haute concentration, il crée un environnement où nulle vie ne résiste. Historiquement parlant, le sucre est tard venu dans un monde antique où le miel régnait en maître. Il effectua une première percée en Occident au Moyen Âge, après que les Croisés eurent ramené de Terre sainte les roseaux miellés, autrement dit la canne à sucre ; puis ce fut le triomphe – somme toute récent (XIXᵉ siècle) – du sucre de betterave. Depuis longtemps déjà, on avait aussi découvert que les aliments se conservaient pour peu qu'ils fussent à l'abri de l'air. Faute de savoir encore les mettre sous vide, on les plongea dans du miel liquide ou de l'huile. Ce procédé de conservation est attesté au début de l'Empire romain par Apicius en personne, prince des gourmets et auteur d'un traité de cuisine qui nous est parvenu depuis le Iᵉʳ siècle de notre ère (*De Re coquinaria*). Dans les pays plus froids, on remplaça l'huile par de la graisse animale – c'est aujourd'hui encore le mode de fabrication de terrines, rillettes, pâtés et autres confits...

Tendu jusqu'à nous depuis le fond des âges, le fil de la tradition ne s'est pas rompu. De la nécessité sont nées des techniques qui, bien au-delà de l'aspect pratique, nous donnent accès aujourd'hui au raffinement et au plaisir. Plaisir de la dégustation, bien sûr, mais aussi plaisir de réaliser nous-mêmes, de A à Z, une infinie variété de spécialités qui feront de nos placards à provisions des cavernes d'Ali Baba. A nous de jouer maintenant, et d'apprivoiser à notre tour les trésors de la nature en nous offrant une satisfaction à nulle autre pareille et toujours renouvelée...

PRÉCAUTIONS À PRENDRE POUR RÉUSSIR SES CONSERVES

• Tant de facteurs peuvent affecter le résultat final qu'il faut rester vigilant à chaque étape de la conservation : respectez à la lettre les mesures d'hygiène, la température, les temps indiqués, les proportions, les taux d'acidité, de salinité, de sucre, les conditions de stockage...

• Faites-vous un devoir de suivre les règles d'hygiène et de sécurité, de chauffage et de conditionnement prescrites en pp. 42-45, ainsi que les conseils particuliers donnés en tête de chaque recette.

• Sauf indication contraire, les composantes des recettes ne sont pas facultatives : ne retirez rien en préjugeant de l'inutilité de telle ou telle indication (voir p. 186).

• Il convient de redoubler de précautions avec les consommateurs les plus « vulnérables », comme les femmes enceintes, les jeunes enfants et les personnes âgées. Certains recommandent notamment de ne pas leur proposer de nourriture non pasteurisée, ce qui exclut les conserves faites « maison ».

PALETTE
des PRODUITS

DANS CE CHAPITRE, vous découvrirez
l'inépuisable palette des ingrédients —
courants ou moins familiers — qui, au fil
de leurs alliances, conjugueront leur talent
pour le plus grand plaisir des yeux et du
palais. Grâce aux conseils et aux suggestions
de présentation, vous pourrez transformer
toutes ces recettes alléchantes en autant
de subtils accompagnements ou les déguster
telles quelles.

TOMATES

LA TOMATE A SU SE RENDRE INDISPENSABLE dans bien des cuisines nationales, malgré une popularité relativement récente. Originaire d'Amérique du Sud, elle suivit le sillage de Christophe Colomb et des conquistadores pour rallier l'Europe au XVIᵉ siècle. Il lui fallut encore attendre l'engouement des Italiens pour le *pomodoro* (la « pomme d'or »), au siècle dernier, pour connaître la gloire. Les tomates destinées aux conserves peuvent être vertes ou mûres. Choisissez-les bien fermes et sans taches, de préférence en branche ou avec un pédoncule encore vert. Les tomates sont riches en vitamine C, qui prévient l'oxydation et leur permet de garder belle apparence.

VARIÉTÉS

Il existe bien des variétés de tomates pouvant convenir aux conserves : les tomates de forme ronde et régulière ou bien allongée ; les petites cerises ou les grosses tomates charnues, lisses ou à côtes ; les tomates rouges en branche, les tomates vertes et les cerises jaunes.

Tomates-cerises jaunes

Olivettes (« italiennes »)

Tomates-cerises rouges

Tomates vertes

Tomates en branche

Tomate ronde

Tomate à côtes

SUGGESTIONS DE PRÉSENTATION

PÂTE DE POIRES À LA TOMATE *Une pâte de fruits originale qui se mange seule ou accompagne une volaille rôtie (voir recette p. 174).*

SALSA CUITE AUX TOMATES ET AUX POIVRONS *Spécialité mexicaine, à servir avec des grillades (voir recette p. 115).*

TOMATES SÉCHÉES MARINÉES À L'HUILE *Succulentes avec une pointe de crème fraîche et du basilic (voir recette p. 108).*

CONFIT DE TOMATES JAUNES
Un mélange très doux, corsé par le zeste de citron (voir recette p. 163).

TOMATES-CERISES AUX AROMATES
Toute la saveur évocatrice de l'été dans un bocal (voir recette p. 93).

TOMATES VERTES MARINÉES
Une excellente façon d'utiliser un stock de légumes pas mûrs (voir recette p. 92).

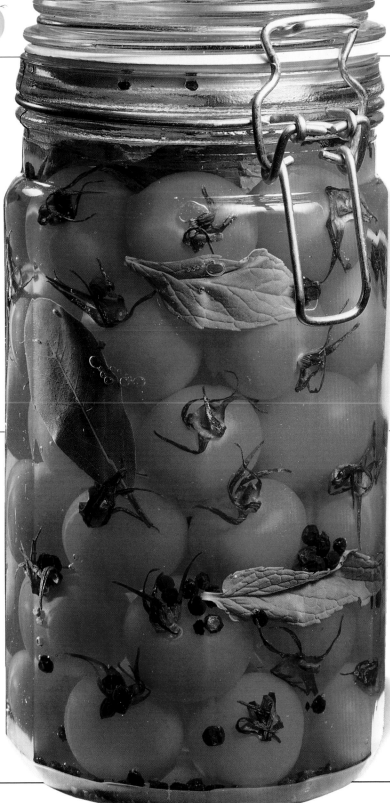

TOMATES FERMENTÉES
Variante épicée des cornichons en saumure (voir recette p. 93).

MARMELADE DE TOMATES ROUGES
A la coriandre et au citron (voir recette p. 164).

SAUCE TOMATE
Indispensable pour les plats de pâtes et les pizzas (voir recette p. 112).

CHUTNEY AUX TOMATES VERTES
Condiment doux et fruité, parfait pour les caris (voir recette p. 120).

PIMENTS ET POIVRONS

COMME LES TOMATES, les poivrons furent introduits en Occident par les conquérants du Nouveau Monde, où ils poussaient à l'état sauvage. Les piments rivalisèrent rapidement avec le poivre, venu, lui, d'Orient et connu en Europe depuis l'Antiquité. Poivrons et piments firent la conquête du bassin méditerranéen, imprégnant de leur goût les multiples cuisines locales. Les poivrons doux se conservent à l'huile comme au vinaigre et font souvent partie des marinades de légumes variés, auxquels ils apportent une jolie note de couleur. Quant aux piments, frais ou séchés, ils sont un ingrédient clef dans bien des conserves, des chutneys aux sauces épicées de l'Afrique et de l'Orient.

VARIÉTÉS

La famille des *Capsicum* comprend de nombreuses variétés au goût fort ou doux, dans une vaste gamme de couleurs, essentiellement le rouge et le vert, mais aussi le jaune et l'orange, le pourpre et le noir. Tous sont riches en vitamine C. Les poivrons sont une variété de piment, plus gros et doux.

Piment du Kenya

Piments oiseaux séchés

Piments séchés chipotle

Poivron rouge

Piments serrano

Piment jalapeño

Piment habanero

Piments séchés guajillo

Piment guero

Piment caribe

Piments rouges séchés

Poivron orange

Poivron vert

Piments rouges

Piments frais anaheim

Poivron pourpre

Poivron vert clair

Poivron jaune

Poivron « tomate »

Piments thaï

Piment fresno

Ancho séché

SUGGESTIONS DE PRÉSENTATION

ZHUG *Relève les hoummos (purées de pois chiches) ; à servir avec un peu d'huile d'olive et de paprika (voir recette p. 116).*

ACHARDS DE MAÏS ET POIVRONS *Délicieux accompagnement pour les hamburgers (voir recette p. 112).*

HARISSA *Accompagnement traditionnel du couscous en Afrique du Nord (voir recette p. 115).*

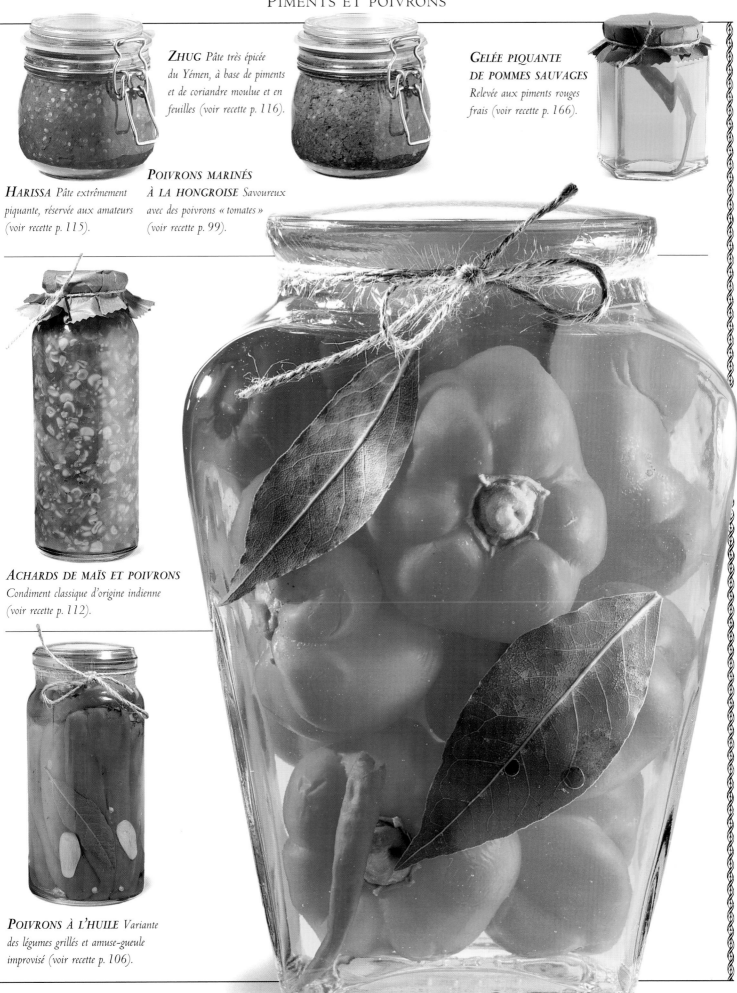

ZHUG *Pâte très épicée du Yémen, à base de piments et de coriandre moulue et en feuilles (voir recette p. 116).*

GELÉE PIQUANTE DE POMMES SAUVAGES *Relevée aux piments rouges frais (voir recette p. 166).*

HARISSA *Pâte extrêmement piquante, réservée aux amateurs (voir recette p. 115).*

POIVRONS MARINÉS À LA HONGROISE *Savoureux avec des poivrons « tomates » (voir recette p. 99).*

ACHARDS DE MAÏS ET POIVRONS *Condiment classique d'origine indienne (voir recette p. 112).*

POIVRONS À L'HUILE *Variante des légumes grillés et amuse-gueule improvisé (voir recette p. 106).*

OIGNONS, ÉCHALOTES ET AIL

DEPUIS L'ANTIQUITÉ, les oignons, les échalotes et l'ail ont été les invités de marque de toute gastronomie. Dans les conserves, ils jouent également un rôle privilégié – soit pour être les vedettes de chutneys et de croquantes marinades, soit pour participer, avec d'autres ingrédients, au succès de telle ou telle recette. Si vous les utilisez crus, il faut les saler, les saumurer ou les faire blanchir. Ail et oignons ne se gardent pas très bien, car ils ont tendance à germer et à devenir amers : ne les achetez donc qu'en petite quantité, au fur et à mesure de vos besoins, et entreposez-les dans un endroit sec, frais et sombre, en les plaçant dans des sacs en tissu ou dans des filets.

VARIÉTÉS

Les oignons changent de taille, de couleur et de goût, selon leur espèce. Les plus doux sont les rouges, les plus forts les jaunes. Les échalotes peuvent remplacer l'oignon, encore qu'elles aient une saveur assez différente, plus fine. L'ail blanc, violet ou rose, peut être vendu par tête ou tressé.

Petits oignons à mariner

Gros oignon à mariner

Tête et gousse d'ail blanc

Tête et gousse d'ail rose

Oignon fort

Petits oignons blancs

Oignon doux d'Espagne

Oignon jaune

Échalotes rouges de Chine

Oignon rouge

Oignon blanc

Borretane italien

Échalote cuisse de poulet

Échalote rouge

SUGGESTIONS DE PRÉSENTATION

CONFITURE D'ÉCHALOTES *Spécialité du Moyen-Orient, à la fois douce et piquante, qui transcende les côtelettes d'agneau (voir recette p. 161).*

MARMELADE D'OIGNONS *Une délicieuse garniture pour des tartelettes à servir chaudes à l'apéritif (voir recette p. 164).*

CHUTNEY AUX OIGNONS *Amuse-gueule de la cuisine indienne, servi ici avec des poppadoms et un piment de Cayenne (voir recette p. 121).*

ÉCHALOTES AU VINAIGRE
Méconnue et très savoureuse, une variante des traditionnels petits oignons au vinaigre (voir recette p. 92).

CONFITURE D'ÉCHALOTES
Une délicate texture due à la lente cuisson, étalée sur plusieurs jours (voir recette p. 161).

GOUSSES D'AIL MARINÉES
Une vieille recette perse, moelleuse et fondante sous la langue (voir recette p. 92).

MARMELADE D'OIGNONS
Un goût savoureux, proche de l'aigre-doux (voir recette p. 164).

VINAIGRE À L'ÉCHALOTE
Un mariage particulièrement réussi (voir recette p. 127).

ACHARDS D'OIGNONS ET POIVRONS
Une saveur rafraîchissante (voir recette p. 96).

PETITS LÉGUMES MARINÉS
Version bicolore à base d'oignons et de carottes (voir recette p. 98).

COURGES ET MELONS

LA GRANDE FAMILLE DES CUCURBITACÉES – qui produit concombres, citrouilles, courges, courgettes, pâtissons, gourdes et melons – compte parmi ses espèces certaines des plus anciennes plantes à avoir été cultivées. Leurs fruits se présentent sous les aspects les plus divers, que ce soit par leur couleur, leur forme ou leur taille – allant des citrouilles géantes aux cornichons nains. Fruits, légumes d'hiver et légumes d'été – ces derniers étant les plus fragiles et les plus périssables – se prêtent à merveille à la réalisation de conserves salées et sucrées.

VARIÉTÉS

Les concombres, les cornichons (une variété de concombre), les courgettes, les mini-pâtissons, les melons sont des légumes et des fruits d'été ; parmi leurs cousins d'hiver, citons le potimarron (en forme d'oignon), la courge et les citrouilles.

Concombre

Concombre malossol

Cornichon

Mini-pâtissons

Potiron kabocha

Courge musquée

Melon galia

Concombre européen

Courge à moelle

Pâtisson

Courgette verte

Potimarron

Melon piel di sapo

Melon brésilien

Cantaloup charentais

Fleur de courgette

Courgette jaune

Citrouille

SUGGESTIONS DE PRÉSENTATION

CORNICHONS TRANCHÉS
Un simple sandwich transformé en un succulent en-cas (voir recette p. 97).

MELON SURPRISE *Étonnant dessert d'un buffet froid (voir recette p. 101).*

MARMELADE DE CITROUILLE
Garniture de premier choix pour une tarte originale (voir recette p. 164).

CORNICHONS FAÇON TOBY
Un condiment aigre-doux, un rien piquant (voir recette p. 98).

BEURRE DE MELON *Un goût subtilement fruité, parfumé par la citronnelle (voir recette p. 172).*

CORNICHONS EN SAUMURE *Aussi savoureux que beaux, rehaussés par l'aneth et les piments (voir recette p. 93).*

MARMELADE DE CITROUILLE
Une invitée inattendue sur la table du petit déjeuner (voir recette p. 164).

CONFIT DE MELON *Variante du confit de figues, une recette d'Afrique du Sud. (voir recette p. 160).*

CORNICHONS À L'HUILE D'OLIVE *Délice à la saveur douce et rafraîchissante (voir recette p. 97).*

CORNICHONS TRANCHÉS
Spécialité qui accompagne très bien le fromage (voir recette p. 97).

RACINES ET TUBERCULES

DURANT DES SIÈCLES, ces légumes ont constitué la base des repas d'hiver. Leur robustesse et leur rusticité les inscrivaient d'office au menu. Les racines sont tradition-nellement cuites avant d'être mises à mariner ; cependant, utilisées crues, elles conservent tout leur croquant, leurs précieuses vitamines et leurs oligo-éléments. Pour les mêmes raisons, et dans un souci de présentation (en effet, les racines pelées se décolorent au cours de la conserva-tion), évitez de les éplucher, à moins qu'elles ne soient plus de toute première fraîcheur. En raison de leur très haute teneur en sucre, ces légumes permettent de confec-tionner d'excellentes confitures.

VARIÉTÉS

Ces légumes donnent aux conserves leur texture, mais également leur couleur, notamment quand il s'agit des carottes et des betteraves. Certains ne sont pas des racines à proprement parler, mais des tubercules, comme le topinambour.

Betteraves

Jeune betterave

Radis oriental (daïkon)

Chou-navet

Petits radis

Navets

Radis rond

Céleri-rave

Topinambour

Panais

Carottes

SUGGESTIONS DE PRÉSENTATION

CHUTNEY AUX CAROTTES ET AUX AMANDES *Un condiment aigre-doux qui rehausse une quiche ou une salade (voir recette p. 121).*

NAVETS MARINÉS *A servir en amuse-gueule avec des aubergines et des betteraves marinées (voir recettes pp. 94 et 91).*

BETTERAVES FERMENTÉES *Servi avec de la crème sure et un brin d'aneth, le jus se consomme comme un bortch (voir recette p. 93).*

CONFITURE DE CAROTTES
Délicate spécialité du Moyen-Orient, parfumée au gingembre et aux raisins de Smyrne (voir recette p. 159).

CÉLERI-RAVE ET CAROTTES MARINÉS *Accompagnement frais, parfumé à l'aneth et à l'orange (voir recette p. 94).*

AUBERGINES ET BETTERAVES MARINÉES *Variante de la délicieuse marinade d'aubergines farcies (voir recette p. 91).*

CONSERVE DE NAVETS *Variante peu banale de la conserve de courge au gingembre (voir recette p. 162).*

NAVETS MARINÉS *Un régal joliment coloré par addition d'un peu de jus de betterave (voir recette p. 94).*

CHUTNEY AUX CAROTTES ET AUX AMANDES *Condiment à la texture délicate (voir recette p. 121).*

BETTERAVES AU VINAIGRE
Variante populaire des petits oignons au vinaigre (voir recette p. 92).

VIANDES

UNE ÈRE NOUVELLE s'ouvrit pour l'homme quand il découvrit le moyen de conserver la viande. De nos jours, les conserves de viande sont préparées pour varier les plaisirs en apportant de nouvelles saveurs. Pour réaliser les recettes proposées dans cet ouvrage, adressez-vous à un boucher qui vous vendra les meilleurs morceaux d'une viande de tout premier choix, préparés comme il se doit. Il vous restera à respecter scrupuleusement les règles d'hygiène qui s'imposent en matière de conservation de la viande (voir p. 42).

VARIÉTÉS

Les chairs maigres, comme les filets de bœuf et les cuissots de venaison, sont particulièrement recommandées pour le séchage et la salaison. Les viandes plus grasses conviennent davantage aux pâtés ; c'est le cas du porc, du canard et de l'oie.

Foies de poulet

Crépine

Foie de porc

Poitrine de porc

Morceaux de lapin

Caille

Viande de venaison coupée en cubes

Pigeonneau

Faisan

Poitrine de bœuf

Lard gras

Haut-de-côtes

Épaule de porc

Gigot d'agneau

Poulet

Canard

SUGGESTIONS DE PRÉSENTATION

PÂTÉ DE FOIE MOELLEUX
Encore plus délicieux cuit en croûte dans une pâte feuilletée (voir recette p. 144).

POULET FUMÉ *Un classique rendu plus appétissant encore sur un lit de salade et nappé d'un filet de yogourt (voir recette p. 135).*

SAUCISSON AU PIMENT *Servi avec des haricots et des pois chiches, un plat très chaleureux pour l'hiver (voir recette p. 138).*

Saucisson au piment

Saucisses de canard séchées

Landjäger

Saucisses sèches d'agneau

Saucissons à l'ail et aux herbes

Saucisses de Toulouse

SAUCISSON AU PIMENT *Proche du chorizo espagnol, il est épicé avec des piments rouges (voir recette p. 138).*

LANDJÄGER *Saucisse sèche très parfumée à base de bœuf et de poitrine salée (voir recette p. 137).*

RILLETTES *Faites de viande de porc hachée menu et cuites dans la graisse, elles font d'excellents sandwiches (voir recette p. 146).*

SAUCISSON À L'AIL ET AUX HERBES *Délicieux à l'apéritif, coupé en fines rondelles (voir recette p. 138).*

SAUCISSE DE TOULOUSE *Une conserve multi-usages (voir recette p. 136).*

SAUCISSE DE CANARD SÉCHÉE *Succulente spécialité à la fois douce et piquante (voir recette p. 137).*

PÂTÉ DE LAPIN *(ci-dessus) Recette allégée en graisse et composée de carottes, d'échalotes et d'herbes fraîches, elle fait une entrée idéale d'un repas froid ou peut être servie à l'apéritif (voir recette p. 142).*

TERRINE DE CAILLE ET DE FAISAN *(ci-dessous) Réalisée à partir de cailles désossées farcies aux épinards et au persil frais (voir recette p. 143).*

SAUCISSE SÈCHE D'AGNEAU *Une charcuterie parfumée au fenouil, au paprika et à la menthe (voir recette p. 136).*

POISSONS ET FRUITS DE MER

LES POISSONS ET LES FRUITS DE MER sont une mine d'acides gras essentiels, de vitamines, de sels minéraux et d'oligo-éléments. Autrefois, les conserves de poisson – salé, séché ou fumé – venaient simplement améliorer l'ordinaire. Aujourd'hui, on les considère à leur juste valeur, comme étant des mets délicats. Par fruits de mer, on entend ici aussi bien les céphalopodes (poulpe, seiche, calmar) que les coquillages et les crustacés. Veillez à la fraîcheur des produits : les coquillages doivent présenter des coquilles bien fermées. Les poissons, comme les crustacés, doivent être à la fois brillants et fermes au toucher, leurs yeux brillants et légèrement saillants, leur odeur agréable.

VARIÉTÉS

Les moules, les pétoncles et les poissons gras – hareng, saumon, maquereau et thon – conviennent au fumage ; les poissons à chair blanche, comme la morue, se prêtent à la dessiccation et à la salaison.

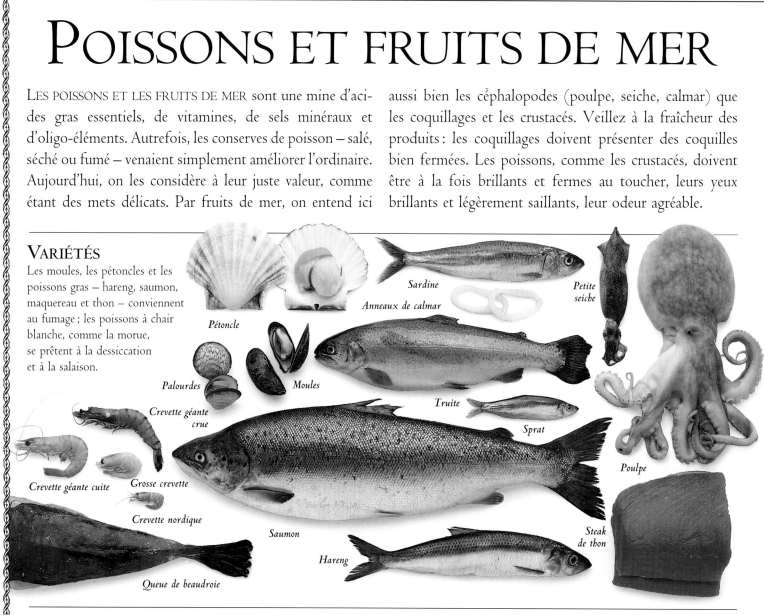

Pétoncle

Anneaux de calmar

Sardine

Petite seiche

Palourdes

Moules

Truite

Sprat

Crevette géante crue

Poulpe

Crevette géante cuite

Grosse crevette

Crevette nordique

Saumon

Steak de thon

Queue de beaudroie

Hareng

SUGGESTIONS DE PRÉSENTATION

ANCHOIS À L'HUILE *Grand succès de la conserve et garniture sans pareille pour pizza maison (voir recette p. 153).*

HARENGS À LA MOUTARDE ET HARENGS À LA CRÈME *Un duo très savoureux (voir recette p. 151).*

CARPACCIO À LA SCANDINAVE *Encore meilleur accompagné d'une sauce moutarde et d'aneth (voir recette p. 153).*

ROLLMOPS *Spécialité allemande d'une grande finesse, traditionnellement servie en hors-d'œuvre (voir recette p. 150).*

ANCHOIS À L'HUILE *Une goûteuse variante des sprats au sel (voir recette p. 153).*

FRUITS DE MER À L'HUILE *Peut-être la plus belle des conserves (voir recette p. 109).*

TRUITE FUMÉE *Se sert exactement comme le saumon (voir recette p. 152).*

SPRATS AU SEL *Un simple bain d'eau et ils seront bons à consommer (voir recette p. 153).*

SAUMON AU VINAIGRE *(à gauche) Une succulente recette d'origine canadienne (voir recette p. 150).*

HARENGS À L'HUILE ÉPICÉE *(ci-dessus) En entrée ou à l'apéritif, un amuse-gueule piquant à souhait (voir recette p. 109).*

AGRUMES

CES FRUITS font de délicieuses conserves et marmelades. Ils contribuent également au succès de conserves faites avec d'autres fruits et dans la composition desquelles ils apportent leur richesse en pectine, au pouvoir gélifiant, et en acidité. C'est pour cette même raison qu'on les ajoute à toutes sortes de confitures et gelées. Ne jetez pas leurs pépins, où

se concentre la pectine, mais rassemblez-les dans une gaze pour les incorporer à la cuisson de la pulpe. En outre, les agrumes abondent en vitamine C, un antioxydant naturel qui évite la décoloration des fruits et des légumes. Si vous devez utiliser leur zeste, lavez-les avec soin (les agrumes, notamment les citrons, sont souvent traités).

VARIÉTÉS

Des petits kumquats orangés au gros pomelo en passant par la lime et la limette, les agrumes ont autant de formes, de couleurs, de saveurs et de qualités : ils composent aussi bien une marmelade que des pickles, et se font confire, sécher ou sont conservés dans de l'alcool.

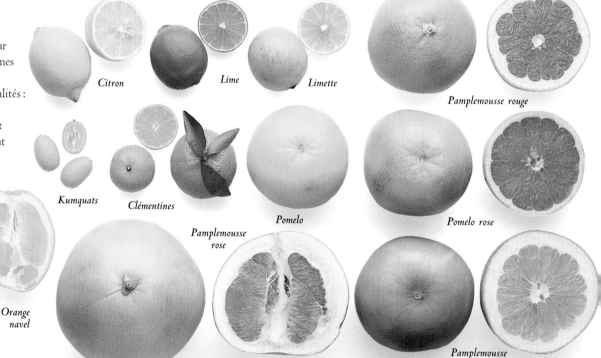

Citron

Lime

Limette

Pamplemousse rouge

Kumquats

Clémentines

Pamplemousse rose

Pomelo

Pomelo rose

Orange amère

Orange navel

Pamplemousse

SUGGESTIONS DE PRÉSENTATION

CURD DE CITRON Excellent pour garnir le fond des tartes (voir recette p. 173).

CITRONS AU SEL Donnent du piquant au poulet à la marocaine (voir recette p. 102).

CANNEBERGES À L'ORANGE Un condiment raffiné qui accompagne très bien la dinde (voir recette p. 112).

ÉCORCES D'ORANGES SÉCHÉES *Apportent une note acidulée (voir tableau p. 185).*

LIMES MARINÉES *Condiment vraiment exceptionnel pour plats forts et épicés (voir recette p. 100).*

VINAIGRE AUX AGRUMES *Une brochette d'écorces d'oranges vient parfumer cet assaisonnement (voir recette p. 127).*

ORANGES ENTIÈRES AUX ÉPICES *Piquées de clous de girofle comme les pommes d'ambre (voir recette p. 100).*

CURD DE CITRON *Une pâte riche et crémeuse qui fait merveille sur des tartelettes (voir recette p. 173).*

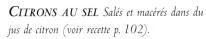

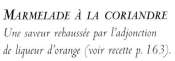

CITRONS AU SEL *Salés et macérés dans du jus de citron (voir recette p. 102).*

MARMELADE À LA CORIANDRE *Une saveur rehaussée par l'adjonction de liqueur d'orange (voir recette p. 163).*

FRUITS DU VERGER

DANS L'ART ET LA LITTÉRATURE, les fruits du verger sont symboles d'abondance et de délices. La plupart d'entre eux, surtout les pommes, ont une forte teneur en pectine et jouent donc un rôle important dans la fabrication des confitures et des gelées. La pomme est un fruit qui se prête paradoxalement mal à la conservation (elle y perd beaucoup de sa saveur), néanmoins on l'emploie pour ajouter de la pectine aux fruits qui en manquent – épluchures et trognons serviront à constituer une provision de cette pectine concentrée dans la peau et les pépins (voir p. 47). Aujourd'hui, on trouve les fruits du verger pratiquement toute l'année sur les marchés.

VARIÉTÉS

On distingue les variétés douces, que l'on peut servir nature au dessert, et les variétés plus acidulées, à cuire ou à préparer à l'alcool, comme les cerises de Montmorency. Pour les conserves, on privilégiera les fruits à chair ferme, lesquels résisteront mieux aux effets d'une cuisson prolongée.

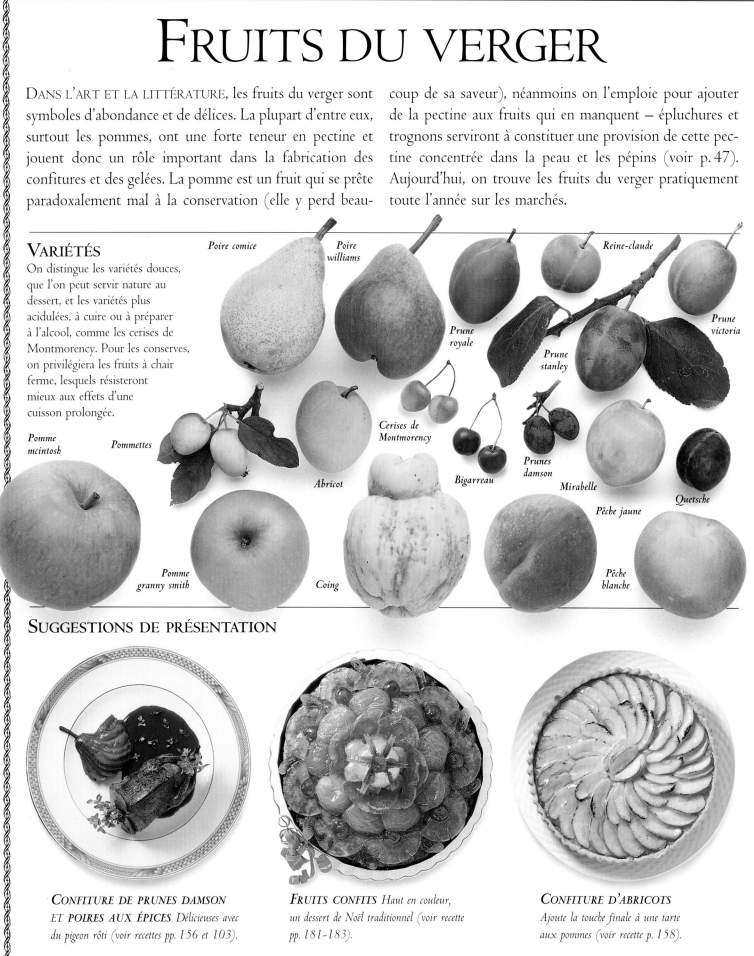

Poire comice

Poire williams

Reine-claude

Prune royale

Prune stanley

Prune victoria

Cerises de Montmorency

Prunes damson

Pomme mcintosh

Pommettes

Abricot

Bigarreau

Mirabelle

Quetsche

Pêche jaune

Pomme granny smith

Coing

Pêche blanche

SUGGESTIONS DE PRÉSENTATION

CONFITURE DE PRUNES DAMSON ET POIRES AUX ÉPICES *Délicieuses avec du pigeon rôti (voir recettes pp. 156 et 103).*

FRUITS CONFITS *Haut en couleur, un dessert de Noël traditionnel (voir recette pp. 181-183).*

CONFITURE D'ABRICOTS *Ajoute la touche finale à une tarte aux pommes (voir recette p. 158).*

CONFITURE DE REINES-CLAUDES *Variante de la confiture de prunes (voir recette p. 156).*

CONFITURE DE PRUNES *(à gauche) Réalisable av n'importe quelle variété de prunes ; ici, des mirabelles (voir recette p. 156).*

POIRES À L'EAU-DE-VIE *(ci-dessous) Un classique, fleuron des digestifs (voir recette p. 179).*

CONFITURE DE PRUNES DAMSON *(à droite) Une saveur un peu âpre, qui convient aux plats salés (voir recette p. 156).*

GELÉE DE POMME À LA MENTHE *Une ingénieuse façon d'utiliser menthe fraîche et pommes du jardin (voir recette p. 167).*

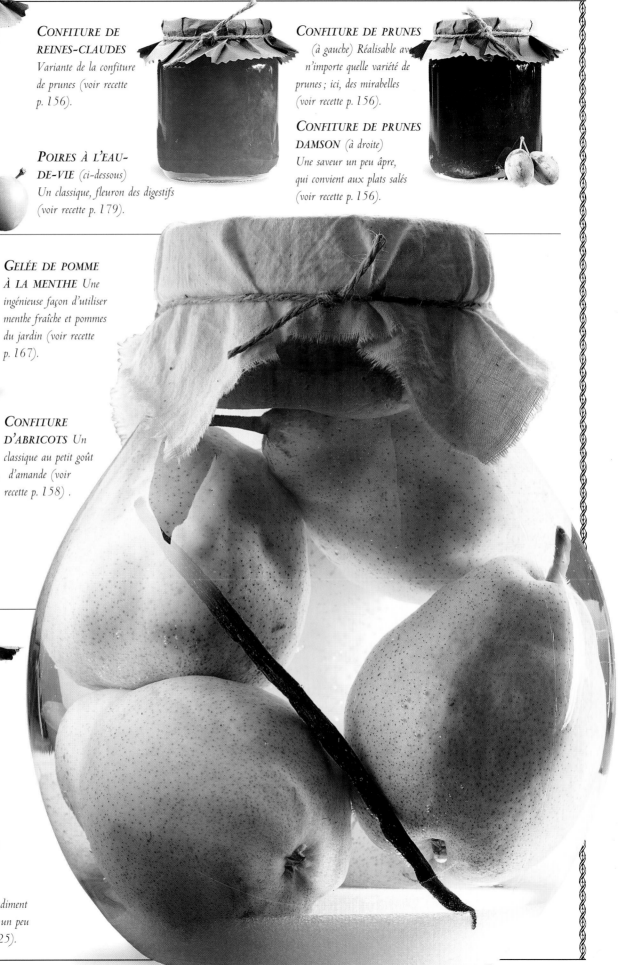

CONFITURE D'ABRICOTS *Un classique au petit goût d'amande (voir recette p. 158) .*

CHUTNEY AUX PÊCHES *Condiment clair, parfumé et idéal pour adoucir un peu les caris très épicés (voir recette p. 125).*

BAIES ET FRUITS ROUGES

AU CŒUR DE L'ÉTÉ, ces fruits envahissent les marchés ; riches en pectine et en acidité, ils se prêtent parfaitement à la confection de confitures, gelées et conserves douces. Choisissez des paniers de fruits qui ne présentent pas de trace de meurtrissures ou de moisissure, et examinez leur fond pour vous assurer que les fruits n'ont pas perdu leur jus. En raison de leur extrême fragilité, vous devrez les traiter le plus vite possible. Pour les confitures et les gelées, il vaut mieux utiliser des fruits qui ne sont pas encore mûrs, leur taux de pectine étant plus élevé ; les fruits mûrs, quant à eux, conviennent davantage à la dessiccation ou à la préparation de vinaigres aromatisés.

VARIÉTÉS

Ces fruits frais embellissent les étals par une riche palette de coloris : bleu violacé des bleuets, rubis des gadelles, vert des groseilles à maquereau. Beaux et savoureux, ils font d'excellentes conserves.

Groseilles à grappes (gadelles)

Groseilles blanches

Framboises

Cassis

Fraises

Fraises des bois

Bleuets

Groseilles à maquereau

Mûres

SUGGESTIONS DE PRÉSENTATION

FRAISES DES BOIS SÉCHÉES *Apportent une touche de raffinement à un assortiment de fruits secs (voir tableau p. 185).*

PICCALILLI *Un condiment – enrichi ici de groseilles à maquereau – qui agrémente une assiette de fromages (voir recette p. 96).*

GELÉE DE GADELLE *Décor somptueux pour tranches de gigot, servies avec cœur d'artichaut et brins de romarin (voir recette p. 166).*

VINAIGRE À LA FRAISE
(à droite) Assaisonnement
parfumé et plaisant à l'œil
avec sa brochette de fraises
et de feuilles de basilic
(voir recette p. 128).

GELÉE DE FRAMBOISE
Translucide et d'une saveur délicate
(voir recette p. 166).

GELÉE DE GADELLE Variante
de la précédente ; accompagne très bien
les plats salés (voir recette p. 166).

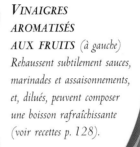

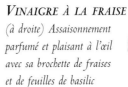

*Vinaigre
de groseilles
à maquereau*

*Vinaigre
au cassis*

**VINAIGRES
AROMATISÉS
AUX FRUITS** (à gauche)
Rehaussent subtilement sauces,
marinades et assaisonnements,
et, dilués, peuvent composer
une boisson rafraîchissante
(voir recettes p. 128).

PICCALILLI Un délicieux mélange
de légumes croquants et de fruits d'été
rafraîchissants (voir recette p. 96).

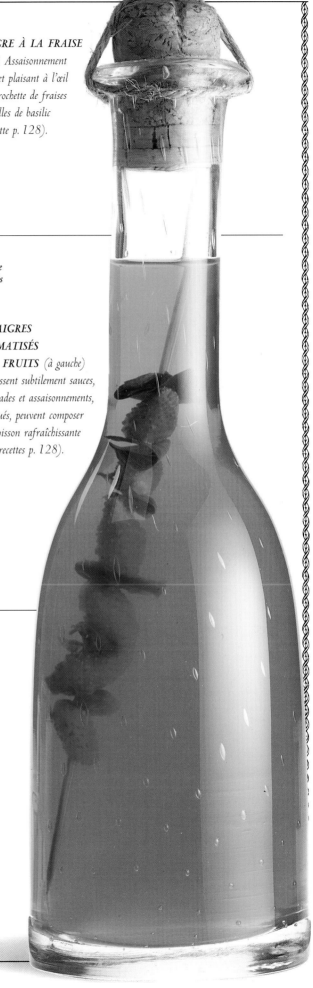

CONFITURE DE BLEUETS
Accompagnement savoureux pour
les crêpes (voir recette p. 157).

CONFITURE DE FRAMBOISES
Irremplaçable pour garder toute l'année le
goût des beaux jours (voir recette p. 157).

FRUITS EXOTIQUES

TOUS LES FRUITS EXOTIQUES évoquent, par définition, non seulement d'autres latitudes et un climat différent du nôtre, mais aussi des saveurs originales, voire surprenantes, des senteurs nouvelles, des couleurs chaleureuses, qui font bien sûr merveille dans les conserves. Achetez ces fruits de préférence dans un magasin spécialisé dans ce commerce, pour qu'ils soient bien frais ; veillez à ce qu'ils n'aient pas subi de chocs. Entreposez-les dans un endroit frais et à l'abri de la lumière, et utilisez-les au plus vite, quand ils sont au mieux de leur maturité.

VARIÉTÉS

La gamme de fruits étrange(r)s que l'on découvre sur les marchés est presque inépuisable. Cette profusion est une véritable invitation au voyage, la plupart de ces fruits ayant vu le jour sous les tropiques ou dans l'hémisphère Sud.

Figues de Barbarie

Litchis

Kiwi

Dattes fraîches

Fruit de la passion

Goyave

Kaki

Kaki sharon

Mangues

Ananas queen

Ananas cayenne

Banane douce

Bananes naines

Figues fraîches

Bananes rouges

Grenades

SUGGESTIONS DE PRÉSENTATION

CHUTNEY À L'ANANAS *Un condiment qui se marie très bien avec le goût du poulet frit (voir recette p. 120).*

BEURRE DE MANGUES *Appétissant servi dans un fond de tarte, nappé de crème anglaise (voir recette p. 172).*

BEURRE DE KIWIS *Délice original à tartiner impérativement sur des crêpes (voir recette p. 172).*

CHUTNEY AUX FIGUES
Accompagnement recherché pour toutes sortes de plats au fromage, sans oublier les sandwiches (voir recette p. 125).

ANANAS AU KIRSCH
(à droite) Régal pour les yeux comme pour le palais, délicieux au dessert, avec de la crème (voir recette p. 179).

KIWIS ET POIVRONS MARINÉS
Agrémentent parfaitement la viande froide (voir recette p. 102).

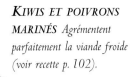

GELÉE DE FIGUE DE BARBARIE AUX ÉPICES
Délicieuse spécialité à la couleur joliment ambrée (voir recette p. 169).

SIROP DE GRENADE
Une agréable boisson ou une sauce de choix pour la crème glacée (voir recette p. 181).

CHUTNEY ÉPICÉ À LA MANGUE
Condiment fruité et relevé pour les caris (voir recette p. 123).

BLATJANG DE DATTES
Un classique de la cuisine de l'Afrique du Sud (voir recette p. 116).

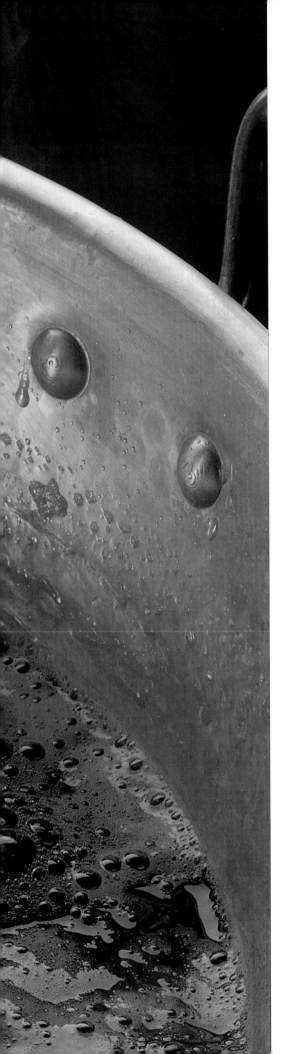

CONSERVATION ÉQUIPEMENT et TECHNIQUES

Vous maîtriserez les techniques
de base de la conservation en suivant
ce guide. En effet, outre la préparation
des marinades et des confitures, des
recettes illustrées et faciles à réaliser vous
apprendront les indispensables tours
de main pour la salaison, le fumage,
la dessiccation ou encore la fabrication des
saucisses. La présentation des ustensiles
et des ingrédients le plus fréquemment
employés, ainsi que de très nombreux
conseils pratiques, vous apporteront
les clefs de la réussite gastronomique.

USTENSILES

SI VOUS VOULEZ RÉALISER vos conserves dans les règles de l'art, il vous faut disposer d'un bon équipement de cuisine. La qualité de celui-ci réclame évidemment un investissement que vous rentabiliserez à l'usage et ne regretterez en aucune manière. La plupart des ustensiles présentés ici sont couramment disponibles en magasin ; quant aux autres, notamment le déshydrateur et le fumoir, mais aussi les mandolines, les mortiers ou les bassines à confiture de grande dimension, vous les trouverez sans aucun mal dans les boutiques spécialisées.

Grand couteau de cuisine

Couteau à fileter

Couteau à désosser

Ciseaux de cuisine

COUTEAUX Ils doivent impérativement avoir des lames bien tranchantes. Veillez à la qualité des couteaux qui seront donc affûtés, avec des manches solides tenant bien en main. Aiguisez-les régulièrement pour les maintenir en état.

Râpe

Mandoline

RÂPES ET MANDOLINES Elles permettent, facilement et très rapidement, de râper et d'émincer les légumes. Choisissez un modèle de mandoline multilames, avec chariot protecteur (anti-coupures).

MOULINS À LÉGUMES A utiliser pour réduire en purée les fruits et les légumes.

HACHOIRS MANUELS Ils permettent de hacher aussi bien les fruits que la viande.

Couteau d'office

Planche de découpe en bois

Mortier et pilon

Moulin à légumes

Couteau canneleur

Couteau zesteur

Vide-pomme

Moulin à café

Épluche-légumes à lame flottante

Hachoir à manivelle et à étau

CANNELEURS, VIDE-POMMES ET ZESTEURS Ils sont pratiques pour préparer fruits et légumes.

POUR BROYER Le mortier traditionnel, avec son inséparable pilon, reste idéal pour broyer et mélanger intimement de petites quantités d'épices. Pour obtenir une poudre plus fine, recourez au moulin à épices ou au moulin à café électrique.

Grilles à hachoir

Accessoire de hachoir

Cornet pour diamètre des saucisses

HACHOIRS ÉLECTRIQUES
Indispensables si vous vous lancez dans la fabrication des saucisses. Ils font généralement partie des accessoires des robots de cuisine, et sont munis d'une douille « spécial saucisse ».

POUSSOIRS À SAUCISSE En vente dans des magasins spécialisés.

Poussoir à saucisse

Cuillers en bois

Cuillers à mesurer

Tasse à mesurer

Palette

INSTRUMENTS DE MESURE Privilégiez le verre, la porcelaine ou l'acier inoxydable, mais évitez les métaux corrosifs, comme l'aluminium.

Thermomètre à viande

Thermomètre à bonbons

CUILLERS EN BOIS
Employez des cuillers différentes pour le sucré et le salé.

PALETTES Elles sont très pratiques pour lisser les surfaces.

Entonnoir

ENTONNOIRS ET PASSOIRES
Les entonnoirs simplifient la mise en bouteille ou en bocal. Évitez les passoires métalliques pour les fruits acides, car elles pourraient altérer leur couleur et leur saveur.

Entonnoir à confiture

Calicot

Mousseline

Sac à gelée

Filtre à café en papier

FILTRES ET SACS À GELÉE Une mousseline en étamine de nylon ou un calicot sont parfaits pour filtrer et passer. Stérilisez-les toujours avant usage (voir p. 42). Pour filtrer une petite quantité de liquide, les filtres en papier suffisent.

ÉCUMOIRES L'écumage est très important pour éclaircir une confiture ou une gelée. Que vous vous serviez de cuillers percées de trous ou d'écumoires spéciales, plongez-les dans l'eau froide avant usage.

Passoire à maille fine

Crochets à viande

Ficelle de cuisine

Louche

Cuiller ajourée

Écumoire

Passoire

BOLS Il est indispensable d'en avoir de différentes tailles. Les plus grands servent à mélanger et à faire mariner divers ingrédients, les autres à les doser. Gardez-vous d'employer des récipients en aluminium.

Bol en inox

Bols de préparation en verre

MARMITE À CONFITURE EN CUIVRE MARTELÉ Rien de mieux pour les confitures et gelées que cette marmite traditionnelle, de forme évasée. Veillez à ce qu'elle soit toujours parfaitement propre et n'y mettez jamais d'aliments acides.

CHOISISSEZ un format pratique de 9 litres.

MARMITE ANTICORROSION
Pour préparer des conserves acides comme les chutneys et les marinades, il faut une marmite dont le revêtement ne se corrodera pas. Une forme évasée est toujours préférable.

UN FOND ÉPAIS évite la surchauffe et empêche le contenu de brûler et d'accrocher.

DÉSHYDRATEURS

Vous pouvez mener à bien le séchage dans un four traditionnel, mais si vous avez l'intention de pratiquer cette opération fréquemment et pour d'importantes quantités, il vaut mieux vous procurer un appareil spécial. S'ils sont relativement chers, les déshydrateurs consomment peu d'électricité et ont l'avantage d'être peu encombrants, efficaces et faciles à utiliser.

LA CONCEPTION des plateaux fait gagner du temps et évite l'altération du goût.

LA SUPERPOSITION des plateaux permet de faire sécher en même temps différentes quantités de fruits et légumes.

LE THERMOSTAT permet de régler la température.

FUMOIRS

Un fumoir est un véritable luxe, mais un luxe merveilleux. Si vous décidez d'en faire l'acquisition, choisissez un modèle facile à utiliser comme à nettoyer, doté d'un contrôle automatique du temps et de la température, et de l'option fumage à froid (en supplément sur plusieurs modèles). Suivez les instructions du fabricant.

LE BAC À SCIURES INTÉRIEUR assure un fumage uniforme des aliments disposés sur les étages.

LE VARIATEUR DE TEMPÉRATURE et le minuteur du temps de fumage permettent aux aliments d'être traités comme la recette l'indique.

LA PORTE À OUVERTURE LATÉRALE devrait rester entrouverte quand le fumoir est éteint.

RÉCIPIENTS

UNE GRANDE VARIÉTÉ DE RÉCIPIENTS est indispensable pour des raisons tant pratiques qu'esthétiques. Pour conserver des aliments humides ou liquides, choisissez systématiquement des matériaux non poreux : articles en faïence, émail, verre, porcelaine, acier inoxydable... Évitez l'aluminium et le plastique qui ont tendance à altérer et absorber les parfums. Avant usage, vérifiez toujours que vos récipients ne sont ni ébréchés ni fendillés, lavez-les avec soin à l'eau chaude savonneuse et stérilisez-les (voir p. 42).

A L'ÉPREUVE DE LA CHALEUR

Les terrines, pâtés et autres plats cuits au four requièrent des récipients en verre trempé, en faïence, en porcelaine ou en émail, résistants à la chaleur et aux variations de température. La transparence du verre en fait le matériau idéal, sinon pensez à harmoniser la couleur des plats avec celle de leur contenu.

Ramequins en porcelaine

Terrine rectangulaire en émail

Ramequin en faïence

Bol verseur en faïence

Terrine ovale en faïence

Pot en faïence

Bouteilles et bocaux en verre

LES BOCAUX À COL TRÈS LARGE s'imposent pour les recettes utilisant des fruits ou des légumes entiers.

LES BOUTEILLES DÉCORATIVES sont parfaites pour stocker les huiles parfumées et les vinaigres aromatisés.

ASSUREZ-VOUS que les bouchons utilisés garantissent une fermeture étanche.

HYGIÈNE ET SÉCURITÉ

IL EST PRIMORDIAL de se conformer rigoureusement aux règles d'hygiène et autres consignes de sécurité. Il convient par exemple de respecter les temps et les températures indiqués. Votre plan de travail doit être impeccable, comme chacun de vos ustensiles. Avant d'entreprendre une préparation, nettoyez toutes les surfaces avec une solution stérile. Et en fin d'opération, au moment de stocker vos conserves, assurez-vous que celles-ci sont bien scellées. Par la suite, quand vous les examinerez – il faut le faire très régulièrement –, écartez impérativement celles qui donneraient le moindre signe d'altération (bocal fendu, couvercle ébréché), d'odeur ou de décoloration suspectes (voir p. 186).

Précautions avec la viande

La conservation de la viande requiert des précautions extrêmes. Mais si vous observez les dispositions énumérées ci-après, vous ne rencontrerez probablement aucun problème dans la réalisation de vos conserves.

• La cuisine doit être d'une très rigoureuse propreté. N'utilisez que des ustensiles stérilisés et maintenus à l'état neuf.
• Stérilisez le matériel à l'eau bouillante. Pour les ustensiles en matière plastique, opérez avec des comprimés effervescents employés pour stériliser les biberons.
• La chaleur, et donc les mains moites, favorise le développement des bactéries. Lavez-vous très fréquemment les mains – sans oublier de vous brosser les ongles – avec un savon antibactérien et séchez-les soigneusement.
• Travaillez toujours dans une cuisine bien ventilée : dans l'idéal, la température ne devrait pas excéder 10 à 12 °C (50-54 °F).

• Veillez scrupuleusement à la qualité des aliments que vous employez et n'hésitez jamais à demander conseil à votre boucher.
• Ne laissez pas la viande se réchauffer. Maintenez-la au réfrigérateur, en réglant la température à 4 °C (40 °F).
• Suivez bien chaque recette, en respectant surtout les quantités indiquées de salpêtre, de sel et de sucre (gardez-vous de l'à-peu-près !).
• Vérifiez très régulièrement vos conserves, et éliminez systématiquement celles qui auraient une couleur anormale, une odeur désagréable ou un quelconque signe de moisissure (voir p. 186).

AVERTISSEMENT SUR LE SALPÊTRE

Le salpêtre (nitrate de sodium) fait l'objet d'une controverse. Il s'agit d'une substance naturelle, qui, si on l'utilise en petite quantité, assure la conservation de la viande en interrompant le processus de développement des bactéries. Puisqu'on ajoute du nitrate de sodium (de même que du nitrite de sodium) aux salaisons du commerce, il n'y a aucune raison de le supprimer dans les préparations maison.

• Vous pouvez vous procurer du salpêtre en pharmacie et chez les dépositaires de matériel agricole.

• Mettez-le en sûreté, avec étiquette et à l'abri des enfants.

• Lors de son utilisation, dosez-le avec soin, en veillant à ce qu'il soit intimement mélangé aux autres ingrédients.

• Toutes les recettes de ce livre qui utilisent du salpêtre sont signalées par le symbole suivant ✱

Stérilisation des bocaux

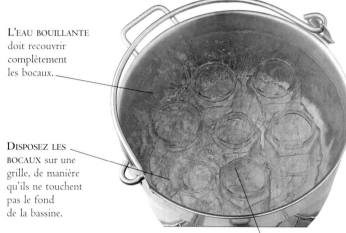

L'EAU BOUILLANTE doit recouvrir complètement les bocaux.

DISPOSEZ LES BOCAUX sur une grille, de manière qu'ils ne touchent pas le fond de la bassine.

VEILLEZ À CE QUE LES BOCAUX ne se heurtent pas et qu'ils ne touchent pas les parois de la bassine.

À L'EAU BOUILLANTE

Stérilisez toujours les bocaux (et les bouteilles) – même neufs – avant usage. Pour cela, placez-les, une fois lavés, dans un grand fait-tout et couvrez-les d'eau bouillante. Laissez bouillir 10 minutes. Sortez les bocaux, à l'aide de pinces, et faites-les égoutter à l'envers sur des torchons propres, avant de les disposer sur un plateau couvert et de les mettre à four tiède. Tous les couvercles, sans oublier les joints de caoutchouc et les bouchons de liège, doivent être ébouillantés pendant quelques secondes. **Stérilisez les mousselines, calicots, gazes et sacs à gelée.**

AU FOUR

Rangez les bocaux, à l'endroit, sur une plaque couverte de serviettes en papier, et mettez à four préchauffé à 160 °C (325 °F), pendant 10 minutes. Laissez un peu refroidir avant de remplir les bocaux.

AVANT DE LES STÉRILISER, vérifiez que vos bocaux sont exempts de toute fêlure ou ébréchure, puis lavez-les à l'eau chaude, avec un peu de savon.

TAPISSEZ LA PLAQUE de serviettes en papier. Elle ne se tachera pas.

REMPLISSAGE ET FERMETURE

CHOIX DES RÉCIPIENTS

Utilisez des récipients stérilisés dotés d'une fermeture adéquate. Prenez des couvercles résistant au vinaigre pour vos marinades ou vos chutneys, et des disques de papier ciré et de cellophane pour les recettes sucrées à réfrigérer. Si vous stérilisez vos conserves, optez pour des bocaux spéciaux (voir pp. 44-45).

Bocaux à confiture

Rond de cellophane

Disque de papier ciré

Bouchons de liège

Élastiques

Bougie

Cire à cacheter

Bouteille en verre

Remplir et sceller des bocaux sans couvercle

HUMECTEZ le rond de cellophane avant usage.

1 À l'aide d'une louche et d'un entonnoir à confiture, remplissez le bocal stérilisé et chaud jusqu'à 1 cm (½ po) du bord.

2 Après avoir essuyé le bord du bocal, posez délicatement un disque de papier ciré sur la confiture (côté ciré dessous).

3 Déposez le rond de cellophane, côté mouillé dessus. Entourez-le d'une bande élastique ; il se rétractera en séchant. Les bocaux ainsi scellés doivent être conservés au réfrigérateur.

Remplir et boucher des bouteilles

LE GOULOT doit être entièrement recouvert par la cire de manière à garantir l'étanchéité.

1 Utilisez une louche et un entonnoir pour remplir la bouteille stérilisée et chaude. Remplissez-la jusqu'à 3,5 cm (1½ po) du bord. Essuyez soigneusement le goulot.

2 Laissez tremper quelques minutes le bouchon de liège dans de l'eau chaude, puis introduisez-le dans le col en le faisant pénétrer jusqu'à ce qu'il ne dépasse que de 5 mm (¼ po).

3 Une fois que la bouteille a refroidi, achevez d'enfoncer le bouchon à ras bord. Trempez plusieurs fois le col de la bouteille dans de la cire chaude (cire de bougie ou cire à cacheter), en laissant à celle-ci le temps de se solidifier entre chaque bain.

STÉRILISATION DES PRODUITS

LES PRODUITS MIS EN CONSERVE – de faible acidité, ou à teneur réduite en sel ou en sucre – risquent d'être gâtés par la moisissure et les bactéries. Aussi, si vous désirez les conserver plus de 3 mois, est-il indispensable de les stériliser. Le passage à haute température et la disparition de l'air créent un environnement dans lequel les ferments de détérioration ne peuvent survivre. La technique est simple : une fois remplis, les bocaux ou les bouteilles sont fermés et immergés dans de l'eau, laquelle est portée à ébullition pendant une durée déterminée (voir encadré, p. 45). En refroidissant, la vapeur va se condenser et produire un vide. Entreposés dans un endroit sec, à l'abri de la chaleur et de la lumière, vos produits se conserveront sans dommage pendant 2 ans au maximum.

CHOIX DES BOCAUX

Il en existe de toutes les formes et de toutes les tailles. Veillez seulement à choisir un modèle courant pour lequel vous trouverez sans mal des couvercles et des joints de caoutchouc de rechange. Il est toujours conseillé d'utiliser des récipients neufs, dotés de fermetures à l'épreuve de l'acide. Les couvercles en deux pièces permettent de vérifier si le contenu est sous vide. Pour les bouteilles, il faut des bouchons en liège neufs ; si elles sont à capsules, les joints doivent être neufs.

Bocal à couvercle à étrier

Bocal monobloc avec couvercle plat métallique à pas de vis

Bocal avec couvercle à vis doublé d'une plaque métal-caoutchouc

Le goulot est indispensable pour fixer le bouchon

La capsule doit avoir un joint de caoutchouc

Ficelle de cuisine

Bouchons de liège

Les joints de caoutchouc doivent être neufs

Couvercle métallique à vis

Disque d'étanchéité avec sa rondelle métallique à vis

Bouteille en verre solide (à feu)

Bouteille à fermeture à étrier

Couvercle à étrier

1 Tendez le joint de caoutchouc neuf, stérilisé à l'eau bouillante, sur le col du couvercle. Il doit être bien mis en place, de manière que la fermeture soit hermétique.

2 Remplissez le bocal brûlant en ménageant 1 cm (½ po) de vide (le joint ne doit pas toucher le contenu) ; refermez en appuyant sur l'étrier.

Disque et rondelle vissée

1 Remplissez le bocal brûlant jusqu'au niveau indiqué sur le verre ou en laissant 1 cm (½ po) de vide. Essuyez le col et déposez par-dessus le disque d'étanchéité.

2 Maintenez fermement le bocal (avec un torchon si le contenu est trop chaud) d'une main, et vissez la rondelle métallique de l'autre en tournant à fond.

Boucher les bouteilles

1 Fermez la bouteille avec un bouchon de liège (voir p. 43), puis incisez celui-ci avec une lame. Coupez 50 cm (20 po) de ficelle ; en gardant 10 cm (4 po) de plus d'un côté que de l'autre, passez la ficelle dans la fente (ci-dessus à droite).

FORMEZ UNE BOUCLE autour du col avec le côté long de la ficelle.

GLISSEZ L'AUTRE BOUT de la ficelle dans la boucle.

2 Faites une boucle autour du col de la bouteille avec le côté long de la ficelle, puis passez l'extrémité dans la boucle formée.

3 Tirez sur les deux bouts de la ficelle, de manière à serrer fortement le nœud sous le goulot. Attachez les deux extrémités au sommet du bouchon, comme montré ci-dessus à droite.

ASSUREZ-VOUS que le bouchon est solidement attaché : sans cette sécurité, il sauterait pendant la stérilisation (sous la pression provoquée par l'ébullition).

Sceller les conserves à vide

1 Enveloppez chaque bocal d'un linge pour empêcher les parois de verre de s'entre-choquer pendant les remous de l'ébullition. Rangez les bocaux sur une grille de métal placée au fond d'une grande marmite.

2 Remplissez la marmite d'une quantité d'eau chaude suffisante pour couvrir les bocaux d'au moins 2,5 cm (1 po). Couvrez et faites bouillir le temps indiqué (voir encadré ci-dessous). Vérifiez le niveau d'eau de temps à autre.

3 Retirez la marmite du feu et sortez les bocaux à l'aide de pinces. Déposez-les sur un plan recouvert d'un torchon. Vissez les couvercles. Il se formera un vide en cours de refroidissement.

CONSEIL

S'il ne s'est pas formé de vide, pas d'hésitation : il ne vous reste qu'à réfrigérer votre conserve et à la consommer dans la semaine.

4 Pour vérifier l'étanchéité de vos bocaux, ouvrez l'étrier ou dévissez la rondelle métallique. Avec précaution, soulevez le bocal par son couvercle : si le vide s'est bien formé à l'intérieur, le couvercle tiendra. S'il s'agit d'un couvercle de métal simple, il se formera une légère dépression au centre. Dans le cas des bouteilles, couchez-les pour voir s'il n'y a pas de fuite, puis cachetez les bouchons de liège à la cire (voir p. 43).

DURÉES DE LA STÉRILISATION

Pour des bocaux d'une contenance de 500 ml (2 tasses), remplis à chaud

Confitures, gelées et marinades : calculez 5 minutes une fois l'ébullition prise.

Tomates et autres aliments faibles en sucre, en sel ou en vinaigre : calculez 20 minutes une fois l'ébullition prise.

Ketchups et chutneys : calculez 10 minutes une fois l'ébullition prise.

Note : En altitude, prévoyez 1 minute supplémentaire pour chaque palier de 300 m (1 000 pi).

TECHNIQUES DE BASE

LES DIFFÉRENTES TECHNIQUES décrites ici sont autant de méthodes pour vous aider à réussir toutes vos conserves sans aucun problème, des confitures et gelées aux salaisons, en passant par les marinades. Il ne s'agit pas d'opérations compliquées, mais de précieux tours de main avec lesquels vous aurez à vous familiariser, car chacun d'eux reviendra souvent au fil des recettes qui suivent (pp. 52-182) et sera le garant de votre succès.

Blanchir

Faire blanchir les fruits et les légumes est une opération importante dans la conservation, car elle détruit les enzymes qui provoquent la dégradation des produits au contact de l'air (oxydation). **Les légumes verts** doivent être blanchis à l'eau salée (comptez 1 cuillerée à soupe de sel pour 4 tasses d'eau), tandis que **les fruits** sont blanchis à l'eau acidulée (pour 4 tasses d'eau, comptez 3 cuillerées à soupe de vinaigre ou de jus de citron, ou 2 cuillerées à thé d'acide citrique).

1 Mettez les aliments dans un panier métallique et plongez-le dans une marmite d'eau bouillante. Ramenez à ébullition le plus rapidement possible et laissez blanchir le temps indiqué dans la recette.

2 Faites aussitôt passer le contenu du panier dans un bac d'eau glacée. Ce bain stoppe net le processus de cuisson et rafraîchit les aliments que vous n'aurez plus qu'à sécher soigneusement avant emploi.

Peler les tomates

La meilleure manière de peler des tomates consiste à les ébouillanter : la peau se détend et s'enlève ainsi très facilement. Vous pouvez procéder de la même façon avec les pêches (les oignons demandent pour leur part un bain prolongé).

1 Équeutez les tomates et entaillez à peine la peau. Mettez-les dans un bol et versez de l'eau bouillante par-dessus.

2 Rincez rapidement à l'eau froide. Il ne vous reste plus qu'à enlever la peau distendue des tomates à l'aide d'un couteau.

Déposer un poids

Cette manœuvre a pour but de faire pression sur les ingrédients afin de les maintenir dans le liquide et les protéger ainsi des effets de l'oxydation. Utilisez pour cela des objets non poreux, faciles à stériliser, comme une soucoupe ou une bouteille plus ou moins pleine. Dans le cas d'un bocal à col très large, un radeau de mini-brochettes en bois flottant à la surface peut suffire à garder le contenu immergé. Une fois le poids installé, vérifiez bien que le liquide recouvre les aliments sur au moins 1 cm (½ po), sinon, alourdissez le poids jusqu'à obtention du bon niveau.

UN BOCAL OU UNE BOUTEILLE rempli(e) d'eau sont parfaits.

DES GALETS STÉRILISÉS font pression sur les ingrédients de la conserve (à déconseiller cependant pour des aliments délicats, qui pourraient être écrasés).

POUR LES PÂTÉS ET LA VIANDE, utilisez des galets polis et propres (ou des boîtes de conserve) que vous déposerez sur une planchette.

UNE ASSIETTE PLACÉE à la surface d'un récipient maintiendra immergés les fruits et légumes mis à mariner.

Pectine

Confitures et gelées ont besoin de pectine pour prendre. A vous de tester, comme montré ci-dessous, si vos fruits en contiennent suffisamment. Le cas échéant, rectifiez le dosage de pectine – sans oublier d'augmenter la quantité de sucre indiquée dans la recette (voir p. 76).

VÉRIFIER LA TENEUR EN PECTINE

Versez 1 cuillerée à soupe de jus du fruit cuit dans une soucoupe, sans sucre ; ajoutez-y 1 cuillerée à soupe d'alcool à brûler. Remuez pendant quelques minutes, jusqu'à ce que le mélange commence à se coaguler. Plus le grumeau est gros, plus la teneur en pectine est élevée.

FAIRE PROVISION DE PECTINE
(donne environ 4 tasses)

En réservant les trognons, évidez 1 kg (2 lb) de pommes et tronçonnez-les dans un robot. Mettez les morceaux de pommes et les trognons dans une marmite, et couvrez d'eau. (Vous pouvez aussi utiliser des trognons et des épluchures.) Portez lentement à ébullition, puis laissez cuire à petit feu 25 à 30 minutes, le temps que les fruits s'amollissent. Filtrez dans un sac à gelée (voir étape 4, p. 80) et réservez le jus. Remettez la pulpe dans la bassine, et couvrez d'eau. Portez à ébullition, puis laissez cuire à feu doux encore 30 minutes. Filtrez à nouveau. Versez les deux jus à quantités égales dans la bassine, et faites bouillir 10 à 15 minutes, le temps que le liquide réduise d'un quart. La pectine se conserve 1 semaine au réfrigérateur ou 1 an dans une bouteille scellée à vide (voir p. 45).

Tester la gélification

Quand une confiture, ou toute autre conserve à forte teneur en sucre, est chauffée à 105 °C (220 °F), le sucre, réagissant à la pectine, commence à épaissir. On dit que le mélange « prend ». Vérifiez le degré de gélification avec un thermomètre à bonbons ou effectuez le test de la cuiller ou de la soucoupe (voir p. 76).

Filtrer

Il arrive assez fréquemment que des liquides, même préparés avec soin, se troublent ; il faut alors les filtrer. Pour cela, faites-les passer à travers un sac à gelée stérilisé, ou une double épaisseur de mousseline stérilisée, ou une fine toile de calicot, ou encore un filtre en papier (filtre à café, par exemple).

Filtrer à travers une mousseline

Filtrer à travers un filtre en papier

Disposez le filtre en papier sur un entonnoir, et le tissu sur une passoire. Vous pouvez aussi tendre une large pièce de mousseline entre les pieds d'un tabouret posé à l'envers.

Préparer la saumure

Vous aurez besoin de saumure pour les viandes séchées (voir recette p. 134). La viande est mise à mariner dans une préparation abondamment salée destinée à extraire l'humidité. Utilisez toujours un récipient qui soit en matière non corrosive quand vous préparez de la saumure.

1 Dans une marmite, mettez tous les ingrédients, sauf les épices et les herbes. Portez lentement à ébullition, en mélangeant jusqu'à dissolution du sel. Écumez soigneusement avant d'ajouter herbes et épices. Ramenez à ébullition, puis faites cuire à feu doux 5 minutes.

2 Retirez la marmite du feu et laissez le liquide refroidir. Retirez les épices et les herbes. Filtrez la saumure dans une passoire recouverte de mousseline pour la débarrasser de toute écume et autres impuretés. Utilisez ensuite comme indiqué dans la recette.

Sachet d'épices et bouquet garni

Regrouper les épices dans un petit sachet et attacher les herbes en bouquet, voilà de bons moyens pour parfumer vos préparations – d'autant plus pratiques que vous pourrez retirer facilement sachet et bouquet.

PLACEZ LES ÉPICES au centre d'un carré de mousseline dont vous rabattrez les bords pour les attacher solidement avec de la ficelle de cuisine.

LIEZ ENSEMBLE les tiges des différentes herbes pour en faire un bouquet.

INGRÉDIENTS DE BASE

UN CERTAIN NOMBRE D'INGRÉDIENTS jouent un rôle essentiel dans la cuisine en général et les conserves en particulier. Veillez à la qualité de ces produits clefs, et n'hésitez pas à expérimenter les différents vinaigres, huiles et sucres qui sont à votre disposition. Comme beaucoup d'ingrédients craignent l'exposition à l'air, à la lumière et à la chaleur, pensez à les entreposer systématiquement à l'abri, à l'ombre et au frais.

SUCRES

Sous divers conditionnements, ils sont plus ou moins facilement disponibles dans le commerce, mais peuvent se substituer les uns aux autres. Les sucres blancs raffinés produisent des conserves translucides. Le miel, le sucre brut, les sirops ou la mélasse confèrent aux aliments un aspect plus terne et un goût prononcé.

Sucre granulé

Sucre cristallisé

SUCRE ET SIROP DE MÉLASSE Texture moelleuse, arôme très prononcé.

GLUCOSE LIQUIDE Sucre complexe aidant à prévenir la cristallisation.

SUCRES GRANULÉ ET EN CRISTAUX Raffinés et interchangeables ; toutefois, le sucre cristallisé donne un jus plus translucide.

MIEL Élément sucré naturel par excellence ; privilégiez un miel clair, liquide et monofloral.

SUCRE BRUT Un sucre peu raffiné, sans le goût « brûlé » de la mélasse.

CASSSONADE DORÉE Saveur prononcée et texture douce.

CASSSONADE FONCÉE Saveur accentuée et couleur plus sombre.

SUCRE DE PALME Piquant, il provient de la sève du palmier.

JAGGERY Sucre brut de l'Inde à l'arôme très particulier.

HUILES

Les huiles douces sont les meilleures pour les conserves dans la mesure où elles ne dénaturent pas le goût des aliments. Si vous recherchez une saveur plus prononcée, choisissez une huile d'olive vierge portant la mention « extraite par première pression à froid ».

HUILE DE MOUTARDE Faite à partir de graines de moutarde ; goût puissant. Convient aux recettes indiennes.

HUILE D'ARACHIDE Huile à tout faire, douce, un peu lourde mais bonne.

HUILE D'OLIVE LÉGÈRE Couleur et saveur peu prononcées, excellente pour les conserves délicates.

HUILE D'OLIVE PURE Appellation pour un mélange d'huile vierge et d'huile raffinée.

HUILE D'OLIVE VIERGE Très parfumée et d'un goût prononcé.

Huile de moutarde

Huile d'arachide

Huile d'olive légère

Huile d'olive pure

Huile d'olive vierge

GRAISSES

Les corps gras sont également utilisés pour leur propriété de conservation, comme en témoignent les confits. Quelle que soit la graisse que vous emploierez, elle doit être d'une belle couleur et sentir bon. Comme elles sont toutes sensibles aux variations de température, conservez-les dans le bas de votre réfrigérateur.

BEURRE CLARIFIÉ Sert fréquemment à sceller les confits et les terrines.

GRAISSE D'OIE Un goût bien particulier, indispensable aux confits et aux rillettes.

SAINDOUX Graisse de porc fondue et clarifiée, largement utilisée comme isolant.

BEURRE DOUX Parfume et enrichit les conserves sucrées et salées.

SELS

Évitez d'employer du sel de table pour les conserves, car il contient souvent un agent antiagglomérant, lequel risquerait de troubler la saumure et d'altérer le goût. Le sel de mer, dispendieux et souvent chargé d'impuretés, ne convient pas non plus.

SALPÊTRE Essentiel pour le traitement de la viande (voir p. 42).

(voir p. 42)

SEL DE TABLE A réserver à l'assaisonnement.

SEL EN CRISTAUX Sel de mer obtenu par évaporation naturelle ; parfait pour le poisson.

GROS SEL Écrasé, peut convenir aux salaisons en l'absence de sel en cristaux.

SEL À MARINADES Sel mi-fin, très utilisé pour les salaisons.

ACIDES

Les acides sont un élément très important, dans la mesure où ils permettent aux confitures et gelées de prendre, et où ils préviennent la décoloration. Pour garantir leur fraîcheur, achetez-les en petites quantités et conservez-les dans des récipients hermétiques.

ACIDE CITRIQUE Parfois vendu comme « sel au citron », remplace le jus de citron.

CITRON Antioxydant naturel ; apporte de la pectine et évite la décoloration.

VITAMINE C Autre antioxydant ; conserve aux aliments une jolie couleur appétissante.

TAMARIN Pâte d'un fruit à saveur aigre et fruitée.

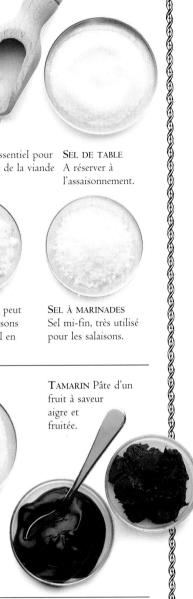

VINAIGRES

Dans la vaste gamme des vinaigres, sélectionnez plutôt ceux qui sont clairs, d'un jolie couleur et d'un bouquet agréable. Réservez les vinaigres incolores aux marinades, les plus sombres aux chutneys.

VINAIGRE DE CIDRE Très parfumé et fruité, un vinaigre complet, parfait pour les chutneys.

VINAIGRE DE VIN BLANC Doux et moelleux, tout indiqué pour les conserves raffinées.

VINAIGRE DE VIN ROUGE Apporte une jolie couleur ; recommandé pour les fruits aux épices.

VINAIGRE DE MALT Issu de la fermentation de graines d'orge, parfait pour les chutneys et les marinades foncées.

VINAIGRE DE RIZ Limpide, doux et délicat, convient à n'importe quelle recette.

VINAIGRE DE MALT DISTILLÉ Un vinaigre incolore, idéal pour toutes les marinades.

Vinaigre de cidre *Vinaigre de vin blanc* *Vinaigre de vin rouge* *Vinaigre de malt* *Vinaigre de riz* *Vinaigre blanc*

AROMATES

L'HISTOIRE DE LA CUISINE a commencé quand les hommes découvrirent que leurs aliments devenaient meilleurs dès lors qu'on leur ajoutait des herbes et des épices. Depuis, cette subtile association des saveurs s'est ancrée au cœur de l'art culinaire. Outre leurs arômes, un grand nombre d'herbes et d'épices ont dû leur succès à leurs vertus médicinales (combien d'entre elles favorisent la digestion et jouent un rôle efficace dans l'antisepsie !) et à leurs propriétés de conservation. Artiste et artisan, le cuisinier joue de la gamme des aromates comme le peintre des couleurs de sa palette ; l'expérience permet d'affiner les dosages et de mettre au point la touche « idéale » pour chacun.

ÉPICES

Il est préférable de broyer les épices juste avant leur emploi. En effet, intactes, les épices se conservent environ 2 ans à l'abri de l'air, alors qu'une fois moulues elles perdent leurs arômes beaucoup plus vite.

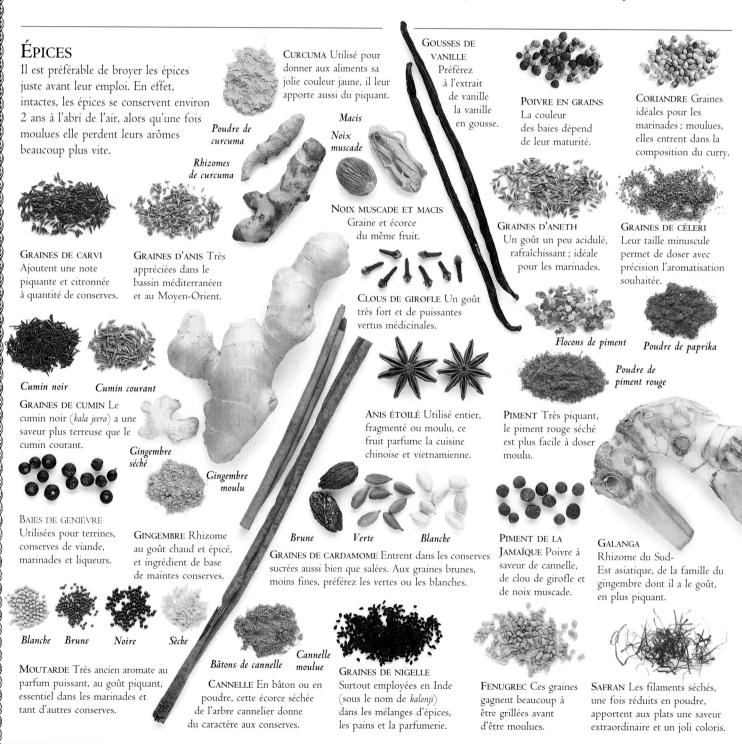

CURCUMA Utilisé pour donner aux aliments sa jolie couleur jaune, il leur apporte aussi du piquant.

Poudre de curcuma

Rhizomes de curcuma

Macis

Noix muscade

NOIX MUSCADE ET MACIS Graine et écorce du même fruit.

GOUSSES DE VANILLE Préférez à l'extrait de vanille la vanille en gousse.

POIVRE EN GRAINS La couleur des baies dépend de leur maturité.

CORIANDRE Graines idéales pour les marinades ; moulues, elles entrent dans la composition du curry.

GRAINES D'ANETH Un goût un peu acidulé, rafraîchissant ; idéal pour les marinades.

GRAINES DE CÉLERI Leur taille minuscule permet de doser avec précision l'aromatisation souhaitée.

CLOUS DE GIROFLE Un goût très fort et de puissantes vertus médicinales.

Flocons de piment

Poudre de paprika

Poudre de piment rouge

GRAINES DE CARVI Ajoutent une note piquante et citronnée à quantité de conserves.

GRAINES D'ANIS Très appréciées dans le bassin méditerranéen et au Moyen-Orient.

Cumin noir   *Cumin courant*

GRAINES DE CUMIN Le cumin noir (*kala jeera*) a une saveur plus terreuse que le cumin courant.

Gingembre séché

Gingembre moulu

BAIES DE GENIÈVRE Utilisées pour terrines, conserves de viande, marinades et liqueurs.

GINGEMBRE Rhizome au goût chaud et épicé, et ingrédient de base de maintes conserves.

ANIS ÉTOILÉ Utilisé entier, fragmenté ou moulu, ce fruit parfume la cuisine chinoise et vietnamienne.

PIMENT Très piquant, le piment rouge séché est plus facile à doser moulu.

Brune   *Verte*   *Blanche*

GRAINES DE CARDAMOME Entrent dans les conserves sucrées aussi bien que salées. Aux graines brunes, moins fines, préférez les vertes ou les blanches.

PIMENT DE LA JAMAÏQUE Poivre à saveur de cannelle, de clou de girofle et de noix muscade.

GALANGA Rhizome du Sud-Est asiatique, de la famille du gingembre dont il a le goût, en plus piquant.

Blanche   *Brune*   *Noire*   *Sèche*

MOUTARDE Très ancien aromate au parfum puissant, au goût piquant, essentiel dans les marinades et tant d'autres conserves.

Bâtons de cannelle   *Cannelle moulue*

CANNELLE En bâton ou en poudre, cette écorce séchée de l'arbre cannelier donne du caractère aux conserves.

GRAINES DE NIGELLE Surtout employées en Inde (sous le nom de *kalonji*) dans les mélanges d'épices, les pains et la parfumerie.

FENUGREC Ces graines gagnent beaucoup à être grillées avant d'être moulues.

SAFRAN Les filaments séchés, une fois réduits en poudre, apportent aux plats une saveur extraordinaire et un joli coloris.

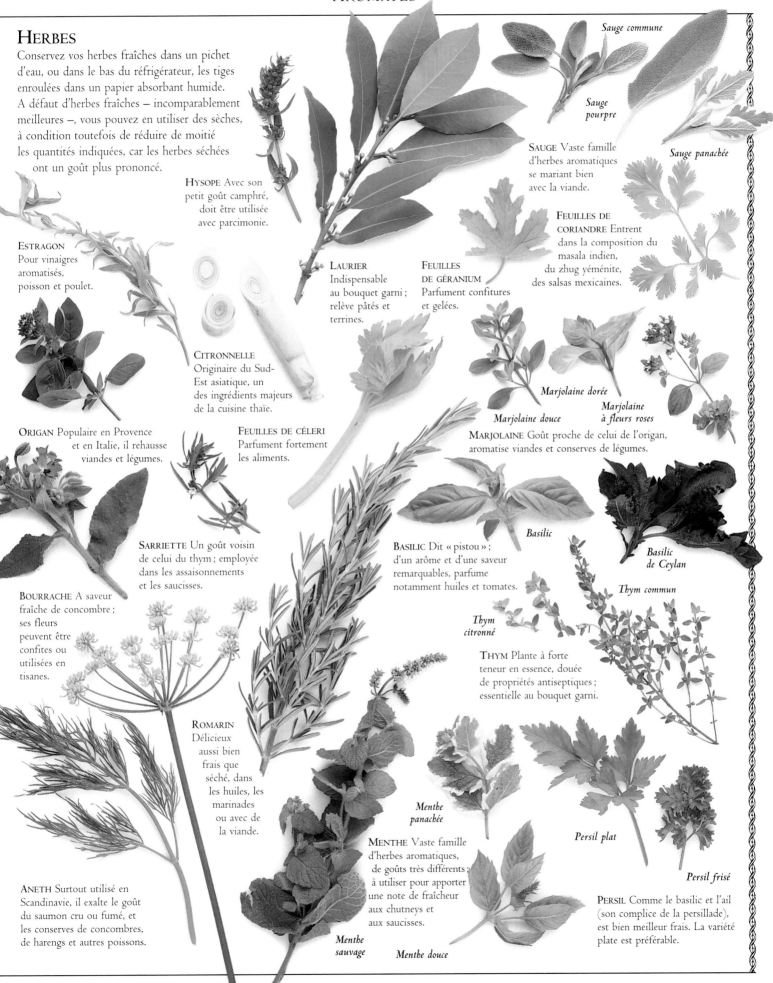

HERBES

Conservez vos herbes fraîches dans un pichet
d'eau, ou dans le bas du réfrigérateur, les tiges
enroulées dans un papier absorbant humide.
A défaut d'herbes fraîches – incomparablement
meilleures –, vous pouvez en utiliser des sèches,
à condition toutefois de réduire de moitié
les quantités indiquées, car les herbes séchées
ont un goût plus prononcé.

HYSOPE Avec son petit goût camphré, doit être utilisée avec parcimonie.

ESTRAGON Pour vinaigres aromatisés, poisson et poulet.

LAURIER Indispensable au bouquet garni ; relève pâtés et terrines.

FEUILLES DE GÉRANIUM Parfument confitures et gelées.

CITRONNELLE Originaire du Sud-Est asiatique, un des ingrédients majeurs de la cuisine thaïe.

ORIGAN Populaire en Provence et en Italie, il rehausse viandes et légumes.

FEUILLES DE CÉLERI Parfument fortement les aliments.

SARRIETTE Un goût voisin de celui du thym ; employée dans les assaisonnements et les saucisses.

BOURRACHE A saveur fraîche de concombre ; ses fleurs peuvent être confites ou utilisées en tisanes.

ROMARIN Délicieux aussi bien frais que séché, dans les huiles, les marinades ou avec de la viande.

ANETH Surtout utilisé en Scandinavie, il exalte le goût du saumon cru ou fumé, et les conserves de concombres, de harengs et autres poissons.

Sauge commune

Sauge pourpre

Sauge panachée

SAUGE Vaste famille d'herbes aromatiques se mariant bien avec la viande.

FEUILLES DE CORIANDRE Entrent dans la composition du masala indien, du zhug yéménite, des salsas mexicaines.

Marjolaine dorée

Marjolaine douce

Marjolaine à fleurs roses

MARJOLAINE Goût proche de celui de l'origan, aromatise viandes et conserves de légumes.

Basilic

Basilic de Ceylan

BASILIC Dit « pistou » ; d'un arôme et d'une saveur remarquables, parfume notamment huiles et tomates.

Thym commun

Thym citronné

THYM Plante à forte teneur en essence, douée de propriétés antiseptiques ; essentielle au bouquet garni.

Menthe panachée

MENTHE Vaste famille d'herbes aromatiques, de goûts très différents ; à utiliser pour apporter une note de fraîcheur aux chutneys et aux saucisses.

Menthe sauvage

Menthe douce

Persil plat

Persil frisé

PERSIL Comme le basilic et l'ail (son complice de la persillade), est bien meilleur frais. La variété plate est préférable.

CONSERVATION AU VINAIGRE

ELLE S'EFFECTUE EN DEUX TEMPS. Il faut d'abord saler les légumes afin de réduire l'excès de jus, qui pourrait se diluer dans le vinaigre. Vous pouvez procéder pour cela de deux manières : soit par salage à sec, soit par immersion dans un bain à forte teneur en sel. Dans ce cas, les légumes doivent tremper entre 12 et 48 heures, selon leur taille, et ce bain doit être placé dans un endroit frais (s'il fait chaud, il est conseillé de changer chaque jour la solution saline pour éviter tout risque de fermentation). Ensuite, recouvrez les légumes de vinaigre, lequel peut être nature, épicé ou aromatisé (voir pp. 126-130), et

additionné de poivre en grains, de graines de moutarde, de piments séchés... Si vous aimez les marinades bien croquantes, mettez le vinaigre à refroidir avant de le verser dans le bocal. Avec le temps, les légumes verts marinés tendent à perdre leur couleur ; pour retarder cette décoloration, faites-les blanchir ou utilisez du bicarbonate de soude (comptez 1 cuillerée à thé pour 2 tasses de liquide) — cet élément préserve leur couleur, mais au détriment de leurs vitamines. Vous trouverez ci-après le détail de la préparation des petits oignons, le même procédé s'appliquant bien sûr aux autres légumes.

Petits oignons au vinaigre *(voir recette p. 92)*

1 Pour éplucher facilement les oignons, versez dessus de l'eau bouillante et laissez refroidir. Quand ils sont tièdes, débarrassez-les de leur pelure, puis mettez-les dans un bol en verre.

2 Préparez la quantité de saumure nécessaire pour couvrir les oignons, en diluant ¼ tasse de sel pour 4 tasses d'eau. Posez un poids au-dessus (voir p. 46) et laissez mariner dans un endroit frais pendant 24 heures.

3 Le lendemain, rincez bien les oignons pour ôter tout le sel, puis remplissez les bocaux brûlants, en ajoutant éventuellement graines de moutarde, feuilles de laurier et piments séchés.

4 Pour faire un vinaigre aromatisé, préparez un sachet d'épices (voir p. 47), que vous mettrez avec le vinaigre de votre choix dans une marmite anticorrosion. Portez à ébullition et laissez bouillir environ 5 minutes. Pour une saveur optimale, laissez le vinaigre refroidir avec les épices avant de retirer le sachet, puis ramenez à ébullition.

ATTACHEZ LE SACHET D'ÉPICES à une poignée de la marmite pour pouvoir le retirer plus facilement.

5 Versez du vinaigre bouillant dans chaque bocal pour recouvrir entièrement les oignons. Tassez-les (voir p. 46), puis fermez les bocaux avec un couvercle résistant au vinaigre. Conservez-les dans un endroit bien frais et sombre. Vos petits oignons seront bons à consommer au bout de 3 ou 4 semaines.

LAISSEZ REFROIDIR le vinaigre avant de le verser sur les oignons : ils n'en seront que plus croquants.

 Conservation 2 ans

SUGGESTION DE PRÉSENTATION

Traditionnellement, les petits oignons au vinaigre se consomment à l'apéritif ou avec de la charcuterie, mais ils accompagnent aussi à merveille une quiche.

CONSERVATION À L'HUILE

BIEN QUE L'HUILE NE SOIT PAS à proprement parler un conservateur, elle intervient comme un agent isolant en protégeant les ingrédients de l'air et des dégradations. Parce que la nourriture ainsi préservée n'est pas totalement à l'abri, il vaut mieux d'abord la traiter par salaison, cuisson, marinade au vinaigre, etc. Ainsi, vous pouvez préparer des aliments que vous conserverez à l'huile, comme l'illustre la recette de fromage présentée ci-dessous. Utilisez toujours une huile de qualité, suffisamment fine pour ne pas dominer la saveur propre à l'aliment. (Un mélange d'huile d'olive et d'huile de pépins de raisin est particulièrement recommandé.) Libre à vous de la parfumer avec les herbes et les épices de votre choix. L'huile de conservation peut être utilisée pour aromatiser des salades ou des grillades.

Labna (fromage doux) — (voir recette p. 108)

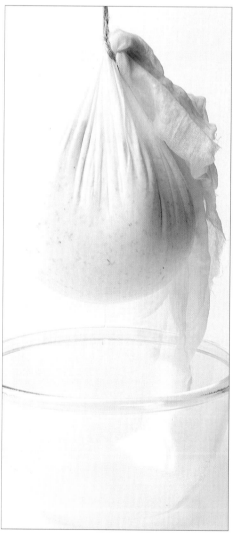

1 Versez le yogourt dans un bol de préparation, avec l'huile d'olive, l'écorce et le jus de citron, le sel, éventuellement la menthe séchée et le thym. Mélangez intimement à l'aide d'une cuiller en bois jusqu'à obtention d'une pâte homogène.

2 Étalez une double épaisseur de mousseline dans le fond et sur les côtés d'un grand bol en verre, en débordant largement à l'extérieur. Versez-y la préparation.

3 Nouez ensemble les bouts de la mousseline et maintenez-les attachés par une ficelle que vous suspendrez au-dessus du bol. Laissez égoutter 2 jours (l'été) ou 3 jours (l'hiver) dans un endroit froid, entre 6 et 8 °C (42-46 °F). S'il fait trop chaud, il est préférable d'entreposer le tout dans le bas du réfrigérateur.

54

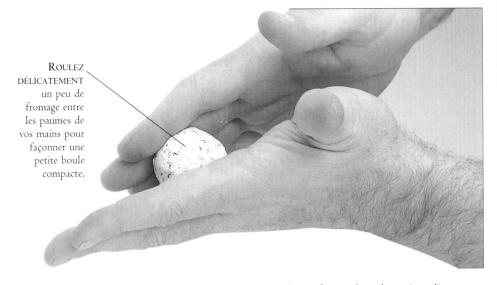

ROULEZ
DÉLICATEMENT
un peu de
fromage entre
les paumes de
vos mains pour
façonner une
petite boule
compacte.

4 Faites réfrigérer le mélange jusqu'à ce qu'il devienne ferme, ce qui le rend plus facile à travailler. Façonnez à la main des boulettes d'environ 4 cm (1½ po) de diamètre.

NE JETEZ PAS L'HUILE de vos conserves après dégustation : elle assaisonnera à merveille salades ou crudités, et parfumera grillades ou ragoûts

5 Au besoin, faites à nouveau réfrigérer les boulettes de fromage (afin qu'elles gardent leur forme), puis rangez-les délicatement une par une dans le bocal.

PRÉSENTATION

Les labnas se consomment à l'apéritif, nappés de leur huile de conservation, avec des petits légumes et un pain pitta.

6 Remplissez le bocal d'huile d'olive pour que les boulettes soient recouvertes et qu'il ne reste pas de poche d'air. Les labnas sont déjà bons à consommer, mais ils seront meilleurs si vous leur laissez le temps de s'imprégner de la saveur de l'huile.

 Conservation
6 mois,
au réfrigérateur

CONFECTION DU KETCHUP

LE KETCHUP EST NÉ EN CHINE, où, il y a bien des siècles, il n'était autre que le liquide de marinade du poisson. Dans l'empire du Milieu, cette sauce était d'autant plus populaire chez les marins qu'elle relevait agréablement leur ordinaire et insipide ration de riz blanc. Le ketchup fut importé en Europe à l'aube du XVIIIe siècle par des marchands venus d'Orient. Dans sa version à base de tomates, il est devenu le condiment le plus célèbre du monde. Fait maison, il est infiniment supérieur aux produits que l'on peut trouver dans le commerce et dont le goût est un peu trop douceâtre. On peut faire du ketchup avec bien d'autres fruits et légumes que des tomates : il est au moins aussi bon avec des poivrons (voir ci-dessous), et excellent à base de champignons ou de différents fruits.

Ketchup aux poivrons rouges *(voir recette p. 113)*

1 Faites griller les poivrons au-dessus d'une flamme ou sous le gril du four pendant 5 à 7 minutes, en les retournant dès que la peau noircit et se boursoufle.

2 Rafraîchissez-les sous l'eau courante et pelez-les en les frottant avec vos doigts. Coupez-les en deux et retirez le pédoncule, les graines et les filaments blancs.

3 Découpez grossièrement la pulpe des poivrons et mixez-la dans un robot de cuisine avec les échalotes ou les oignons, les pommes (et les piments, au goût).

4 Préparez un bouquet d'herbes et un sachet d'épices (voir p. 47) que vous mettrez dans une bassine à confiture inoxydable avec la purée de poivrons ; couvrez d'eau. Portez à ébullition, puis faites cuire à petit feu pendant 25 minutes environ.

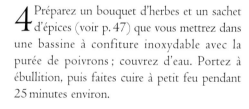

5 Laissez refroidir, puis retirez les herbes et les épices. Passez le mélange au moulin à légumes pour en extraire le jus.

6 Versez la purée obtenue dans la bassine à confiture nettoyée et ajoutez-y le vinaigre, le sucre et le sel. Portez à ébullition, en remuant pour bien dissoudre le sucre, puis laissez cuire à feu doux entre 1 heure et 1 h 30 min, le temps que la sauce réduise de moitié.

7 Mélangez la fécule à un peu de vinaigre pour obtenir une pâte ; ajoutez-la à la sauce et faites bouillir 1 à 2 minutes, le temps qu'elle épaississe un peu.

8 Versez le ketchup dans des bouteilles brûlantes ; bouchez-les. Stérilisez (voir pp. 44-45), puis laissez refroidir et cachetez les bouchons à la cire (voir p. 43).

N'OUBLIEZ PAS de cacheter à la cire les bouchons de liège.

UN ENTONNOIR facilitera le remplissage des bouteilles.

Conservation
3 mois, au réfrigérateur ; 1 an, après stérilisation

CONFECTION DU CHUTNEY

EN INDE, le mot « chutney » désigne toute une gamme de préparations réalisées à base de fruits, de légumes, d'épices et d'herbes aromatiques, que l'on fait longuement mijoter et que l'on confit lentement dans le vinaigre, jusqu'à obtention d'un condiment aigre-doux. Pour différents qu'ils soient, ces chutneys ont trois choses en commun : un élément acide, un édulcorant et des épices. Vous trouverez

ci-dessous la méthode de préparation d'un chutney cuisiné selon la tradition. C'est une recette très simple qui, si elle est ici à base de citrouille, peut s'adapter à n'importe quel mélange de fruits et légumes. Le vinaigre de cidre à la saveur fruitée est particulièrement recommandé pour les chutneys. Tous ces condiments relèvent merveilleusement divers plats froids dont le goût est un peu fade.

Chutney à la citrouille — *(voir recette p. 120)*

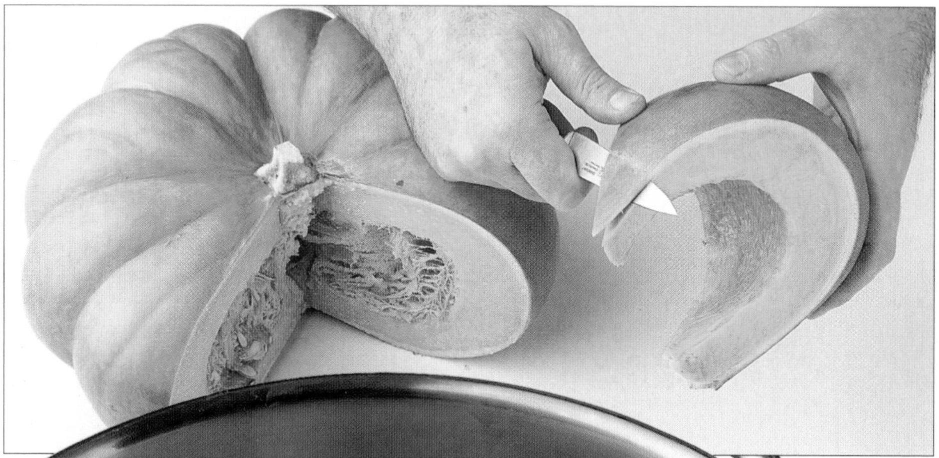

1 Coupez la citrouille en quartiers ; pelez-la, retirez les fibres et les graines. Découpez la chair en cubes de 2,5 cm (1 po). (Ne jetez pas les graines – elles feront un délicieux amuse-gueule. Vous ne pouvez toutefois pas les servir telles quelles : il faut d'abord les nettoyer en enlevant toute trace de fibres, puis les faire sécher au soleil ou au four tiède.)

2 Mettez les cubes de citrouille dans une marmite anticorrosion avec les morceaux de pommes, le gingembre frais, les piments, les graines de moutarde et le vinaigre, et mélangez bien. Si vous aimez le chutney fort, n'épépinez pas les piments.

3 Portez à ébullition, puis baissez le feu et laissez mijoter 20 à 25 minutes, jusqu'à ce que la citrouille soit tendre, sans plus. Remuez de temps à autre pour éviter que le fond n'accroche. Si le mélange ne vous paraît pas assez liquide, ajoutez un peu d'eau ou de vinaigre.

4 Ajoutez la cassonade et le sel, en mélangeant jusqu'à dissolution complète du sucre, puis ramenez à ébullition. (Le sucre empêchant la citrouille de s'amollir davantage, si vous préférez un légume plus tendre, faites-le cuire un peu plus longtemps avant d'incorporer la cassonade.)

5 Laissez cuire 50 à 60 minutes, le temps que le mélange épaississe et que presque tout le liquide se soit évaporé. Remuez fréquemment pour que le fond n'accroche pas.

 Conservation
2 ans, après
stérilisation

6 En vous aidant d'un entonnoir, remplissez à la louche les bocaux stérilisés chauds ; scellez aussitôt. Votre chutney sera bon à consommer dans 3 semaines, mais il gagnera à ce que vous l'oubliiez un peu. Gardez-le dans un endroit frais et sombre.

SUGGESTION DE PRÉSENTATION

*Servez le chutney à la citrouille avec
un cari d'agneau et une couronne de riz.*

FRUITS ET LÉGUMES SÉCHÉS

LES FRUITS ET LES LÉGUMES SÉCHÉS sont toujours les bienvenus dans la cuisine : outre leur longue durée de vie, ces produits sont extrêmement pratiques puisqu'il n'est besoin que de les faire tremper pour les réhydrater. Les légumes viendront alors enrichir les plats en sauce et les soupes, tandis que les fruits seront accommodés dans les desserts : la dessiccation renforçant leur saveur, ils peuvent constituer seuls un régal à part entière. Par temps chaud et ensoleillé, les aliments peuvent être mis à sécher à l'air libre pendant 2 à 3 jours. Il suffit de les étaler sur un plateau, recouverts d'une gaze, et de les rentrer, la nuit venue, pour les placer à l'abri de la rosée. Mais ils peuvent aussi être mis à sécher dans une pièce aérée (voir page ci-contre). Les aliments complètement séchés ont l'avantage de se garder très longtemps. Toutefois, il est préférable d'arrêter la dessiccation des fruits au stade où, presque totalement déshydratés, ils restent encore souples ; ils se conservent alors 2 mois. Si le temps ne permet pas le séchage naturel, il faut employer un four, comme indiqué ci-dessous pour les pêches (et p. 185 pour d'autres fruits). Enfin, si vous avez de grands projets, le mieux est d'utiliser un déshydrateur, extrêmement pratique (voir p. 40).

Pêches séchées au four

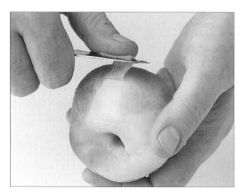

1 Faites blanchir quelques secondes les pêches à l'eau bouillante (voir p. 46). Rafraîchissez-les sous l'eau du robinet, puis pelez-les.

2 Coupez les pêches en deux, ôtez leur noyau, et, au choix, laissez-les telles quelles ou découpez-les en quartiers plus ou moins gros.

3 Plongez les fruits dans un bain d'eau acidulée (voir page ci-contre), puis retirez-les et asséchez-les soigneusement.

4 Déposez les morceaux de pêches à plat sur une grille tapissée d'une feuille de papier aluminium. Mettez le tout au four préchauffé à 110 °C (225 °F), en laissant la porte du four entrouverte.

5 Pour sécher, les demi-pêches mettront 24 à 36 heures, les gros quartiers 12 à 16 heures, les petits morceaux 8 à 12 heures. Dans tous les cas, retournez les fruits à mi-temps.

6 Étagez les pêches dans une boîte hermétique, en séparant chaque couche par une feuille de papier ciré. Entreposez la boîte dans un endroit frais (et à l'obscurité, si elle est transparente).

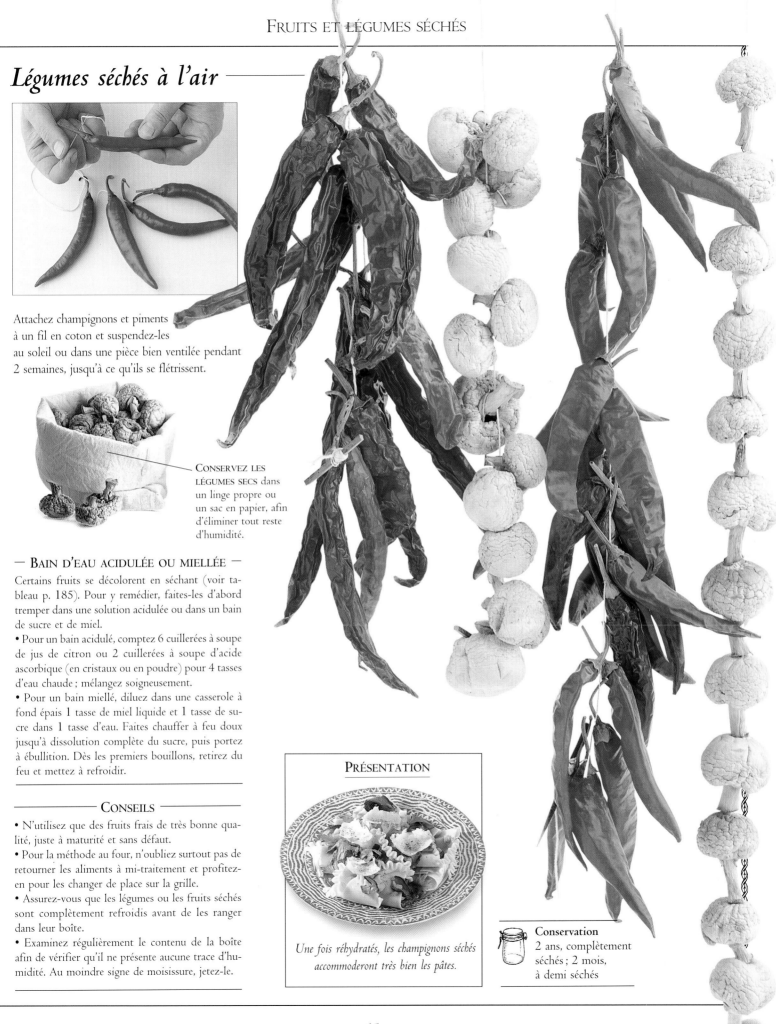

Légumes séchés à l'air

Attachez champignons et piments à un fil en coton et suspendez-les au soleil ou dans une pièce bien ventilée pendant 2 semaines, jusqu'à ce qu'ils se flétrissent.

CONSERVEZ LES LÉGUMES SECS dans un linge propre ou un sac en papier, afin d'éliminer tout reste d'humidité.

— BAIN D'EAU ACIDULÉE OU MIELLÉE —

Certains fruits se décolorent en séchant (voir tableau p. 185). Pour y remédier, faites-les d'abord tremper dans une solution acidulée ou dans un bain de sucre et de miel.

• Pour un bain acidulé, comptez 6 cuillerées à soupe de jus de citron ou 2 cuillerées à soupe d'acide ascorbique (en cristaux ou en poudre) pour 4 tasses d'eau chaude ; mélangez soigneusement.

• Pour un bain miellé, diluez dans une casserole à fond épais 1 tasse de miel liquide et 1 tasse de sucre dans 1 tasse d'eau. Faites chauffer à feu doux jusqu'à dissolution complète du sucre, puis portez à ébullition. Dès les premiers bouillons, retirez du feu et mettez à refroidir.

— CONSEILS —

• N'utilisez que des fruits frais de très bonne qualité, juste à maturité et sans défaut.

• Pour la méthode au four, n'oubliez surtout pas de retourner les aliments à mi-traitement et profitez-en pour les changer de place sur la grille.

• Assurez-vous que les légumes ou les fruits séchés sont complètement refroidis avant de les ranger dans leur boîte.

• Examinez régulièrement le contenu de la boîte afin de vérifier qu'il ne présente aucune trace d'humidité. Au moindre signe de moisissure, jetez-le.

PRÉSENTATION

Une fois réhydratés, les champignons séchés accommoderont très bien les pâtes.

Conservation
2 ans, complètement séchés ; 2 mois, à demi séchés

VIANDE SÉCHÉE

AU TEMPS OÙ LA RÉFRIGÉRATION N'EXISTAIT PAS, la viande séchée était essentiellement appréciée pour des raisons pratiques. Depuis que la viande fraîche peut se conserver facilement, elle est mise à sécher non par nécessité, mais parce qu'elle y gagne une nouvelle saveur. Sous les climats chauds et secs, la dessiccation peut s'opérer à l'extérieur, bien que ce ne soit guère conseillé dans les zones urbaines — cette opération exigeant un air pur et salubre. Aussi, pour des raisons d'hygiène évidentes, le séchage de la viande doit impérativement s'effectuer à l'intérieur, et au four. Il y a deux manières de préparer de la viande séchée : façon jerky, à la nord-américaine, et façon biltong, à la sud-africaine. Seules différences : à la mode jerky, la viande n'est pas mise à mariner avant de sécher et n'est pas (au moins à l'ori-

gine) parfumée. Ne conservez par dessiccation que des viandes maigres, et ôtez toute trace de nerfs et de gras excédentaire — ces derniers ont tendance à rancir avec le temps. Mettez la viande au réfrigérateur pendant quelques heures, afin de pouvoir la découper plus facilement.

INFORMATIONS IMPORTANTES

• Suivez scrupuleusement les règles d'hygiène à toutes les étapes de la préparation et du stockage (voir p. 42).
• Laissez mariner la viande dans un endroit froid, de préférence dans le bas du réfrigérateur.

• Jetez la viande si elle commence à dégager une odeur pendant le processus de dessiccation.
• Vérifiez régulièrement l'état de vos produits séchés : au moindre signe de moisissure ou d'odeur suspecte, jetez-les.

Biltong (voir recette p. 139)

1 A l'aide d'un couteau de cuisine bien aiguisé, coupez la pièce de viande dans le sens des fibres, pour obtenir plusieurs longs morceaux d'environ 5 cm (2 po) d'épaisseur.

2 Pour la marinade, mélangez soigneusement dans un bol de préparation le sel, la cassonade, le salpêtre, le poivre et les graines de coriandre légèrement grillées.

3 Saupoudrez de la moitié du mélange le fond d'un plat à four en faïence ; déposez-y la viande, puis frottez-la du reste du mélange afin qu'elle en soit uniformément recouverte.

4 Versez le vinaigre à la cuiller, frottez à nouveau la viande pour que le mélange au sel pénètre bien des deux côtés. Couvrez le plat, et laissez mariner dans le bas du réfrigérateur pendant 6 à 8 heures. A mi-temps, frottez une nouvelle fois la viande avec la marinade.

5 Au terme du temps indiqué, les morceaux de viande doivent avoir pâli et s'être raidis. Sortez-les un par un du plat en les nettoyant de tout excès de sel.

6 Fixez chaque morceau à un crochet à viande que vous suspendrez dans une pièce froide (entre 6 et 8 °C/42-46 °F), sèche, sombre et bien ventilée, pendant 10 à 11 jours. A ce moment-là, la viande n'est qu'à moitié séchée – sa durée de conservation est donc limitée. Mise au réfrigérateur, bien enveloppée dans une feuille de papier ciré, elle devra être consommée dans les 3 semaines.

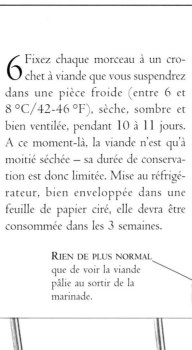

RIEN DE PLUS NORMAL que de voir la viande pâlie au sortir de la marinade.

QUAND LE BILTONG noircit et devient cassant, il est bon à consommer

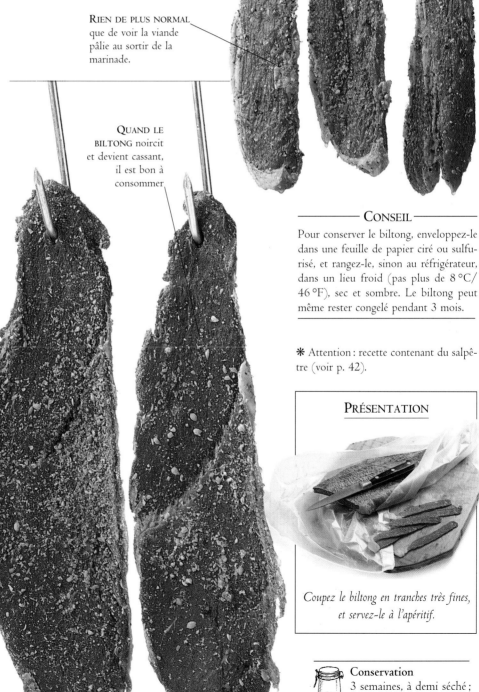

7 Si vous souhaitez obtenir un produit de longue conservation, poursuivez la dessiccation. Pour accélérer le processus, faites sécher le biltong dans un four. Commencez par tapisser le bas de celui-ci avec du papier aluminium, puis placez la grille sur la position la plus haute et suspendez-y la viande, à l'avant du four. Réglez le thermostat au minimum et laissez le biltong sécher et noircir, porte ouverte, pendant encore 8 à 16 heures : il doit être cassant si on le plie en deux.

— **CONSEIL** —

N'enlevez pas le gras qui se trouve au bord de la viande : il protégera le biltong pendant tout le processus de dessiccation.

— **CONSEIL** —

Pour conserver le biltong, enveloppez-le dans une feuille de papier ciré ou sulfurisé, et rangez-le, sinon au réfrigérateur, dans un lieu froid (pas plus de 8 °C/ 46 °F), sec et sombre. Le biltong peut même rester congelé pendant 3 mois.

✳ Attention : recette contenant du salpêtre (voir p. 42).

PRÉSENTATION

Coupez le biltong en tranches très fines, et servez-le à l'apéritif.

Conservation
3 semaines, à demi séché ;
2 ans, séché

JAMBON SÉCHÉ AU SEL

AUTREFOIS, la viande était salée pour être conservée pendant les longs mois d'hiver. Aujourd'hui, cette pratique est utilisée pour donner à la viande (ou au poisson) une autre saveur que celle qu'on lui connaît habituellement. Il existe deux méthodes de préparation : la salaison à sec (voir recette des sprats au sel, p. 74) et la salaison en saumure, l'aliment étant alors entièrement immergé dans une solution saline. L'opération réclame aussi un ingrédient adoucissant – généralement du sucre – et des aromates : herbes et épices. Autre élément clef : le salpêtre (voir p. 42), lequel empêche le développement des bactéries et préserve l'appétissante couleur rosée des aliments comme le jambon et le pastrami (bœuf fumé très épicé). La recette qui est proposée ici (et p. 134) vous promet un jambon moelleux à

cœur, mais si vous remplacez le porc par de l'agneau, le résultat n'en sera pas moins réussi.

INFORMATIONS IMPORTANTES

• Achetez chez un boucher fiable une viande très fraîche et de toute première qualité.
• Ne vous lancez pas dans cette entreprise pendant l'été, ou si vous n'avez pas toute facilité pour la mener à bien : il est impératif que la préparation et le stockage du jambon se déroulent dans une pièce dont la température n'excède pas 5 °C (40 °F).
• Suivez à la lettre la procédure indiquée, en respectant toutes les

mesures d'hygiène qui s'imposent (voir p. 42).
• A aucune étape de la préparation la viande ne doit dégager une odeur déplaisante ; le moindre fumet suspect doit vous dissuader de la goûter.
• Si la marinade commençait à exhaler une odeur douteuse ou à changer de consistance, retirez vite le jambon et rincez-le bien avant de le plonger dans une nouvelle saumure fraîche.

Jambon salé et séché (voir recette p. 134)

1 Frottez le porc de sel sur toute sa surface. Saupoudrez le fond d'un plat d'une mince couche de sel, déposez-y la viande et recouvrez-la du reste du sel. Mettez à réfrigérer 24 heures.

2 Pour la saumure, versez l'eau dans une grande marmite, ajoutez le sel et les autres ingrédients. Portez à ébullition, faites bouillir 10 minutes, puis retirez du feu et laissez complètement refroidir.

3 Le lendemain, nettoyez la viande de son excédent de sel et mettez-la dans un grand pot en terre cuite ou tout autre récipient assez profond et inoxydable. Remplissez de saumure froide, en veillant à ce que le jambon soit recouvert ; au besoin, posez un poids au-dessus (voir p. 46).

ASSUREZ-VOUS que la saumure recouvre entièrement le jambon.

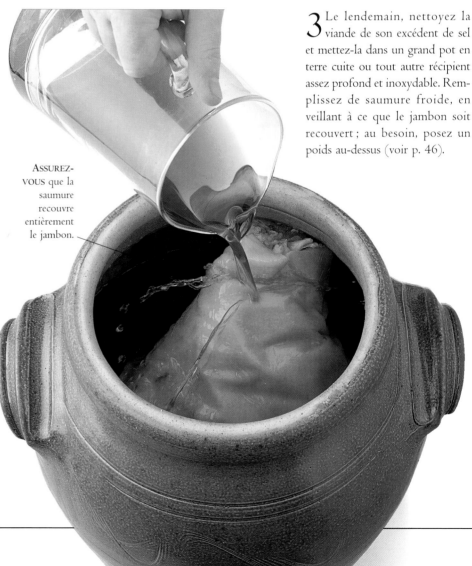

4 Fermez le couvercle, ou couvrez le récipient d'un film alimentaire transparent, et entreposez-le dans un endroit froid (environ 5 °C/40 °F), pendant 15 à 20 jours. Vérifiez tous les jours le bon état de la saumure (voir encadré p. 64).

LE JAMBON SUSPENDU depuis 2 ou 3 jours : l'extérieur a fini de sécher.

5 Retirez la viande de son bain de saumure, rincez-la soigneusement, puis séchez-la. Passez un crochet dans le jambon et suspendez-le 2 à 3 jours dans un endroit froid, sec, sombre et bien ventilé (entre 6 et 8 °C/42-46 °F).

6 Au terme indiqué, le jambon peut d'ores et déjà être cuisiné (voir recette p. 134). Mais, pour lui donner un goût plus prononcé, suspendez-le encore comme expliqué ci-dessous (étape 7).

LA COULEUR de la peau du jambon va foncer au fur et à mesure qu'il sèche.

CONSEILS

• Si le jambon n'est pas suspendu dans un garde-manger à l'abri des insectes, à vous de le protéger d'une gaze stérilisée. Mais ne la laissez pas au contact du jambon tant que la surface de celui-ci n'est pas complètement sèche.

• Pour stocker le jambon séché, enveloppez-le dans un calicot stérilisé et mettez-le dans le bas du réfrigérateur ou dans un endroit sec et sombre dont la température n'excède pas 8 °C (46 °F).

✳ Attention : recette contenant du salpêtre (voir p. 42).

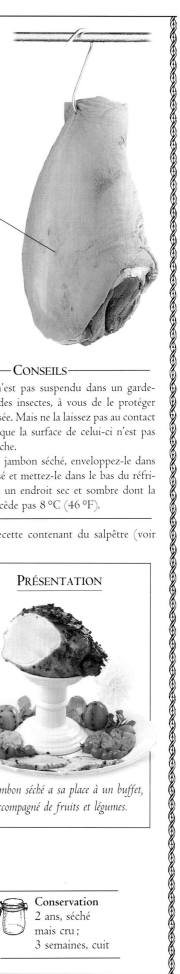

PRÉSENTATION

Le jambon séché a sa place à un buffet, accompagné de fruits et légumes.

7 Mélangez la farine, le sel et l'eau pour obtenir une pâte que vous étalerez sur la partie visible de la viande, de manière à l'isoler de l'air. Suspendez à nouveau le jambon et laissez-le en l'état 15 à 20 jours.

 Conservation
2 ans, séché mais cru ;
3 semaines, cuit

POISSON FUMÉ

LE FUMAGE EST UNE DES TECHNIQUES de conservation les plus anciennes. Outre ses vertus antibactériennes et antifongiques – lesquelles contribuent à empêcher le développement de moisissure –, cette préparation confère aux poissons et aux viandes une saveur unique. Cependant, le fumage n'assure pas à lui seul une totale conservation, c'est la raison pour laquelle il est précédé d'une salaison. Il existe deux méthodes pour fumer les aliments : à froid, c'est-à-dire quand la fumée ne dépasse pas une température de 28 °C (82 °F), et à chaud, lorsque le processus se déroule à 55 °C (130 °F) ou plus. Dans ce dernier cas, la chair fumée est cuite ou mi-cuite pendant l'opération, tandis que le fumage à froid a l'avantage de ne pas altérer la chair, qui reste crue. Toutes sortes de bois de fumage peuvent être utilisés – les résineux exceptés (le pin, par exemple, donne un goût trop fort et amer). Les meilleurs résultats s'obtiennent avec du bois de chêne, de caryer (hickory) ou d'arbres fruitiers durs, comme le pommier, le pêcher et le cerisier. Ajoutées au bois, herbes et épices achèvent de parfumer les aliments. Une fois que vous aurez acquis les règles de base, l'expérience vous conduira à personnaliser votre fumage.

Saumon fumé
(voir recette p. 152)

1 Pour lever les filets, incisez le saumon autour de la tête à l'aide d'un couteau adéquat. Glissez la lame entre la chair et l'arête, en la serrant au plus près de cette dernière, et découpez le filet en une seule pièce.

2 Retournez le poisson, et renouvelez l'opération sur l'autre face. Effleurez des doigts la chair des filets pour détecter les arêtes ; enlevez-les à l'aide d'une pince à épiler. Rincez les filets, séchez-les.

3 Dans un récipient inoxydable, étalez une couche de 5 mm (¼ po) d'épaisseur de sel de mer et de sucre. Couchez-y un filet, côté peau dessous, puis couvrez-le d'une nouvelle couche de sel et sucre, épaisse de 1 cm (½ po).

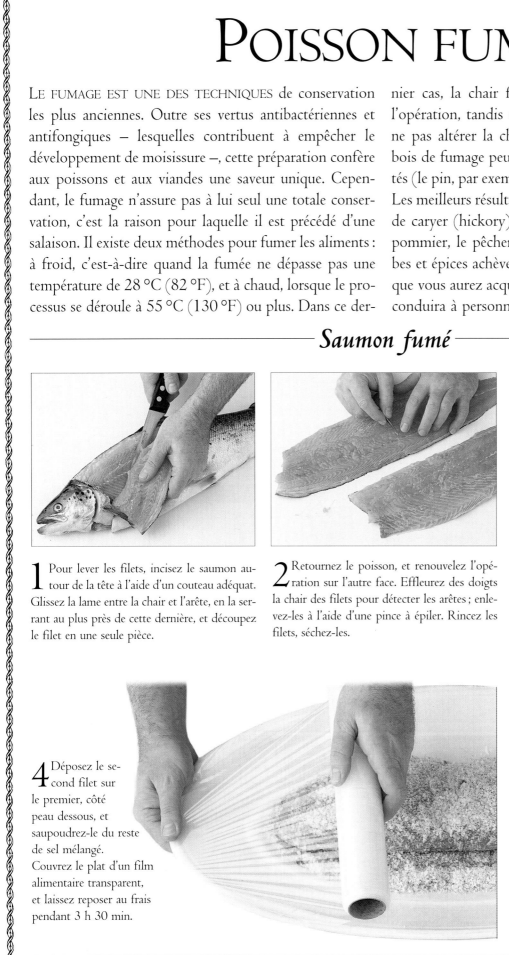

4 Déposez le second filet sur le premier, côté peau dessous, et saupoudrez-le du reste de sel mélangé. Couvrez le plat d'un film alimentaire transparent, et laissez reposer au frais pendant 3 h 30 min.

5 Retirez le sel et rincez les filets sous le robinet d'eau froide. Séchez-les soigneusement dans un papier absorbant. Piquez une brochette de bois en haut de chaque filet, comme montré ci-dessus.

• Pour ranger le saumon fumé, couchez chaque filet sur un rectangle de carton découpé à la bonne taille et recouvert d'une feuille de papier aluminium, puis emballez le tout dans une feuille de papier ciré ou sulfurisé. Mettez à réfrigérer 24 heures.

• Pour servir du saumon fumé à froid, découpez les filets longitudinalement en fines tranches avec un long couteau à dents de scie. Pour le saumon fumé à chaud, coupez en lamelles.

6 Nappez de whisky les filets sur leurs deux faces, et suspendez-les dans un endroit froid et non humide pendant 24 heures, le temps que la chair et la peau deviennent presque sèches au toucher et comme vernies par le sel.

SUSPENDEZ le filet par une ficelle accrochée à la brochette de bois.

Conservation
3 semaines,
au réfrigérateur

LE FILET va se « vernir » en séchant, signe qu'il est prêt à être fumé.

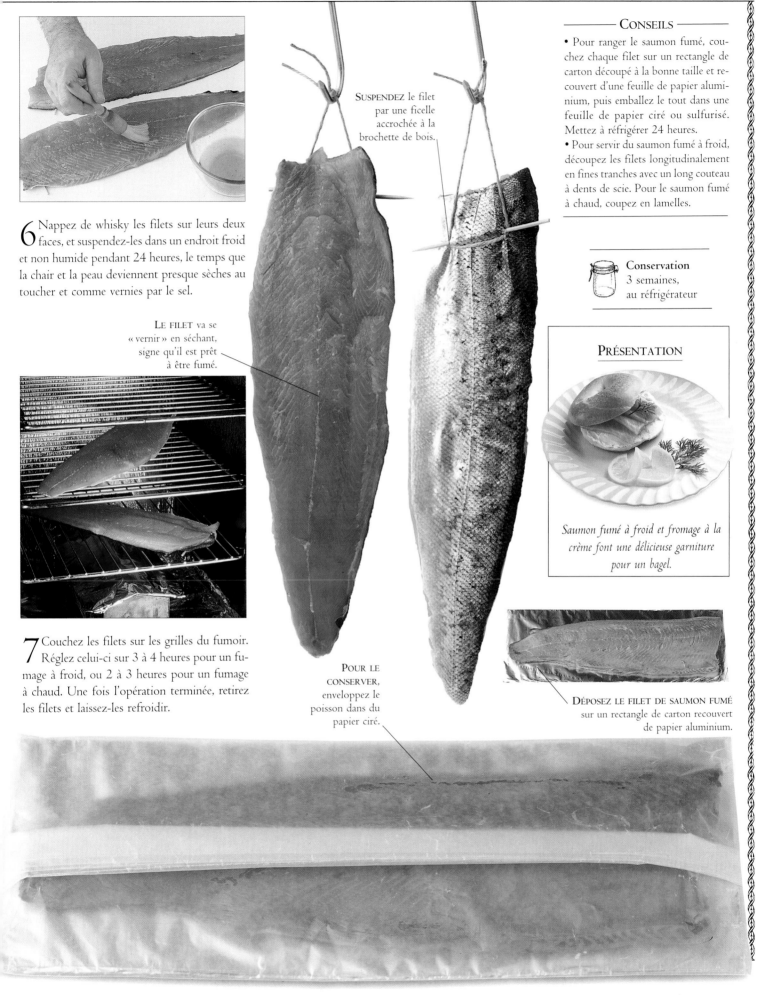

Saumon fumé à froid et fromage à la crème font une délicieuse garniture pour un bagel.

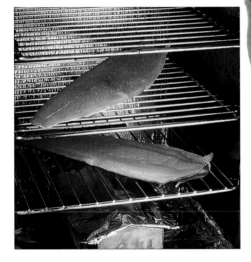

7 Couchez les filets sur les grilles du fumoir. Réglez celui-ci sur 3 à 4 heures pour un fumage à froid, ou 2 à 3 heures pour un fumage à chaud. Une fois l'opération terminée, retirez les filets et laissez-les refroidir.

POUR LE CONSERVER, enveloppez le poisson dans du papier ciré.

DÉPOSEZ LE FILET DE SAUMON FUMÉ sur un rectangle de carton recouvert de papier aluminium.

SAUCISSES SÈCHES ET SAUCISSONS

LA SAUCISSE est l'un des produits de charcuterie les plus anciens et les plus répandus dans tous les pays. Leur préparation consiste à accommoder maigre et gras de viande avec des condiments variés. Réaliser soi-même ces apprêts n'a rien d'une gageure, pour peu que les conditions de travail s'y prêtent : d'une part une cuisine parfaitement propre, équipée d'ustensiles tous stérilisés avant usage, et où il règne entre 10 et 12 °C (50-54 °F) au plus ; d'autre part un lieu de stockage froid (environ 5 °C/40 °F), sec et sombre,

comme une cave ou une dépense froides. Quant aux ingrédients, ils doivent être extrêmement frais et n'avoir pas souffert de variations de température – aussi préjudiciables à la consistance finale des saucisses qu'à leur conservation (voir p. 64). La procédure nécessite l'emploi d'un équipement spécial (voir p. 39), comprenant un hachoir, un poussoir à saucisse et des boyaux de tailles différentes. Demandez à votre boucher s'il peut vous procurer ces derniers, sinon vous les trouverez en vente dans des magasins spécialisés.

Saucisson à l'ail et aux herbes — *(voir recette p. 138)*

1 Mettez les morceaux de viande dans un grand bol, versez-y le mélange de sel, de salpêtre et de vodka ; mélangez intimement le tout avec vos doigts. Couvrez et mettez à réfrigérer pendant 12 heures.

2 Passez la viande au hachoir (plaque à trous ronds de petit diamètre), puis le gras (plaque à trous de plus gros diamètre). Mélangez soigneusement les deux hachis, en ajoutant tout le jus resté dans le bol.

3 Incorporez l'ail, le thym, le poivre noir en grains et concassé, les graines de coriandre et le piment de la Jamaïque. Mélangez le tout, puis mettez à nouveau à réfrigérer pendant 2 heures.

4 Pendant ce temps, préparez les boyaux. Rincez-les à l'eau courante pour enlever l'excédent de sel, puis faites-les tremper dans l'eau froide 30 m. Ensuite,inutes rincez l'intérieur des boyaux en les maintenant un par un quelques secondes sous le robinet à moitié ouvert.

5 Mettez les boyaux dans un bol d'eau, ajoutez le vinaigre et laissez-les tremper jusqu'à utilisation.

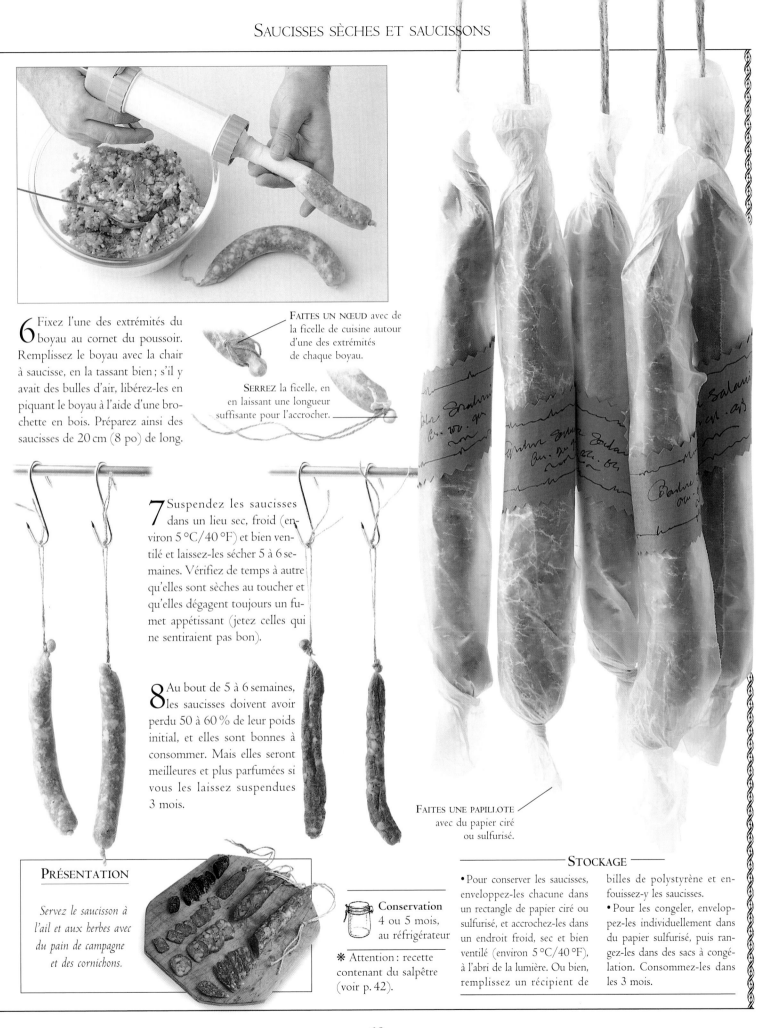

6 Fixez l'une des extrémités du boyau au cornet du poussoir. Remplissez le boyau avec la chair à saucisse, en la tassant bien ; s'il y avait des bulles d'air, libérez-les en piquant le boyau à l'aide d'une brochette en bois. Préparez ainsi des saucisses de 20 cm (8 po) de long.

FAITES UN NŒUD avec de la ficelle de cuisine autour d'une des extrémités de chaque boyau.

SERREZ la ficelle, en en laissant une longueur suffisante pour l'accrocher.

7 Suspendez les saucisses dans un lieu sec, froid (environ 5 °C/40 °F) et bien ventilé et laissez-les sécher 5 à 6 semaines. Vérifiez de temps à autre qu'elles sont sèches au toucher et qu'elles dégagent toujours un fumet appétissant (jetez celles qui ne sentiraient pas bon).

8 Au bout de 5 à 6 semaines, les saucisses doivent avoir perdu 50 à 60 % de leur poids initial, et elles sont bonnes à consommer. Mais elles seront meilleures et plus parfumées si vous les laissez suspendues 3 mois.

FAITES UNE PAPILLOTE avec du papier ciré ou sulfurisé.

PRÉSENTATION

Servez le saucisson à l'ail et aux herbes avec du pain de campagne et des cornichons.

Conservation
4 ou 5 mois, au réfrigérateur

✱ Attention : recette contenant du salpêtre (voir p. 42).

STOCKAGE

• Pour conserver les saucisses, enveloppez-les chacune dans un rectangle de papier ciré ou sulfurisé, et accrochez-les dans un endroit froid, sec et bien ventilé (environ 5 °C/40 °F), à l'abri de la lumière. Ou bien, remplissez un récipient de billes de polystyrène et enfouissez-y les saucisses.

• Pour les congeler, enveloppez-les individuellement dans du papier sulfurisé, puis rangez-les dans des sacs à congélation. Consommez-les dans les 3 mois.

PÂTÉS

QUOI DE PLUS APPÉTISSANT qu'une belle tranche d'un pâté maison, tartinée sur du pain de campagne bien frais et accompagnée d'un verre de bon vin ? Faciles à réaliser, les pâtés se conservent grâce à la graisse, laquelle les met à l'abri de l'air et de l'humidité, ralentissant ainsi le développement des bactéries. Avant l'existence des réfrigérateurs, les pâtés étaient stockés au frais pendant 3 mois : il est recommandé aujourd'hui de ne pas dépasser 1 mois. Les pâtés les plus parfumés gagneront même à être consommés dans un délai de 3 semaines. Veillez bien sûr à la présentation de vos produits, qui seront servis dans de jolies terrines, mais soignez aussi leur aspect interne ; la couleur rosée des pâtés du commerce est généralement produite par l'emploi de nitrate de sodium, ou de salpêtre (voir p. 42). Pour obtenir le même effet, la recette qui suit vous suggère d'utiliser du bacon.

Pâté de campagne

(voir recette p. 144)

1 Mettez ensemble le porc, le foie et le bacon, et hachez menu le tout. Ajoutez l'ail, les herbes, les épices, le sel, les prunes, le vin blanc et le cognac ; mélangez soigneusement pour obtenir une préparation homogène. Couvrez et mettez au réfrigérateur 3 à 4 heures.

2 Garnissez d'une crépine le fond et les parois d'une terrine, en la laissant déborder d'au moins 2,5 cm (1 po) de chaque côté (elle doit ensuite recouvrir entièrement le pâté). Autre possibilité : tapissez la terrine de fines tranches de bacon, comme montré ci-contre.

ÉTALER LE BACON

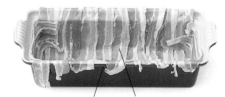

LAISSEZ LES TRANCHES déborder de la terrine. ÉTALEZ-LES en les faisant se chevaucher.

3 Garnissez la terrine du hachis, en le tassant bien dans les angles, puis tapez légèrement le plat contre une surface dure pour chasser les bulles d'air. Rabattez les extrémités de crépine ou de bacon sur la viande et déposez des rondelles de citron ou d'orange, ainsi que des feuilles de laurier. Couvrez la terrine.

4 Mettez la terrine dans un plat à rôtir, dans lequel vous verserez de l'eau chaude jusqu'à mi-hauteur. Faites cuire ce bain-marie à four préchauffé à 160 °C (325 °F) pendant 1 h 30 min à 2 heures. Il faut que le pâté se soit écarté des bords de la terrine et qu'il soit recouvert d'une graisse liquide.

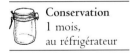

5 Laissez refroidir le pâté, puis couvrez-le d'un carton découpé à la bonne taille et entouré de papier aluminium, sur lequel vous déposerez des poids (voir p. 46). Mettez au réfrigérateur pour la nuit.

6 Le lendemain, retirez les feuilles de laurier et les rondelles de citron ou d'orange. Glissez une lame de couteau chauffée le long des bords de la terrine et démoulez précautionneusement le pâté. A l'aide d'une serviette en papier, nettoyez-le de toute trace de gelée.

7 Dans le fond de la terrine vide, versez du saindoux fondu pour former une couche de 1 cm (½ po) d'épaisseur. Attendez qu'elle se soit figée pour y étendre le pâté, puis versez le reste du saindoux liquide jusqu'à couvrir la préparation. Fermez la terrine avec son couvercle ou une feuille de papier aluminium, et mettez au réfrigérateur au moins 2 ou 3 jours.

Conservation
1 mois,
au réfrigérateur

DÉCOREZ
la surface
avec feuilles
de laurier et
canneberges.

PRÉSENTATION

Servez le pâté avec du pain de campagne et des cornichons.

TERRINES

METS RUSTIQUES ET DE HAUTE GASTRONOMIE, les terrines constituent également un excellent moyen de conserver des viandes de choix, relevées de toutes sortes d'aromates et de condiments, du piment de Cayenne à la noix muscade et au beurre d'anchois. La mise en pot conserve les aliments en les protégeant d'une épaisseur de graisse. Jadis, lard ou graisse de mouton étaient utilisés ; la préférence actuelle va au beurre clarifié. Les ingrédients sont d'abord cuits, puis réduits en une pâte homogène dans laquelle est incorporé le beurre, ou une autre matière grasse. Si vous voulez confectionner une terrine de viande, n'utilisez que les meilleurs morceaux et veillez à enlever tous les nerfs aux ciseaux. Ici vous est proposée une recette de venaison, mais vous pouvez pareillement conserver d'autres gibiers, des volailles, des poissons...

Terrine de venaison

(voir recette p. 146)

1 Enlevez la couenne des tranches de lard, ficelez-la et réservez-la. Coupez le bacon en larges tronçons. Préparez un bouquet garni avec le thym, la sauge, les feuilles de laurier et les écorces de citron (voir p. 47).

2 Dans une cocotte, mettez la venaison, le lard et la couenne, le beurre, l'ail, les baies de genièvre, le poivre, le macis, les herbes et le vin rouge. Couvrez et faites cuire dans un four préchauffé à 160 °C (325 °F) pendant 2 h 30 min à 3 heures.

3 Retirez le bouquet garni, le macis et la couenne, et mixez la viande dans un robot de cuisine jusqu'à obtention d'une pâte.

4 Garnissez de cette pâte un pot en faïence (ou des ramequins individuels), et laissez-la refroidir. Mettez au réfrigérateur 2 à 3 heures.

5 Versez du beurre clarifié sur la viande pour former une couche épaisse de 1 cm (½ po). Mettez à réfrigérer jusqu'à ce que le beurre se fige. Décorez à votre goût, avec du laurier et des canneberges, par exemple.

PRÉSENTATION

Servez cette terrine avec du cresson et des toasts chauds.

JOUEZ SUR LES COULEURS pour décorer la surface de graisse.

CLARIFIER LE BEURRE

Pour clarifier le beurre destiné à sceller les aliments en pot et les pâtés, mettez-le dans une petite casserole à feu très doux, et faites-le mousser quelques secondes. Écumez la surface, puis retirez du feu. Versez le beurre refroidi, mais non figé, à travers une passoire garnie d'une mousseline, en laissant le fond de la casserole. La mousseline retiendra mieux l'écume si vous avez préalablement pris soin de la rincer à l'eau froide, puis de bien l'essorer.

POUR GARANTIR une bonne étanchéité, prévoyez une couche de beurre de 1 cm (½ po) d'épaisseur.

Conservation
1 mois,
au réfrigérateur

CONSERVATION PAR LE SEL

DÉSHYDRATEUR NATUREL, le sel conserve les aliments en leur faisant rendre l'eau qu'ils contiennent, enrayant ainsi le développement des bactéries. La technique de la salaison a joué un rôle primordial dans notre alimentation. Pendant des siècles, le poisson salé, en particulier le hareng, fut une nourriture de base en Europe. La demande fut telle que cet humble poisson généra des conflits et fit la fortune de certains pays. De par sa richesse en protéines et en vitamines A, B et D, le poisson conservé au sel est excellent pour la santé. La recette de sprats au sel, qui sert ici d'illustration, s'adapte aux harengs comme aux anchois. Sélectionnez seulement des poissons très frais, à la peau brillante. N'enlevez pas les têtes : l'huile qu'elles renferment corse la saveur de l'aliment.

Sprats au sel — (voir recette p. 153)

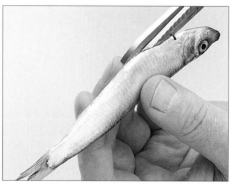

1 A l'aide d'une paire de petits ciseaux aiguisés, commencez par inciser chaque poisson juste sous les ouïes.

2 Fendez ensuite le ventre du sprat sur toute sa longueur, sans entamer la queue, et ouvrez-le délicatement.

3 Videz chaque poisson avec soin et jetez l'intérieur ; rincez-les un par un sous le robinet d'eau froide.

4 Saupoudrez les sprats de sel, à l'intérieur comme à l'extérieur, en les frottant avec vos doigts pour qu'il pénètre partout.

5 Disposez les poissons en couches successives dans un plat peu profond, en les saupoudrant légèrement de sel. Couvrez et mettez au réfrigérateur 2 à 3 heures, le temps qu'ils se déshydratent.

── CONSEILS ──

• D'abord, enlevez l'huile qui s'est accumulée à la surface du bocal. S'il ne s'était pas formé suffisamment de saumure pour recouvrir les poissons, complétez avec une solution fortement salée (comptez autant de sel que d'eau). Scellez le bocal, et entreposez-le dans un endroit froid et sombre.

• Avant de consommer les sprats, mettez-les à tremper quelques heures dans de l'eau, ou, mieux, dans un mélange d'eau et de lait.

PRÉSENTATION

Servez les sprats au sel nappés d'un filet d'huile et de vinaigre aromatisé au cassis (voir recette p. 128), avec oignon rouge émincé et persil.

6 Sortez les poissons du plat, et achevez de les faire sécher sur du papier absorbant.

Conservation
2 ans

7 Versez du gros sel au fond d'un large bocal. Placez sur cette couche de sel quelques sprats, ainsi que feuilles de laurier et grains de poivre. Coulez dessus une nouvelle couche de gros sel épaisse de 5 mm (¼ po). Renouvelez l'opération jusqu'en haut du bocal. Finissez par une couche de sel.

8 Posez une soucoupe à l'intérieur du bocal, placez-y un poids — une bouteille que vous remplirez plus ou moins —, de manière à tasser les sprats sans les écraser. Couvrez et mettez au frais (entre 6 et 8 °C/42-46 °F) et à l'abri de la lumière. Attendez au moins 1 semaine avant de consommer.

CONFITURES

LA PRÉPARATION DES CONFITURES fait appel à l'une des techniques de conservation les plus simples ; presque tous les fruits s'y prêtent, de même qu'un nombre plutôt inattendu de légumes. Le sucre réagit à la pectine et à l'acidité des fruits pour former une gelée, et, conservateur, prévient le développement de moisissure. La clef de la réussite réside donc dans cet équilibre acide/pectine qui fait « prendre » la confiture. De nombreux fruits en sont naturellement dotés (voir tableau p. 184), d'autres non. A vous alors d'y remédier en y ajoutant du jus de citron et un fruit plus richement pourvu en pectine, comme la pomme, ou bien en les additionnant de produit gélifiant du commerce, ou, mieux encore, en puisant dans votre propre provision de pectine (voir recette p. 47). A l'inverse, si le bon niveau de pectine était dépassé, il faudrait rééquilibrer le sucre en proportion. Enfin, si vous préférez les confitures « allégées », rien de plus facile : il suffit de réduire de 30 % les quantités de sucre données au fil des recettes de cet ouvrage. Attention, cependant : en raison de leur moins forte teneur en sucre, ces confitures auront une durée de conservation réduite et il faudra les garder au réfrigérateur, car elles risqueraient de fermenter. La cuisson est également un élément important, et il convient de respecter rigoureusement les températures prescrites dans les recettes.

TESTER LA PRISE

Une confiture est prête à être mise en pot lorsque le point de prise, ou degré de gélification, est atteint. Voici trois moyens de le vérifier.

Avec un thermomètre à bonbons
Avant utilisation, faites préchauffer le thermomètre à bonbons dans un bol d'eau ; sans cette précaution, il pourrait casser. Plongez-le dans la marmite à confiture en évitant qu'il touche le fond. Faites bouillir la confiture à gros bouillons, jusqu'à ce que le thermomètre indique 105 °C (220 °F).

Avec le test de la cuiller
Plongez une cuiller en métal dans la confiture, retirez-la et inclinez-la. La confiture doit couler uniformément et tomber en gouttes épaisses.

Avec le test de la soucoupe
Versez un peu de confiture chaude dans une soucoupe froide, et laissez-la refroidir quelques minutes. Si elle s'écarte sous votre doigt, c'est signe qu'elle a pris.

Confiture de fruits exotiques

(voir recette p. 159)

1 Dans un robot de cuisine, hachez menu les pommes et l'ananas pelés et évidés. Versez-les dans une marmite et ajoutez-y les demi-litchis frais ou au sirop, l'eau, le jus de citron et le zeste râpé.

2 Portez le mélange à ébullition, puis baissez le feu et laissez mijoter 20 à 25 minutes, le temps que les pommes soient réduites à de la pulpe et que les morceaux d'ananas se soient amollis.

3 A feu moyen, incorporez peu à peu le sucre en remuant bien, jusqu'à dissolution complète et obtention d'une préparation homogène. Remontez le feu et ramenez rapidement à une forte ébullition.

4 Laissez bouillir 20 à 25 minutes, en remuant souvent le mélange jusqu'à ce qu'il atteigne le degré de gélification (voir encadré p. 76). Écumez la mousse qui se forme à la surface de la confiture.

La confiture épaissira en approchant du point de gélification.

5 Retirez la marmite du feu et mettez-la à refroidir quelques minutes pour que la confiture prenne. Au besoin, écumez.

6 Garnissez de confiture les bocaux chauds ; vissez les couvercles. Stérilisez les confitures si vous voulez les conserver plus longtemps (voir pp. 44-45).

PRÉSENTATION

Servez la confiture de fruits exotiques avec des scones et de la crème.

Conservation
2 ans, après stérilisation

CONFECTION DES CURDS

LE CURD EST UN SINGULIER mélange qui tient à la fois de la sauce hollandaise et de la crème aux œufs. Il est composé de pulpe ou de jus de fruits, de sucre, d'œufs et de beurre. Le curd au citron est un grand classique en Grande-Bretagne depuis les années 1900, mais la tradition n'empêche pas le curd de s'adapter parfaitement à d'autres agrumes, voire à des fruits exotiques. Ce qu'il ne faut pas perdre de vue dans la réalisation de cette recette, c'est le temps que met le curd pour épaissir (jusqu'à 45 minutes). Comme il est essentiel qu'il mijote à tout petit feu, il vous faudra donc, le temps de la cuisson, bien remuer le mélange afin de répartir la chaleur, en résistant à la tentation de précipiter les choses. Si vous montez le feu pour gagner du temps, le curd est raté.

Curd de pomelo rose

(voir recette p. 173)

1 Râpez le zeste d'un des pomelos sur la grille la plus fine d'une râpe manuelle, puis pressez tout son jus.

2 A l'aide d'un couteau à lame tranchante, ôtez la peau de l'autre pomelo en enlevant aussi la partie blanche.

3 Découpez délicatement tous les quartiers, et mettez leur chair à vif en retirant leur membrane, puis tronçonnez-les.

INCORPOREZ LE BEURRE par petits morceaux, de façon qu'il fonde plus rapidement.

4 Dans une marmite, mettez la chair, le jus et le zeste de pomelo, le jus de citron, le sucre et le beurre. Faites chauffer à feu doux jusqu'à ce que le beurre ait fondu, puis versez le tout dans un grand bol de préparation, lui-même placé sur une casserole d'eau tout juste frémissante.

5 Ajoutez lentement les œufs battus en les versant à travers une passoire à fines mailles, sans cesser de remuer avec une cuiller en bois pour obtenir un mélange homogène.

FILTRER LES ŒUFS battus permet d'éviter la formation de grumeaux dans le curd.

6 Laissez mijoter doucement le mélange pendant 25 à 45 minutes, le temps qu'il ait suffisamment épaissi pour enrober le dos de la cuiller. Remuez régulièrement, en veillant à ce que le curd ne parvienne pas à ébullition.

CONSEIL

Le curd ne se conserve pas très longtemps : 3 mois au plus au réfrigérateur. Mais vous pourrez le conserver deux fois plus longtemps en le faisant stériliser 5 minutes sitôt après sa mise en bocal (voir p. 45).

7 Retirez la casserole du feu, ou ôtez le bol de la casserole d'eau frémissante, et incorporez l'eau de fleur d'oranger.

8 A l'aide d'un entonnoir, versez le curd dans les bocaux chauds ; fermez-les. Réfrigérez le curd refroidi ou stérilisez-le pour en prolonger la conservation.

PRÉSENTATION

Le curd au pomelo rose fera une délicieuse garniture pour les tartes.

Conservation
3 mois, au réfrigérateur
6 mois, après stérilisation

GELÉE DE FRUIT

LA TECHNIQUE DE LA GELÉE de fruit est étonnante : elle transforme un simple jus de fruits en une substance claire, lumineuse et parfumée. Faciles à confectionner, les gelées exigent la conjugaison de trois éléments : la pectine, laquelle se trouve à des degrés divers dans tous les fruits (voir tableau p. 184), l'acidité et le sucre. Les fruits à faible teneur en pectine, comme les cerises, les pêches ou les fraises, sont généralement mariés à des fruits qui en regorgent, comme les pommes, les canneberges, les groseilles ou les agrumes. La recette illustrée ici est à base de framboise, un fruit qui, en raison de sa teneur moyenne en pectine, réclame le renfort de la pomme pour que la gelée prenne. Certains livres de cuisine conseillent de laisser égoutter la pulpe une nuit, mais quelques heures suffisent.

Gelée de framboise (voir recette p. 166)

1 Triez les framboises, et ne les lavez que si c'est nécessaire. Évidez soigneusement les pommes, en réservant les trognons, et coupez-les grossièrement.

3 Dans une grande marmite, mettez la purée de fruits et les trognons de pommes, et couvrez d'eau. Portez à ébullition, puis faites cuire à feu doux 20 à 30 minutes.

4 Versez le mélange dans un sac à gelée stérilisé suspendu (accroché aux pieds d'un tabouret renversé, comme ci-contre) au-dessus d'un grand bol de préparation. Laissez égoutter pendant 2 à 3 heures.

2 Mettez les morceaux de pommes et les framboises dans un robot de cuisine, et mixez jusqu'à obtention d'une purée (vous aurez certainement à procéder par étapes). Les fruits passés au mixer permettent une cuisson moins longue, d'où une gelée finale plus fraîche et plus fruitée.

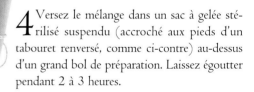

5 Mesurez la quantité de jus obtenue, et comptez 1 tasse de sucre pour chaque tasse de liquide. Versez le jus dans la marmite nettoyée, et incorporez le sucre et le jus de citron.

6 Faites chauffer doucement, en remuant de temps à autre avec une cuiller en bois, jusqu'à dissolution complète du sucre, puis portez rapidement à ébullition.

AUX PREMIERS BOUILLONS, les impuretés commencent à remonter et une écume se forme à la surface.

7 A l'aide d'une cuiller ajourée, ôtez soigneusement toute la mousse qui s'est formée à la surface. Amenez rapidement le mélange au degré de gélification (voir p. 76).

─── CONSEIL ───

Pour extraire des fruits un maximum de jus, retirez du sac à gelée la pulpe égouttée et remettez-la dans la marmite en la couvrant d'eau. Poursuivez la cuisson à feu doux 30 minutes, puis filtrez le liquide comme précédemment et ajoutez-le au jus obtenu.

PRÉSENTATION

Nappez de gelée des tranches de poulet rôti, servies sur toast.

8 Remplissez à la louche les bocaux chauds, en vous aidant d'un entonnoir à confiture. Laissez refroidir à demi la gelée avant d'y plonger une feuille de géranium. Vissez les bocaux.

 Conservation
2 ans, après stérilisation

PÂTES DE FRUITS

LES PÂTES DE FRUITS et les beurres de fruits sont sans doute les plus anciens procédés de conserves sucrées connus : ils datent de l'époque préromaine. La pulpe des fruits était alors mélangée à du miel et séchée au soleil. Les beurres de fruits se préparent de la même façon que les pâtes ; néanmoins, leur temps de cuisson est plus court et la quantité de sucre utilisée souvent moindre, ce qui donne une confiserie encore plus moelleuse. La préparation « prend » par évaporation de l'humidité, ce qui signifie que tous les fruits conviennent, quelle que soit leur teneur en pectine. Les pâtes et les beurres de fruits nécessitent une longue cuisson, réclamant beaucoup d'attention : il faut les remuer fréquemment pour qu'ils ne brûlent pas. Les coings, que la recette ici illustrée met en vedette, font les meilleures pâtes de fruits.

Pâte de coings

(voir recette p. 174)

1 Lavez parfaitement les coings pour qu'ils soient bien lisses, puis coupez-les grossièrement. Il est inutile de les évider dans la mesure où le mélange sera filtré.

2 Mettez les morceaux dans une grande marmite, couvrez d'eau ou de cidre brut, et ajoutez le zeste et le jus de citron. Portez à ébullition, puis réduisez l'intensité de la chaleur et laissez cuire à feu doux 30 à 40 minutes, le temps que les fruits se ramollissent et deviennent fondants.

3 Passez au mixer ou au moulin à légumes pour obtenir une purée.

4 Pour calculer la dose de sucre à ajouter, versez la purée de coings dans un récipient gradué et comptez 1 tasse de sucre pour chaque tasse de purée.

5 Reversez la purée de coings dans la marmite et incorporez le sucre. Portez lentement à ébullition, en mélangeant bien jusqu'à dissolution complète du sucre. En remuant de temps à autre, laissez mijoter pendant 2 h 30 min à 3 heures ; au cours de la cuisson, les coings doivent perdre leur couleur jaune pour un rouge profond. Le mélange va s'épaissir et faire des « flocs » ; il sera à point dès qu'une cuiller en bois plongée dans la marmite laissera derrière elle un sillon.

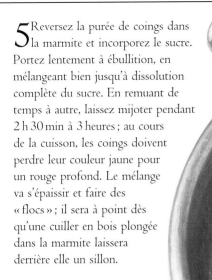

LA CUISSON PROLONGÉE permet à la pulpe des fruits de s'épaissir.

PLACEZ DU PAPIER CIRÉ entre les couches.

6 Huilez généreusement le fond d'un plat à four. Versez-y la pâte de coings et lissez-la en une couche épaisse de 2,5 à 4 cm (1-1¾ po). Laissez complètement refroidir, puis couvrez avec un torchon et placez dans un endroit sec et chaud pendant 24 heures.

7 Démoulez la pâte à l'aide d'une spatule de métal et déposez-la sur un papier ciré. Découpez-la en carrés ou en losanges et saupoudrez de sucre. Laissez sécher sur une plaque recouverte d'un linge.

PRÉSENTATION

Servez les pâtes de coings en étoile, avec des fleurs cristallisées (voir recette p. 183)

Conservation
2 ans,
au réfrigérateur

CONSERVATION À L'ALCOOL

L'ALCOOL PUR est le conservateur idéal puisque, en raison de ses propriétés antiseptiques, il stoppe tout développement microbien. Il peut être également utilisé dilué avec un sirop épais. La conjugaison de l'alcool et des fruits est une vraie réussite, un très subtil mariage : saveurs des fruits macérés et d'une liqueur parfumée. Cette remarquable technique de conservation a son origine dans les monastè-res de l'Europe médiévale. Si la recette qui suit concerne des pêches, elle s'adapte parfaitement à bien d'autres fruits, notamment les prunes, les abricots, les poires, les manda-rines, les raisins, les cerises et les figues. Plusieurs alcools conviennent aussi à la conservation – cognac, rhum et eau-de-vie sont particulièrement recommandés –, vérifiez seu-lement qu'ils titrent au moins 40 %.

Pêches au cognac

(voir recette p. 178)

1 Faites blanchir quelques secondes les pêches à l'eau bouillante. Rafraîchissez-les aussitôt sous le robinet d'eau froide pendant 1 minute, puis pelez-les.

2 Pour dénoyauter les pêches, fendez-les en leur milieu avec un couteau tranchant ; sé-parez les moitiés en les tournant en sens inverse et retirez le noyau.

3 Dans une grande casserole remplie d'eau, versez 2 tasses de sucre. Portez à ébullition, écumez la surface, puis faites cuire à feu doux 5 minutes pour faire un sirop.

4 Plongez délicatement les demi-pêches dans le sirop, côté ouvert en haut. Ramenez à ébullition, puis baissez le feu et lais-sez cuire doucement pendant 4 à 5 mi-nutes. Retirez les fruits à l'aide d'une cuiller ajourée et mettez-les à refroidir. Pendant ce temps, préparez un sachet d'épices (voir p. 47) avec la gousse de vanille, le bâton de cannelle, les graines de cardamome et les clous de girofle.

ATTACHEZ le sachet d'épices à un fil pour pouvoir le retirer plus facilement.

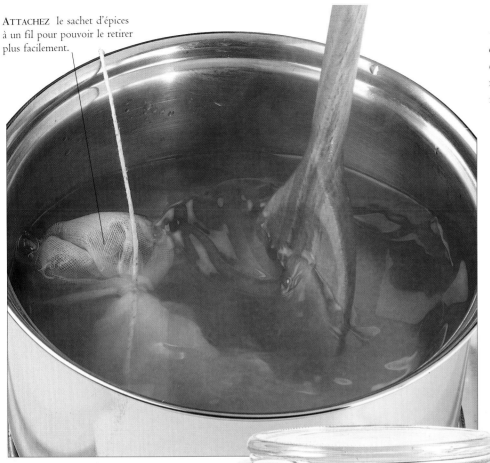

5 Versez 2½ tasses du sirop dans une casserole, ajoutez le sucre restant et le sachet d'épices. Portez à ébullition, écumez, et faites cuire à gros bouillons jusqu'à ce que le thermomètre indique 104 °C (219 °F). Laissez tiédir, retirez les épices, puis versez dans le cognac.

6 Garnissez le cœur de chaque demi-pêche d'une cerise dénoyautée (facultatif) en la maintenant en place à l'aide d'une mini-brochette en bois. Rangez délicatement les fruits dans le bocal stérilisé chaud.

PRÉSENTATION

Pour un dessert raffiné, servez les pêches au cognac couronnées de fleurs cristallisées (voir recette p. 183).

7 Versez le mélange sirop et alcool sur les fruits, en remuant le bocal pour chasser les bulles d'air, puis vissez les couvercles. Prêtes à consommer après 2 semaines, les pêches au cognac se bonifient avec le temps.

Conservation
2 ans,
au réfrigérateur

FRUITS CONFITS ET FLEURS CRISTALLISÉES

CONFIRE DES FRUITS est un patient et bien délicat travail, mais le résultat est tel qu'il a raison de tous les efforts. Quel gourmet gourmand pourrait résister aux appâts chatoyants de ces fruits en habit, remplis et enrobés de sucre ? L'origine de cette technique reste entourée de mystère. D'aucuns assurent qu'elle vit le jour dans l'Italie de la Renaissance, d'autres la font naître au Xe ou au XIe siècle : elle aurait alors été inventée dans les cuisines royales d'un pays du Moyen-Orient, avant d'être introduite en Europe par les marchands arabes et les croisés de retour de Terre sainte. Le fruit est confit dans un bain de sirop extrêmement concentré, dont il s'imprègne lentement, une opération qui demande du doigté, faute de quoi le fruit se racornit et durcit. Les écorces d'agrumes et les fruits peu aqueux, comme la poire et la figue verte, sont souvent mis d'abord à tremper dans du jus de citron ou dans une solution saline, cela afin de les rendre plus à même d'absorber ensuite la quantité de sucre requise.

Tranches d'ananas confites

(voir recette p. 182)

PREMIER JOUR

1 Mettez les tranches d'ananas dans une casserole et couvrez d'eau. Portez à ébullition, puis laissez cuire doucement 15 à 20 minutes, le temps que les fruits s'amollissent. Séchez-les soigneusement.

2 Filtrez **4 tasses** du jus de cuisson dans une casserole. Ajoutez **1 tasse** de sucre et le jus de citron. Portez à ébullition en remuant jusqu'à dissolution, et laissez bouillir encore 2 à 3 minutes. Écumez si nécessaire.

3 Dans un grand bol de préparation en verre, recouvrez généreusement les tranches d'ananas de sirop de sucre chaud. Laissez reposer 24 heures à température ambiante et sous un poids (voir p. 46).

DEUXIÈME JOUR

1 Le lendemain, reversez le sirop de sucre dans la casserole et séchez avec soin chaque tranche d'ananas.

2 Ajoutez au sirop ½ tasse de sucre, et portez le tout à ébullition en remuant jusqu'à dissolution complète du sucre.

3 Laissez bouillir 2 à 3 minutes, écumez et versez sur les fruits. Laissez reposer 24 heures (sous poids).

TROISIÈME JOUR

Renouvelez les opérations du deuxième jour.

QUATRIÈME JOUR

Séchez les tranches d'ananas, reversez le sirop dans la casserole et ajoutez ⅔ tasse de sucre. Portez à ébullition en remuant jusqu'à dissolution complète ; laissez bouillir 1 à 2 minutes, écumez et versez sur les fruits. Laissez reposer 24 heures (sous poids).

CINQUIÈME JOUR

Renouvelez les opérations du quatrième jour.

SIXIÈME ET SEPTIÈME JOURS

Séchez les tranches d'ananas, reversez le sirop dans la casserole et ajoutez le sucre restant. Portez à ébullition en remuant jusqu'à dissolution complète ; laissez bouillir 1 à 2 minutes, écumez et versez sur les fruits. Laissez reposer 48 heures (sous poids).

HUITIÈME JOUR

Mettez les fruits et le sirop dans une marmite et faites cuire à petit feu 5 minutes. Retirez les tranches d'ananas à l'aide d'une cuiller ajourée. Disposez-les sur une grille placée sur un plat à four tapissé de papier aluminium. Laissez sécher et refroidir.

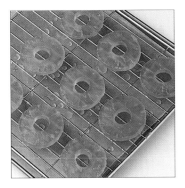

Mettez la grille et le plat dans le four préchauffé à 120 °C (250 °F) et laissez cuire, porte ouverte, pendant 12 à 24 heures, le temps que les fruits séchés soient juste poisseux au toucher. Laissez complètement refroidir.

Saupoudrez les tranches d'ananas de sucre fin, de manière à les enrober. Rangez-les dans une boîte hermétique, sur plusieurs étages séparés par des feuilles de papier ciré.

RANGEZ EN ÉTAGES fruits confits et fleurs cristallisées.

SUGGESTION DE PRÉSENTATION

Maquillez les tranches d'ananas confites avec du chocolat, et servez-les avec les fleurs cristallisées.

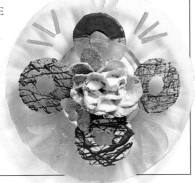

Fleurs cristallisées

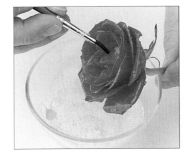

1 Battez un blanc d'œuf avec une pincée de sel et quelques gouttes d'eau de rose jusqu'à ce qu'il soit mousseux. Laissez reposer quelques minutes. A l'aide d'un petit pinceau à poils doux, badigeonnez les fleurs du blanc d'œuf, à l'extérieur et à l'intérieur. Saupoudrez-les de sucre en veillant à ce qu'elles soient entièrement enrobées.

2 Garnissez le fond d'un plat à four d'une couche de sucre en poudre épaisse de 1 cm (½ po) et déposez-y les fleurs. Saupoudrez-les à nouveau généreusement de sucre et laissez sécher 1 à 2 jours dans un endroit sec et bien ventilé. Rangez les fleurs dans une boîte hermétique, sur plusieurs étages séparés par des feuilles de papier ciré.

CONSEILS

• Fruits confits : ajouter au sirop du jus de citron empêche le sucre de recristalliser. Le même effet peut être obtenu avec du glucose en poudre : dans ce cas, prévoyez-en ½ tasse pour la quantité de sucre indiquée pour le premier sirop.

• Fleurs cristallisées : à la place du blanc d'œuf, vous pouvez utiliser une solution froide de gomme arabique (comptez 2 cuillerées à thé de gomme et 1 de sucre pour 1 tasse d'eau) dissoute dans un bol placé sur une casserole d'eau chaude.

 Conservation
1 an pour les tranches d'ananas confites ;
3 mois pour les fleurs cristallisées

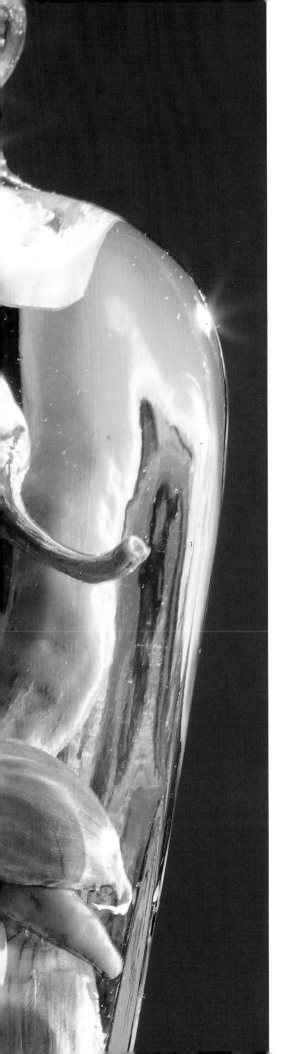

RECETTES

LES RECETTES présentées ici conjuguent
tradition et modernité. Parmi elles,
vous trouverez les grands classiques de
la conservation – petits oignons au vinaigre,
sauce tomate, gelée de framboise – et d'autres
qui jouent un rôle important dans la nouvelle
cuisine – gelée de pomme à la menthe,
marmelade d'oignons, beurre de melon,
chutney au gingembre, tomates vertes
marinées, gravlax à la scandinave... Ainsi, à
chaque page, vous découvrirez des tentations
nouvelles, promesses de succulentes réserves
pour vos festins à venir, accompagnées
de précieuses suggestions
de dégustation qui mettront en valeur
des produits raffinés... et maison !

MARINADES

AUTREFOIS, les familles préparaient de nombreuses conserves avec les fruits et légumes achetés sur les marchés et devenus plus abondants aux beaux jours. En assurant des réserves pour toute l'année, ces produits maison permettaient également de varier et de « dynamiser » une alimentation autrement assez monotone. Aujourd'hui, les fruits et légumes ne sont pas mis en conserve par nécessité, mais simplement pour le plaisir : leur saveur piquante transforme le plus simple des repas. Certains restaurants ont décoré leurs salles de bocaux de marinades aux couleurs chaudes et vives, appétissante invitation à les consommer. Reprenez cette idée dans votre cuisine.

Marinade d'aubergines farcies

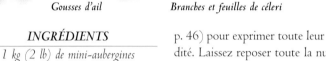

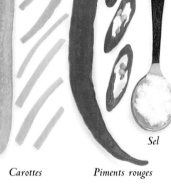

Mini-aubergines — *Gousses d'ail* — *Branches et feuilles de céleri* — *Carottes* — *Piments rouges*

Sel

Cette délicieuse recette, probablement originaire de Syrie, est encore en vogue dans tout le Moyen-Orient, sous une forme différente suivant les pays considérés. Pour la réussir, il vous faut impérativement de toutes petites aubergines (qu'on trouve dans les épiceries grecques, indiennes et orientales), puisqu'elles doivent être conservées entières.

INGRÉDIENTS

1 kg (2 lb) de mini-aubergines
Pour la farce
6 gousses d'ail, grossièrement hachées
3 ou 4 branches de céleri (avec leurs feuilles), grossièrement hachées
2 ou 3 grandes carottes, grattées
1 ou 2 piments rouges frais, finement émincés
1 cuillerée à thé de sel
Pour le bocal
4 ou 5 gousses d'ail épluchées
2 ou 3 piments frais, rouges ou verts
quelques feuilles de vigne (facultatif)
sel
2 ou 3 cuillerées à soupe de vinaigre de cidre

1 Fendez chaque aubergine dans le sens de la longueur de manière à ouvrir une poche. Faites-les cuire à la vapeur 5 à 8 minutes, le temps de les amollir. Retirez-les de la chaleur et pressez-les avec un poids (voir p. 46) pour exprimer toute leur humidité. Laissez reposer toute la nuit.

2 Le lendemain, mélangez ensemble les ingrédients de la farce. Ouvrez la poche des aubergines, garnissez-la de 1 cuillerée à thé de farce, puis refermez en pressant. Remplissez le bocal avec les aubergines, l'ail, les piments et, le cas échéant, les feuilles de vigne.

3 Remplissez le bocal d'eau froide, puis videz-la dans un pichet gradué. Ajoutez le vinaigre, puis la valeur de ½ cuillerée à thé de sel pour chaque tasse d'eau, en remuant jusqu'à dissolution. Réintroduisez le liquide dans le bocal et posez un poids au-dessus (voir p. 46).

4 Couvrez le bocal avec un linge et entreposez-le dans un lieu chaud et bien aéré 1 à 3 semaines, le temps que s'opère la fermentation (voir recette des cornichons en saumure, p. 93). Fermez hermétiquement.

Niveau de difficulté
Assez facile

Temps de cuisson
5 à 8 minutes

Matériel nécessaire
Bocaux stérilisés à col très large, avec couvercles résistant au vinaigre (voir pp. 42-43)

Quantité obtenue
Environ 1 litre

Durée de conservation
6 mois, au réfrigérateur

CONSEILS

• Choisissez des aubergines bien fermes, à la peau brillante, tendue et sans tache.
• Le vinaigre de cidre et les feuilles de vigne accélèrent le processus de fermentation dans le bocal.

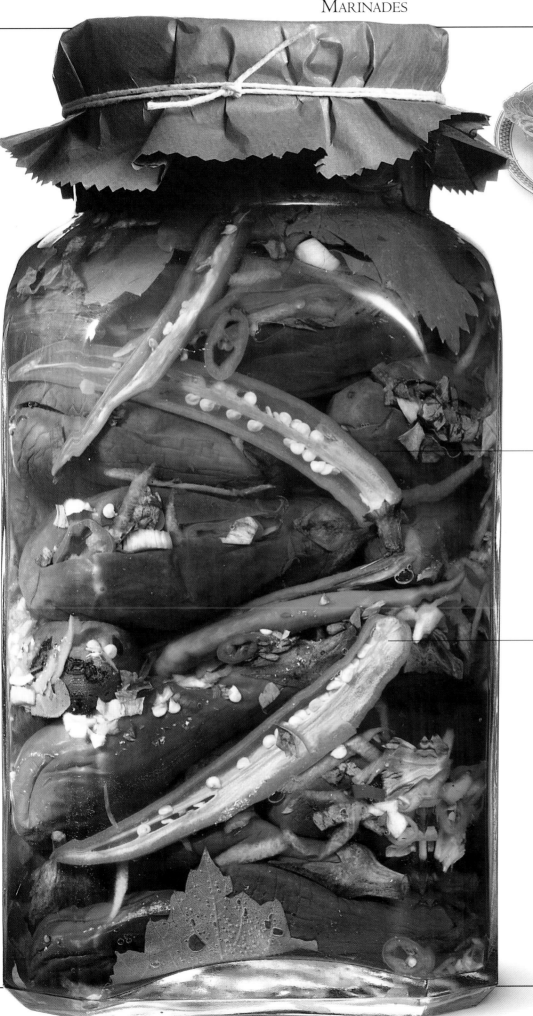

LA MARINADE D'AUBERGINES FARCIES *participe généralement au meze — grand assortiment de petits plats, servis avec des pitas, pains aussi délicieux qu'originaux. Vous pouvez aussi présenter ces aubergines farcies sur des feuilles de salade, en accompagnement d'un plat de viandes froides.*

LES AUBERGINES POURPRES sont particulièrement appétissantes, mais rien ne vous empêche d'utiliser de mini-aubergines blanches, jaunes, ou, mieux encore, un mélange des trois.

LES PIMENTS ROUGES sont là, bien sûr, pour relever le goût. A vous de les doser avec discernement, selon que vous aimez les marinades plus ou moins fortes et piquantes...

─── **VARIANTE** ───

◆ *Marinade d'aubergines et de betterave*
Préparez les aubergines sans les farcir. Mettez-les dans le bocal avec 1 petite betterave finement émincée, 6 gousses d'ail hachées et 2 ou 3 piments frais.

Petits oignons au vinaigre
(voir technique p. 52)

Ce condiment a si bien gagné sa place sur notre table que certains plats ne se conçoivent même pas sans lui. Ce grand classique des marinades nécessite un vinaigre puissant pour maintenir la blancheur des petits oignons.

── VARIANTE ──

✦ **Betteraves au vinaigre**
Utilisez des betteraves cuites, entières si elles sont petites, sinon coupées en gros quartiers.

INGRÉDIENTS

1,2 kg (2½ lb) de petits oignons blancs
sel
2 feuilles de laurier
4 cuillerées à thé de graines de moutarde
2 à 4 piments rouges séchés (facultatif)
vinaigre aromatisé (voir recettes p. 129), pour couvrir

1 Faites blanchir les oignons pour les peler (voir p. 46). Mettez-les ensuite dans un bol, couvrez-les avec de l'eau, puis versez celle-ci dans un récipient gradué. Pour 4 tasses de liquide, ajoutez 1 cuillerée à soupe de sel. Reversez l'eau sur les oignons, posez un poids au-dessus (voir p. 46) et laissez ainsi reposer 24 heures.

2 Rincez les oignons à l'eau claire et mettez-les dans le bocal avec les feuilles de laurier et les épices. Couvrez les oignons de 2,5 cm (1 po) de vinaigre, puis versez celui-ci dans une casserole et faites-le bouillir 2 minutes.

3 Reversez le vinaigre bouillant dans le bocal, fermez hermétiquement. Patientez 3 à 4 semaines avant de consommer ces petits oignons.

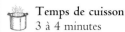 **Niveau de difficulté**
Facile

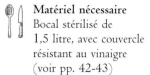 **Temps de cuisson**
3 à 4 minutes

 **Matériel nécessaire**
Bocal stérilisé de 1,5 litre, avec couvercle résistant au vinaigre (voir pp. 42-43)

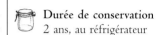 **Quantité obtenue**
Environ 1 litre

Durée de conservation
2 ans, au réfrigérateur

Gousses d'ail marinées
(voir illustration p. 19)

Cette recette d'origine perse est aussi bien servie telle quelle qu'utilisée pour remplacer des gousses d'ail fraîches dans la cuisine. Attention, cependant : la marinade modifie le goût de l'ail, en lui conférant une saveur adoucie et délicate. En saison, utilisez de l'ail vert, c'est-à-dire frais.

INGRÉDIENTS

1 kg (2 lb) d'ail frais
2 tasses de vinaigre de malt distillé ou de vinaigre de vin blanc
2 cuillerées à soupe de sel

1 Versez le vinaigre et le sel dans une casserole inoxydable, portez à ébullition et laissez bouillir 2 à 3 minutes, puis retirez du feu et mettez à refroidir.

2 Séparez les gousses d'ail et épluchez-les. Si vous utilisez de l'ail frais, fendez les gousses en deux.

3 Faites blanchir l'ail à l'eau bouillante pendant 1 minute, puis égouttez-le. Mettez les gousses dans les bocaux. Versez-y le vinaigre, posez un poids sur les gousses pour bien les maintenir en place (voir p. 46), puis fermez les bocaux. L'ail pourra être consommé au bout de 1 mois.

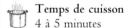 **Niveau de difficulté**
Facile

Temps de cuisson
4 à 5 minutes

Matériel nécessaire
Bocaux stérilisés, avec couvercles résistant au vinaigre (voir pp. 42-43)

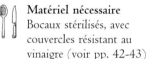 **Quantité obtenue**
Environ 1 litre

Durée de conservation
2 ans, au réfrigérateur

Tomates vertes marinées
(voir illustration p. 15)

Une manière idéale d'utiliser une provision de tomates vertes. Ces délicieuses marinades, qui nous viennent d'Europe de l'Est, sont celles qu'on retrouve aux étalages des délicatessen.

── CONSEIL ──

Essayez la même recette avec des fruits, comme des prunes ou des groseilles à maquereau, ou avec des concombres, ou encore des courgettes. Mais rappelez-vous qu'il faut toujours faire blanchir les légumes verts avant de les mettre en bocaux (voir p. 46).

INGRÉDIENTS

1 kg (2 lb) de tomates vertes
quelques brins d'aneth
2 ou 3 feuilles de laurier
2 ou 3 piments rouges frais ou séchés
1½ cuillerée à soupe de graines de moutarde
1 cuillerée à soupe de grains de poivre noir
4 ou 5 clous de girofle
4 tasses de vinaigre de cidre
¼ tasse d'eau
4 cuillerées à soupe de sucre (ou 3 de miel)
1 cuillerée à soupe de sel

1 Piquez chaque tomate en différents endroits avec une mini-brochette en bois. Mettez les tomates dans le bocal avec les herbes et les épices.

2 Versez le vinaigre, l'eau, le sucre (ou le miel) dans une casserole inoxydable. Portez à ébullition, et laissez bouillir 5 minutes. Retirez du feu.

3 Versez le vinaigre tiède dans le bocal. S'il n'y avait pas suffisamment de liquide pour recouvrir les légumes, complétez avec du vinaigre froid. Pressez les tomates avec un poids (voir p. 46), puis fermez le bocal. Vous pourrez déguster ces tomates vertes après 1 mois de conservation, mais elles seront bien meilleures au bout de 2 à 3 mois.

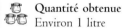 **Niveau de difficulté**
Facile

Temps de cuisson
Environ 5 minutes

Matériel nécessaire
Bocal stérilisé de 1,5 litre. avec couvercle résistant au vinaigre (voir pp. 42-43)

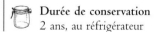 **Quantité obtenue**
Environ 1 litre

Durée de conservation
1 an, au réfrigérateur

Suggestions d'accompagnement
Servez avec de la viande, du fromage ou une salade

Tomates-cerises aux aromates

(voir illustration p. 15)

Il s'agit d'un condiment fait à base de tomates miniatures à la saveur délicatement aromatisée. Ces marinades très décoratives peuvent aussi être réalisées avec de petites tomates vertes ou jaunes.

INGRÉDIENTS

1 kg (2 lb) de tomates-cerises bien fermes, de préférence avec leur queue

10 ou 12 feuilles de menthe ou de basilic

vinaigre doux sans sucre (voir recette p. 130), pour couvrir

1 Piquez légèrement chaque tomate en différents endroits avec une mini-brochette en bois. Mettez-les dans le bocal avec les feuilles de menthe ou de basilic.

2 Versez le vinaigre doux, jusqu'à ce que le niveau dépasse les légumes d'au moins 2,5 cm (1 po). Remuez les tomates à l'aide d'une brochette en bois pour libérer les bulles d'air.

3 Pressez les tomates avec un poids (voir p. 46), puis fermez le bocal. Les marinades seront prêtes à être consommées au bout de 4 à 6 semaines, mais meilleures avec un temps de conservation plus long.

☆ **Niveau de difficulté**
Facile

Matériel nécessaire
Bocal stérilisé de 1 litre, avec couvercle résistant au vinaigre (voir pp. 42-43)

Quantité obtenue
Environ 1 litre

Durée de conservation
1 an, au réfrigérateur

Cornichons à l'aneth

(voir illustration p. 21)

Si l'on veut que les cornichons aient une saveur et une couleur parfaites, il est recommandé de les faire blanchir rapidement.

INGRÉDIENTS

1 kg (2 lb) de petits cornichons fermes

5 ou 6 grosses gousses d'ail, pilées mais non épluchées

2 ou 3 brins d'aneth

3 ou 4 piments rouges frais ou séchés

2 ou 3 feuilles de laurier

sel

quelques feuilles de vigne (facultatif)

CONSEILS

• Les feuilles de vigne ajoutent leur saveur caractéristique, tout en aidant à la fermentation.
• La saumure de cette recette ne devrait pas être jetée sitôt le dernier cornichon croqué : vous pouvez, en effet, vous en servir pour déglacer certains plats et, bien sûr, pour assaisonner les salades.

1 Mettez les cornichons dans une casserole d'eau bouillante et faites-les blanchir 1 minute (voir p. 46).

2 Disposez les cornichons, l'ail, l'aneth, les piments et les feuilles de laurier dans le bocal. Remplissez-le d'eau, puis versez celle-ci dans un récipient gradué. Pour chaque tasse de liquide, ajoutez ¾ cuillerée à soupe de sel et remuez jusqu'à dissolution du sel.

3 Reversez l'eau salée dans le bocal. Si vous décidez d'ajouter des feuilles de vigne, déposez-les à la surface. Maintenez les cornichons en place en posant un poids au-dessus (voir p. 46). Couvrez le bocal avec un linge et placez-le 1 à 2 semaines dans un endroit chaud et bien aéré.

4 Quand le liquide commence à s'éclaircir, la fermentation est terminée ; fermez hermétiquement le bocal et rangez-le. Les cornichons sont déjà bons à consommer.

VARIANTES

✦ **Tomates fermentées** (voir illustration p. 15) Utilisez 1 kg (2 lb) de petites tomates rouges, bien fermes, et piquez-les une par une en différents endroits. Mettez-les dans un bocal (stérilisé) d'une contenance de 2 litres, à col très large, avec 3 ou 4 piments frais, fendus, 8 gousses d'ail, 6 ou 8 feuilles de céleri-branche et 1 cuillerée à soupe de poivre noir en grains. Couvrez d'eau et procédez comme pour la recette principale, en comptant 1 cuillerée à soupe de sel pour chaque tasse de liquide, et 1 cuillerée à soupe de vinaigre de cidre.

✦ **Betteraves fermentées** (voir illustration p. 22) Utilisez 1,5 kg (3 lb) de petites betteraves pelées, entières ou coupées en gros quartiers. Mettez-les dans le bocal et couvrez-les avec la saumure, conformément aux indications de la recette ci-contre. Après plusieurs jours de fermentation, une mousse va commencer à se former ; écumez-la régulièrement. Au bout de 1 mois, fermez le bocal.

☆ **Niveau de difficulté**
Facile

Temps de cuisson
1 minute

Matériel nécessaire
Bocal stérilisé de 1,5 litre, avec couvercle résistant au vinaigre (voir pp. 42-43)

Quantité obtenue
Environ 1 litre

Durée de conservation
6 mois, au réfrigérateur ; 3 mois pour les betteraves

Suggestions d'accompagnement
Coupez les cornichons pour les ajouter à des sauces, des salades, ou pour décorer des canapés et des assiettes russes ou scandinaves

Navets ou radis marinés

Ces marinades ont conquis leurs lettres de noblesse dans tout le Moyen-Orient, ainsi que dans le sud de la Russie. Autrefois, elles constituaient une alimentation essentielle pendant les longs mois d'hiver.

CONSEIL

Loin de se limiter aux navets ou aux petits radis, cette recette se prête à toutes sortes de variantes, et donne d'excellents résultats avec les radis noirs ou les choux-raves.

INGRÉDIENTS

750 g (1½ lb) de navets blancs ou de gros radis, coupés en tronçons de 1 cm (1½ po)
250 g (½ lb) de betterave crue, coupée en tronçons de 1 cm (½ po)
4 ou 5 gousses d'ail, coupées en deux
3 ou 4 branches de céleri (avec leurs feuilles), grossièrement hachées
sel
3 cuillerées à soupe de vinaigre de cidre ou de vinaigre de malt distillé

1 Disposez les navets ou les radis dans le bocal, avec la betterave et les demi-gousses d'ail.

2 Remplissez le bocal d'eau pour couvrir entièrement les légumes, puis versez cette eau dans un récipient gradué. Pour chaque tasse d'eau, ajoutez ¾ cuillerée à soupe de sel et remuez jusqu'à complète dissolution au sel. Ajoutez le vinaigre et reversez le liquide dans le bocal.

3 Pressez les légumes avec un poids (voir p. 46), couvrez le bocal ouvert avec un linge et laissez-le dans un endroit chaud et bien aéré pendant 2 semaines, le temps nécessaire à la fermentation (voir recette des cornichons en saumure, p. 93). Fermez le bocal. Ces marinades seront bonnes à consommer dans 1 mois.

 Niveau de difficulté
Facile

 Matériel nécessaire
Bocal stérilisé de 1,5 litre, à col très large avec couvercle résistant au vinaigre (voir pp. 42-43)

 Quantité obtenue
Environ 1 litre

Durée de conservation
3 à 6 mois, au réfrigérateur

Suggestions d'accompagnement
Servez en amuse-gueule à l'apéritif, dans des salades, des assortiments de hors-d'œuvre, ou encore avec une assiette de viandes froides

Céleri-rave et carottes marinés

Le céleri-rave fait d'excellentes marinades, à condition d'être sélectionné avec le plus grand soin, car, trop mûr, il peut devenir creux et fibreux. A taille égale, choisissez le plus lourd et écartez tous ceux qui présentent des taches vertes.

CONSEIL

Si vous craignez le petit goût amer de l'écorce d'orange, plongez-la 1 à 2 minutes dans de l'eau bouillante, puis rafraîchissez-la à l'eau froide avant utilisation.

INGRÉDIENTS

1 gros céleri-rave d'environ 1 kg (2 lb), pelé et râpé
5 grandes carottes, sommairement grattées
2 oignons, coupés en fines rondelles
2½ cuillerées à soupe de sel
2 cuillerées à soupe de graines d'aneth
le jus et l'écorce de 1 orange
2 tasses de vinaigre de vin blanc ou de vinaigre de cidre
⅔ tasse d'eau
1 cuillerée à soupe de sucre (facultatif)

1 Mettez ensemble le céleri-rave, les carottes et les oignons dans un bol en verre et saupoudrez-les de 2 cuillerées à soupe de sel. Mélangez et laissez reposer 2 heures.

2 Rincez les légumes à l'eau courante, puis égouttez-les. Incorporez l'aneth et l'écorce d'orange, remuez et garnissez les bocaux du mélange.

3 Dans une marmite anticorrosion, versez le jus d'orange, le vinaigre, l'eau, le reste de sel et le sucre, au goût. Portez à ébullition et laissez bouillir 2 ou 3 minutes, puis écumez avec soin. Versez le liquide dans les bocaux jusqu'à couvrir les légumes. Avant de fermer, libérez les bulles d'air en remuant les légumes à l'aide d'une brochette en bois. Ces marinades seront prêtes à être consommées dans 1 semaine.

 Niveau de difficulté
Facile

 Temps de cuisson
2 à 3 minutes

 Matériel nécessaire
2 bocaux stérilisés de 1 litre, avec couvercles résistant au vinaigre (voir pp. 42-43)

 Quantité obtenue
Environ 2 litres

 Durée de conservation
3 à 6 mois, au réfrigérateur

Suggestions d'accompagnement
Particulièrement bon avec du poulet froid ou chaud, ou encore dans un roulé de jambon

Chow chow

Ce qui distingue le chow chow, c'est sa consistance. Traditionnellement, il se cuisine l'été, avec tous sortes de légumes frais qu'on récolte en abondance.

INGRÉDIENTS

250 g (½ lb) de petits concombres
1 petit chou-fleur, divisé en fleurettes
250 g (½ lb) de tomates vertes, coupées en cubes
4 carottes moyennes, coupées en épaisses allumettes
250 g (½ lb) de haricots verts, effilés
300 g (10 oz) de petits oignons, épluchés
4 poivrons rouges, émincés
1 petit pied de céleri, coupé en tronçons
½ tasse de sel

Pour la marinade

¾ tasse de farine tout usage
9 cuillerées à soupe de moutarde sèche
1½ cuillerée à soupe de graines de céleri
1½ cuillerée à soupe de curcuma en poudre
1 cuillerée à soupe de sel
5 tasses de vinaigre de cidre ou de vinaigre de malt
1½ tasse de cassonade ou de sucre blanc

1 Si vous utilisez de petits concombres, gardez-les entiers ; sinon, découpez des rondelles assez épaisses.

2 Mettez tous les légumes dans un grand bol en verre. Couvrez-les d'eau froide, ajoutez le sel et remuez jusqu'à ce qu'il soit complètement dissous. Posez un poids sur les légumes (voir p. 46) et laissez reposer pendant la nuit.

3 Le lendemain, égouttez soigneusement les légumes avant de les faire blanchir 2 minutes (voir p. 46).

4 Pour préparer la marinade, mélangez dans un petit récipient la farine, la moutarde sèche, les graines de céleri, le curcuma et le sel. Incorporez peu à peu 1 tasse de vinaigre en mélangeant bien pour obtenir une pâte lisse et homogène.

5 Versez le reste du vinaigre et le sucre dans une marmite anticorrosion et portez à ébullition. Incorporez graduellement la pâte en remuant sans

cesse. Ajoutez les légumes égouttés, portez à nouveau à ébullition et retirez du feu.

6 Remplissez les bocaux stérilisés chauds et fermez-les aussitôt. Prêt à la consommation au bout de 2 semaines, ce condiment gagnera cependant à être dégusté un peu plus tard.

CONSEILS

• Une farine de blé entier donnera une marinade plus foncée et plus consistante.

• Si vous préférez des légumes plus tendres, laissez-les cuire 5 minutes de plus dans le vinaigre, à feu doux.

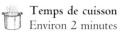 **Niveau de difficulté**
Assez facile

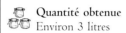 **Temps de cuisson**
Environ 2 minutes

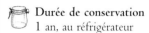 **Matériel nécessaire**
Bocaux stérilisés, avec couvercles résistant au vinaigre (voir pp. 42-43)

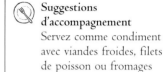 **Quantité obtenue**
Environ 3 litres

Durée de conservation
1 an, au réfrigérateur

Suggestions d'accompagnement
Servez comme condiment avec viandes froides, filets de poisson ou fromages

Piccalilli

(voir illustration p. 33)

C'est à la fin du XVII⁰ siècle que ce fleuron des pickles anglais fut baptisé « pickle lila », du nom d'une spécialité indienne. La recette proposée ici est une version authentique et exotique n'ayant rien de bien commun avec ce que vous trouverez dans les magasins. Pour le vinaigre, à vous de choisir celui qui vous plaît dans la liste des vinaigres aromatisés (voir p. 129).

CONSEILS

• Sur le modèle de cette recette, vous pouvez réussir bien d'autres condiments en mariant fruits et légumes de votre choix.

• Pour obtenir une saveur plus douce, ajoutez les graines de moutarde au vinaigre et laissez bouillir pendant 3 à 4 minutes.

INGRÉDIENTS

250 g (½ lb) de haricots verts, coupés en petits morceaux

250 g (½ lb) de chou-fleur, divisé en fleurettes

4 carottes moyennes, coupées en rondelles

250 g (½ lb) de groseilles à maquereau, soigneusement équeutées

250 g (½ lb) de melon honeydew, coupé en cubes

250 g (½ lb) de raisin épépiné

½ tasse de sel

400 g (13 oz) de graines de moutarde

4 tasses de vinaigre aromatisé (voir recettes p. 129)

1 cuillerée à soupe de curcuma en poudre

1 Mettez tous les fruits et légumes dans un grand récipient en verre. Recouvrez-les d'eau froide, ajoutez ⅓ tasse de sel et remuez jusqu'à dissolution complète. Posez un poids au-dessus (voir p. 46) et laissez ainsi reposer 24 heures.

2 Le lendemain, broyez les graines de moutarde avec un moulin à épices ou un moulin à café.

3 Égouttez les légumes et les fruits, rincez-les à l'eau courante et faites-les à nouveau sécher. Goûtez-les ; s'ils vous paraissent trop salés, couvrez-les avec de l'eau froide et laissez-les tremper 10 minutes, puis renouvelez le rinçage et l'égouttage. Ajoutez les graines de moutarde moulues et mélangez intimement.

4 Mettez le vinaigre aromatisé, le curcuma et ce qui reste de sel dans une marmite anticorrosion. Portez à ébullition, en écumant soigneusement, et laissez bouillir 10 minutes.

5 Versez le liquide bouillant dans le récipient et mélangez bien les fruits et les légumes. Remplissez les bocaux chauds et fermez-les. Ce piccalilli est d'ores et déjà consommable, mais il se bonifiera avec le temps.

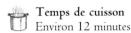 **Niveau de difficulté**
Assez facile

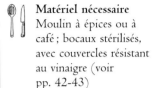 **Temps de cuisson**
Environ 12 minutes

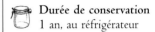 **Matériel nécessaire**
Moulin à épices ou à café ; bocaux stérilisés, avec couvercles résistant au vinaigre (voir pp. 42-43)

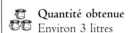 **Quantité obtenue**
Environ 3 litres

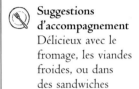 **Durée de conservation**
1 an, au réfrigérateur

Suggestions d'accompagnement
Délicieux avec le fromage, les viandes froides, ou dans des sandwiches poulet-crudités

Achards d'oignons et poivrons

(voir illustration p. 19)

Cet achard est d'autant plus appétissant qu'il est multicolore. N'hésitez donc pas à jouer sur les couleurs des poivrons (bien que les verts perdent rapidement la leur), et ajoutez d'autres légumes émincés, comme des carottes et du céleri-rave.

INGRÉDIENTS

1,2 kg (2½ lb) d'oignons, coupés en fines rondelles

2 poivrons rouges, coupés en fines lanières

2 poivrons jaunes, coupés en fines lanières

4 cuillerées à soupe de sel

4 tasses de vinaigre de vin blanc ou de vinaigre de cidre

½ tasse de sucre

2 cuillerées à soupe de menthe séchée

2 cuillerées à soupe de paprika

1 cuillerée à soupe de graines d'aneth

2 cuillerées à thé de sel

1 Dans un grand récipient en verre, mettez les oignons émincés, les poivrons rouges et jaunes, et saupoudrez-les avec les 4 cuillerées à soupe de sel. Mélangez bien, puis recouvrez le récipient avec un linge et laissez reposer 2 heures.

2 Égouttez soigneusement les légumes pour ôter le liquide qui s'est accumulé au fond du récipient ; rincez-les rapidement à l'eau courante, puis faites-les à nouveau égoutter.

3 Dans une marmite anticorrosion, versez le vinaigre, le sucre, la menthe, l'aneth, le paprika et les 2 cuillerées à thé de sel. Portez à vive ébullition, puis réduisez l'intensité de la chaleur et laissez cuire 5 minutes à feu doux.

4 Mettez les légumes dans le bocal brûlant. Versez-y le liquide chaud, en faisant en sorte de recouvrir tous les légumes. Agitez-les à l'aide d'une brochette en bois, afin de libérer les bulles d'air, puis fermez le bocal. Les achards seront prêts à être consommés dans 1 semaine, mais bien meilleurs si vous attendez plus longtemps.

☆ **Niveau de difficulté**
Facile

Temps de cuisson
Environ 8 minutes

Matériel nécessaire
Bocal stérilisé de 2 litres, avec couvercle résistant au vinaigre (voir pp. 42-43)

Quantité obtenue
Environ 2 litres

Durée de conservation
6 mois, au réfrigérateur

Suggestion de présentation
Nappez les légumes égouttés d'un filet d'huile et servez-les en salade rafraîchissante

Cornichons tranchés

(voir illustration p. 21)

A l'origine, sans doute ces cornichons « à l'ancienne » étaient-ils étalés sur des tartines de pain beurré, d'où leur nom anglais de bread and butter pickles. Une autre tradition veut qu'on les ait appelés ainsi parce qu'ils étaient aussi courants sur la table que l'étaient le pain et le beurre...

INGRÉDIENTS

750 g (1½ lb) de gros cornichons

625 g (1¼ lb) d'oignons, coupés en rondelles de 5 mm (¼ po) d'épaisseur

375 g (¾ lb) de poivrons, coupés en lanières de 5 mm (¼ po) d'épaisseur

3 cuillerées à soupe de sel

4 tasses de vinaigre de cidre, de vinaigre de vin blanc ou de vinaigre de malt

2 tasses de cassonade ou de sucre blanc

2 cuillerées à thé de curcuma en poudre

1 cuillerée à soupe de graines de moutarde

2 cuillerées à thé de graines d'aneth

1 Mettez les cornichons dans un récipient et couvrez-les d'eau bouillante. Égouttez et rafraîchissez-les à l'eau courante avant de les faire à nouveau égoutter. Coupez-les en tronçons épais de 1 cm (½ po).

2 Dans un grand bol en verre, mettez les concombres, les oignons en rondelles et les poivrons en lanières, et saupoudrez généreusement de sel. Mélangez bien, puis couvrez le bol d'un linge et laissez reposer toute la nuit.

3 Le lendemain, videz le liquide qu'ont donné les légumes ; rincez ceux-ci sous le robinet d'eau froide et égouttez-les à nouveau. Croquez une rondelle de concombre : si elle est trop salée, recouvrez les légumes d'eau froide et faites-les tremper pendant 10 minutes, puis renouvelez le rinçage et l'égouttage.

4 Dans une marmite anticorrosion, versez le vinaigre, le sucre, les graines d'aneth et de moutarde, et le curcuma ; portez à ébullition et laissez bouillir 10 minutes. Ajoutez alors les légumes bien égouttés et ramenez à ébullition, puis retirez du feu.

5 Mettez les cornichons dans les bocaux stérilisés chauds et fermez aussitôt. Cette spécialité est d'ores et déjà bonne à consommer.

 ☆ **Niveau de difficulté**
Facile

 Temps de cuisson
Environ 15 minutes

 Matériel nécessaire
Bocaux stérilisés, avec couvercles résistant au vinaigre (voir pp. 42-43)

 Quantité obtenue
Environ 2 litres

 Durée de conservation
1 an, au réfrigérateur

Suggestions d'accompagnement
Servez avec des viandes froides, ou sur des tartines de pain beurré avec du fromage

CONSEIL

Pour plus de facilité, servez-vous d'une mandoline pour tronçonner les légumes.

Marinades à l'huile d'olive

(voir illustration p. 21)

Ces marinades sont aussi faciles à préparer qu'à servir. Légèrement acides et très rafraîchissantes, elles se conservent particulièrement bien. Vous pouvez remplacer les cornichons par des poivrons et/ou par des carottes émincés.

INGRÉDIENTS

750 g (1½ lb) de gros cornichons, coupés en rondelles de 5 mm (¼ po) d'épaisseur

625 g (1¼ lb) d'oignons, finement émincés

½ tasse de sel

2 tasses de vinaigre de cidre

⅓ tasse d'eau

1 cuillerée à soupe de graines d'aneth

1 cuillerée à soupe de graines de céleri

1 cuillerée à soupe de graines de moutarde

⅓ tasse d'huile d'olive vierge (première pression à froid)

1 Mettez les rondelles de cornichon dans un grand récipient en verre, couvrez-les d'eau froide et ajoutez le sel ; mélangez jusqu'à complète dissolution du sel. Posez un poids au-dessus (voir p. 46), recouvrez le récipient d'un linge et laissez reposer toute la nuit.

2 Le lendemain, égouttez les légumes. Rincez-les sous le robinet d'eau froide avant de les laisser à nouveau égoutter, en veillant à exprimer autant que possible tout leur liquide. Garnissez les bocaux stérilisés chauds avec les cornichons et les oignons.

3 Dans une marmite anticorrosion, versez le vinaigre, l'eau et les aromates ; portez à ébullition et faites bouillir 5 minutes. Retirez du feu, laissez tiédir, puis incorporez l'huile d'olive.

4 Versez la marinade dans les bocaux en remuant les légumes à l'aide d'une brochette en bois pour libérer les bulles d'air. Avant de fermer, vérifiez que l'huile et les épices sont également réparties. Prêtes à consommer au bout de 2 semaines, ces marinades se bonifieront avec le temps.

 ☆ **Niveau de difficulté**
Facile

 Temps de cuisson
Environ 8 minutes

 Matériel nécessaire
Bocaux stérilisés, avec couvercles résistant au vinaigre (voir pp. 42-43)

 Quantité obtenue
Environ 1,5 litre

 Durée de conservation
1 an, au réfrigérateur

Suggestions d'accompagnement
Délicieux avec du fromage, des œufs durs ou des harengs doux

Petits légumes marinés

(voir illustration p. 19)

Les mini-légumes sont désormais aisément accessibles, et c'est tant mieux, car ils sont à la base de marinades aussi décoratives que savoureuses. Toutes sortes de légumes peuvent ainsi être utilisés ; à défaut de modèles réduits, il vous suffira de découper en morceaux de la taille d'une bouchée des légumes « normaux » avant de les mettre à saler pendant 24 heures.

INGRÉDIENTS

4 ou 5 mini-courgettes jaunes, émincées
3 mini-choux blancs, coupés en quartiers
3 mini-choux-fleurs, à garder intacts
250 g (½ lb) de mini-épis de maïs
250 g (½ lb) d'échalotes, épluchées
½ tasse de sel
6 tasses de vinaigre aromatisé (voir recettes p. 129)

1 Dans un grand bol en verre, mettez les courgettes émincées, les quartiers de chou blanc, les choux-fleurs entiers, les épis de maïs, les échalotes. Saupoudrez de sel, mélangez bien et couvrez d'un linge avant de laisser reposer entre 24 et 48 heures (en remuant de temps à autre).

2 Éliminez le liquide qu'ont donné les légumes ; rincez-les à l'eau courante et égouttez-les. Recouvrez-les entièrement d'eau froide et laissez tremper pendant 1 heure avant de remettre à égoutter.

3 Répartissez les mini-légumes en couches successives dans le bocal stérilisé chaud, puis posez un poids au-dessus (voir p. 46).

4 Versez le vinaigre de votre choix dans le bocal, en veillant à ce que les légumes soient entièrement recouverts de liquide, puis fermez hermétiquement. Attendez 4 à 6 semaines avant de déguster.

 Niveau de difficulté
Facile

 Matériel nécessaire
Bocal stérilisé de 3 litres, à col très large, avec couvercle résistant au vinaigre (voir pp. 42-43)

 Quantité obtenue
Environ 1,5 litre

 Durée de conservation
1 an

 Suggestions d'accompagnement
Servez tel quel ou pour accompagner une raclette et sa charcuterie

Cornichons façon Toby

Voici l'adaptation d'une recette dont l'origine se situe probablement en Europe centrale. Ces cornichons ont le double avantage d'être très faciles à préparer et (presque) aussitôt consommables. Égouttés, nappés d'un filet d'huile et saupoudrés d'herbes aromatiques, ils constituent une salade très raffinée à la saveur aigre-douce.

INGRÉDIENTS

500 g (1 lb) de gros concombres, coupés en rondelles épaisses de 1 cm (½ po)
2 cuillerées à soupe de sel
375 g (¾ lb) d'oignons, coupés en fines rondelles
275 g (½ lb) de carottes, coupées en fine julienne
4 gousses d'ail, coupées en deux
1 cuillerée à thé de grains de poivre noir
3 ou 4 feuilles de laurier
3 tasses d'eau
1½ tasse de vinaigre de vin blanc ou de vinaigre de malt distillé
4 cuillerées à soupe de sucre
1 ou 2 piments rouges séchés

1 Mettez les concombres dans une passoire et saupoudrez-les avec la moitié du sel. Mélangez intimement et laissez reposer 20 minutes. Rincez-les rapidement sous le robinet d'eau froide et égouttez-les avec soin.

2 Mélangez les rondelles d'oignons et les carottes en julienne dans un bol ; couvrez-les d'eau bouillante, puis mettez-les à égoutter.

3 Disposez une couche de rondelles de concombres au fond du bocal brûlant. Déposez par-dessus quelques demi-gousses d'ail, quelques grains de poivre et 1 feuille de laurier ; recouvrez avec une couche d'oignons et de carottes mélangés.

4 Renouvelez l'opération jusqu'à ce que tous les légumes aient été utilisés. Le bocal doit être presque rempli, mais le contenu peu compact.

5 Dans une marmite anticorrosion, versez l'eau, le vinaigre, le sucre, les piments rouges et ce qui reste de sel. Portez à ébullition et laissez bouillir quelques minutes. Écumez soigneusement et retirez les piments.

6 Versez la saumure dans le bocal, jusqu'au bord pour recouvrir entièrement les légumes. Remuez-les à l'aide d'une brochette en bois afin de libérer les bulles d'air, puis fermez le bocal et mettez-le au réfrigérateur. Vous aurez à peine 48 heures à attendre et les cornichons façon Toby seront prêts à être dégustés.

 Niveau de difficulté
Facile

 Temps de cuisson
Environ 5 minutes

 Matériel nécessaire
Bocal stérilisé de 1,5 litre, avec couvercle résistant au vinaigre (voir pp. 42-43)

 Quantité obtenue
Environ 1 litre

Durée de conservation
3 mois, au réfrigérateur

Suggestions de présentation
Servez comme tel ou avec des hors-d'œuvre russes ou scandinaves

Gombos au vinaigre

Cette recette appartient à la cuisine traditionnelle iranienne. Le gombo est un légume peu connu, mais d'un goût et d'une consistance uniques. Ne vous inquiétez surtout pas si le liquide de conservation épaissit : rien de plus normal, cela tient à la sève du gombo.

INGRÉDIENTS

750 g (1½ lb) de petits gombos croquants
1 cuillerée à soupe de sel
275 g (½ lb) de carottes, coupées en grosses allumettes
6 grosses gousses d'ail, grossièrement coupées en quartiers
3 ou 4 piments rouges frais, épépinés et émincés (facultatif)
1 petite botte de menthe fraîche, grossièrement hachée
Pour la saumure
4 tasses de vinaigre de cidre
4 cuillerées à soupe de sucre ou de miel
1 cuillerée à soupe de sel
2 cuillerées à thé de curcuma en poudre

1 Sans retirer la queue des gombos, coupez-en l'extrémité qui est noire. Piquez chaque gombo en différents endroits à l'aide d'une brochette en bois.

2 Mettez les gombos sur une plaque et saupoudrez-les de sel. Laissez reposer 1 heure, si possible au soleil.

3 Rincez soigneusement les gombos sous le robinet d'eau froide et mettez-les à sécher sur du papier absorbant. Faites blanchir les carottes à l'eau bouillante pendant 2 à 3 minutes.

4 Mélangez l'ail et la menthe, et les piments, si vous les employez. Mettez les gombos et les carottes dans les bocaux, en disposant le mélange aillé entre chaque couche. Les bocaux doivent être remplis, mais le contenu non compact.

5 Pour préparer le liquide de conservation, versez le vinaigre, le sucre (ou le miel) et le sel dans une marmite anticorrosion ; portez à ébullition. Baissez le feu pour écumer ; ajoutez le curcuma et reportez à ébullition.

6 Versez le liquide chaud dans les bocaux, en les remplissant à ras bord pour que les légumes soient entièrement recouverts. Remuez à l'aide d'une brochette en bois pour libérer les bulles d'air, puis fermez les bocaux. Les gombos pourront être consommés au bout de 2 semaines.

☆ **Niveau de difficulté**
Facile

Temps de cuisson
Environ 10 minutes

Matériel nécessaire
Bocaux stérilisés, avec couvercles résistant au vinaigre (voir pp. 42-43)

Quantité obtenue
Environ 2 litres

Durée de conservation
6 mois, au réfrigérateur

Suggestions d'accompagnement
Servez tels quels ou en condiment avec de la viande froide

Poivrons marinés à la hongroise 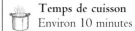 — (voir illustration p. 17)

Vers la fin de l'été et avec un peu de chance, vous trouverez sur les marchés les mignons poivrons « tomates », ainsi appelés en raison de leur forme. Il y en a des rouges et des jaunes, et tous ont cette chair ferme qui convient bien aux marinades. A défaut de « tomates », optez pour de petits poivrons doux (évitez seulement les verts, qui perdent leur couleur dans le vinaigre).

INGRÉDIENTS

1 kg (2 lb) de poivrons rouges « tomates »
2 petits piments séchés
2 feuilles de laurier
vinaigre de vin blanc
eau
sucre
sel
Pour le sachet d'épices (voir p. 47)
2 cuillerées à thé de grains de poivre noir
1 cuillerée à thé de baies de piment de la Jamaïque
2 feuilles de laurier

1 Nettoyez parfaitement les poivrons, sans les équeuter, puis disposez-les dans les bocaux avec piments et laurier. Remplissez les bocaux d'eau.

2 Reversez l'eau dans un récipient gradué. Jetez-en la moitié que vous remplacerez par autant de vinaigre. Pour chaque tasse, calculez ½ cuillerée à soupe chacun de sucre et de sel.

3 Dans une marmite anticorrosion, portez à ébullition l'eau, le vinaigre, le sucre et le sel avec le sachet d'épices. Aux premiers bouillons, baissez le feu et laissez cuire doucement 10 minutes. Laissez tiédir.

4 Versez alors le liquide dans les bocaux, en veillant à ce que les poivrons soient entièrement recouverts, puis fermez. Après quelques jours, vérifiez qu'il reste encore assez de liquide pour recouvrir les poivrons (leur cavité tend à absorber le vinaigre). Ils seront bons à consommer au bout de 2 semaines environ.

☆ **Niveau de difficulté**
Facile

Temps de cuisson
Environ 15 minutes

Matériel nécessaire
Bocaux stérilisés, avec couvercles résistant au vinaigre (voir pp. 42-43)

Quantité obtenue
Environ 1 litre

Durée de conservation
1 an, au réfrigérateur

Suggestions d'accompagnement
Servez avec du jambon de pays, de la viande froide, du poisson froid ou du fromage

Oranges entières aux épices

(voir illustration p. 29)

La recette raffinée qui vous est ici proposée a ceci de particulier qu'elle utilise des oranges entières, qui seront en bonne place sur une table de fête.

INGRÉDIENTS

1 kg (2 lb) de petites oranges à peau fine, de préférence sans pépins

4 tasses de vinaigre de cidre ou de vinaigre de malt distillé

3 tasses de sucre

le jus de 1 citron

clous de girofle

Pour le sachet d'épices (voir p. 47)

2 cuillerées à thé de clous de girofle

2 bâtons de cannelle, écrasés

1 cuillerée à thé de graines de cardamome, écrasées

1 Lavez les oranges en les brossant avec soin, puis, à l'aide d'un économe, retirez des lanières de peau dont vous garnirez le sachet d'épices.

2 Dans une grande marmite, mettez les oranges et couvrez-les d'eau froide. Portez à ébullition, puis laissez cuire à petit feu pendant 20 à 25 minutes, le temps de ramollir l'écorce. Retirez les fruits avec une cuiller ajourée et réservez-les.

3 Mesurez 4 tasses du jus de cuisson et reversez-le dans la marmite. Ajoutez le vinaigre, le sucre, le jus de citron et le sachet d'épices. Portez à ébullition et laissez bouillir 10 minutes. Retirez du feu et écumez. Remettez les oranges dans la marmite et laissez reposer toute la nuit.

4 Le lendemain, portez à nouveau le liquide à ébullition, puis laissez cuire à feu très doux pendant encore 20 minutes. Retirez délicatement les fruits à l'aide de la cuiller ajourée et mettez-les à refroidir.

5 Piquez chaque orange de plusieurs clous de girofle et garnissez-en le bocal. Faites chauffer le sirop à feu vif et maintenez l'ébullition juste le temps qu'il épaississe. Versez le liquide brûlant dans le bocal, en veillant à ce que les fruits soient entièrement recouverts, puis fermez. Les oranges aux épices seront prêtes à être consommées au bout de 1 mois, mais se bonifieront avec le temps.

 Niveau de difficulté
Assez facile

 Temps de cuisson
Environ 1 heure

 Matériel nécessaire
Couteau économe ; bocal stérilisé de 2 litres, avec couvercle résistant au vinaigre (voir pp. 42-43)

 Quantité obtenue
Environ 1 litre

 Durée de conservation
2 ans, au réfrigérateur

Suggestions d'accompagnement
Servez avec du jambon salé et séché (voir recette p. 134), de la dinde ou du poulet

Limes marinées

(voir illustration p. 29)

Voici la recette de piquantes marinades, telles qu'on les prépare au Pendjab, en Inde. A la place des limes, vous pouvez utiliser des citrons ou des oranges.

INGRÉDIENTS

1 kg (2 lb) de limes

½ tasse de sel

1 cuillerée à thé de graines de cardamome

1 cuillerée à thé de graines de cumin noir

1 cuillerée à thé de graines de cumin

½ cuillerée à thé de clous de girofle

2 tasses de cassonade ou de sucre blanc

1 cuillerée à soupe d'assaisonnement au chili

5 cuillerées à soupe de gingembre frais, râpé

1 Placez les limes dans un bol et couvrez-les d'eau froide. Laissez-les tremper toute la nuit, puis mettez-les à sécher. Ôtez à chacune les deux extrémités ; coupez-les en rondelles de 5 mm (¼ po) d'épaisseur. Mettez-les dans un bol en verre, saupoudrez-les de sel et mélangez intimement. Recouvrez le bol d'un linge et laissez reposer 12 heures.

2 Le lendemain, passez les épices — cumin, cardamome et girofle — au moulin à épices ou à café.

3 Séchez les rondelles de lime et versez le jus qu'elles ont donné dans une marmite ; ajoutez le sucre et la poudre d'épices. Portez à ébullition, en remuant jusqu'à dissolution complète du sucre, et laissez bouillir encore 1 minute. Retirez du feu, incorporez l'assaisonnement au chili, mélangez et laissez refroidir.

4 Ajoutez au sirop les limes et le gingembre, et mélangez bien. Remplissez les bocaux stérilisés chauds. Remuez à l'aide d'une brochette en bois, puis fermez les bocaux. Entreposez-les 4 à 5 jours dans un endroit chaud, comme un bord de fenêtre ensoleillé, puis rangez-les au frais. Ces marinades seront prêtes 4 à 5 semaines plus tard.

 Niveau de difficulté
Assez facile

Temps de cuisson
Environ 5 minutes

 Matériel nécessaire
Moulin à épices ou à café ; bocaux stérilisés, avec couvercles résistant au vinaigre (voir pp. 42-43)

 Quantité obtenue
Environ 1 litre

 Durée de conservation
2 ans, au réfrigérateur

 Suggestions d'accompagnement
Servez comme condiment en hors-d'œuvre, ou nappez-en un poisson entier ou en filets

Prunes au vinaigre

Originaire d'Europe centrale, voici un accompagnement original et délicieux pour le pain et le fromage. Il est particulièrement succulent préparé avec des quetsches.

INGRÉDIENTS

2 tasses de vinaigre de cidre

⅔ tasse de pur jus de pomme ou de pêche

1 cuillerée à soupe de sel

1 kg (2 lb) de prunes, de préférence des quetsches

8 clous de girofle

8 baies de piment de la Jamaïque

6 à 8 morceaux de gingembre frais (voir illustration p. 118)

2 feuilles de laurier

1 Dans une marmite anticorrosion, faites chauffer ensemble le vinaigre, le jus de fruit et le sel. Portez à ébullition et laissez bouillir 1 à 2 minutes.

2 Piquez les prunes en divers endroits et disposez-les dans les bocaux chauds avec les épices et les feuilles de laurier. Couvrez avec le liquide bouillant, puis fermez. Ces prunes seront bonnes à consommer au bout de 1 mois.

☆ **Niveau de difficulté**
Facile

Temps de cuisson
3 à 4 minutes

Matériel nécessaire
Bocaux stérilisés, avec couvercles résistant au vinaigre (voir pp. 42-43)

Quantité obtenue
Environ 1 litre

Durée de conservation
2 ans, au réfrigérateur

Melons surprise (voir illustration p. 20)

Cette recette, calquée sur celle de la mangue fourrée, est une spécialité anglaise du XVIIᵉ siècle. Les mangues étant à l'époque une denrée rare, on les remplaçait par des fruits plus accessibles, comme les melons. On obtient aussi d'excellents résultats avec les poivrons.

INGRÉDIENTS

4 ou 5 petits melons presque mûrs

sel

vinaigre aromatisé (voir recettes p. 129)

Pour la farce

300 g (10 oz) de chou blanc, finement râpé

2 carottes moyennes, grattées légèrement

2 poivrons rouges, ou piments rouges émincés

3 ou 4 branches de céleri hachées

5 cuillerées à soupe de gingembre frais râpé

2 gousses d'ail, émincées

½ tasse de sel

1 cuillerée à soupe de graines de moutarde

2 cuillerées à thé de graines de nigelle

1 Préparez les melons comme indiqué ci-dessous (étape 1), et placez-les dans un grand bol. Couvrez-les d'eau froide, puis versez cette eau dans un récipient gradué. Ajoutez le sel, à raison de 1 cuillerée à soupe par tasse de liquide. Reversez le liquide sur les melons et laissez mariner 24 heures.

2 Pour la farce, mettez dans un bol les légumes, l'ail et le gingembre ; saupoudrez-les de sel, mélangez intimement. Couvrez le bol d'un linge, et laissez reposer 24 heures.

3 Égouttez, et rincez farce et melons ; puis rincez-les à nouveau et laissez-les égoutter. Incorporez les graines de moutarde et celles de nigelle à la farce. Garnissez de farce les melons (étape 2). Mettez les melons refermés (étape 3) dans le bocal et versez le vinaigre jusqu'à les recouvrir. Fermez. Les melons seront bons à consommer dans 5 à 6 semaines.

☆☆ **Niveau de difficulté**
Difficile

Matériel nécessaire
Bocaux en verre, ou en terre cuite, stérilisés, à très large col, avec couvercles résistant au vinaigre (voir pp. 42-43)

Quantité obtenue
4-5 melons

Durée de conservation
1 an, au réfrigérateur

Suggestion de présentation
Utilisez comme centre de table pour un buffet

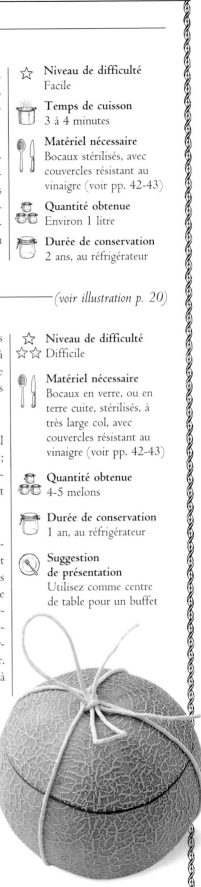

PRÉPARATION DES MELONS

1 Découpez les couvercles des melons et réservez-les. Avec une cuiller, ôtez les pépins et la partie centrale.

2 A l'aide d'une cuiller, répartissez équitablement la farce dans les melons.

3 Remettez les couvercles sur les melons farcis et maintenez-les en place avec une ficelle, ou à l'aide de petites piques en bois.

Kiwis et poivrons marinés

Des marinades exotiques, conjuguant couleurs et douceur. Veillez seulement à ne pas trop faire cuire les kiwis (ils se ramollissent très vite). Pour que vos bocaux soient encore plus appétissants, choisissez un mélange de poivrons rouges, jaunes et orange.

INGRÉDIENTS

1 kg (2 lb) de kiwis fermes et encore verts, pelés et coupés en gros dés

le jus de 1 citron

3 poivrons, coupés en larges lanières

1 cuillerée à soupe de sel

4 tasses de vinaigre de cidre ou de vinaigre de vin blanc

¾ tasse de miel liquide, de préférence monofloral

½ tasse de cassonade ou de sucre blanc

1 cuillerée à soupe de poivre noir en grains

2 cuillerées à thé de baies de genièvre

1 cuillerée à thé de baies de piment de la Jamaïque

1 Dans un bol en verre, mettez les dés de kiwis et nappez-les du jus de citron. Mélangez intimement et laissez mariner 15 minutes. Dans un autre récipient, saupoudrez les poivrons de sel et laissez-les reposer aussi 15 minutes.

2 Dans une marmite, versez le vinaigre, le sucre, le miel et les épices. Faites prendre l'ébullition et maintenez-la 10 minutes, le temps que le sirop réduise légèrement.

3 Rincez les poivrons sous le robinet d'eau froide avant de les sécher soigneusement. Plongez-les dans le sirop bouillant. Ramenez l'ébullition, puis baissez l'intensité de la chaleur et laissez cuire à feu doux pendant 5 minutes. Incorporez les kiwis et faites encore mijoter à petit feu 5 minutes.

4 A l'aide d'une cuiller ajourée, retirez délicatement poivrons et kiwis de la marmite pour les mettre dans les bocaux chauds. Faites réduire le sirop 10 minutes, puis remplissez-en les bocaux de manière à couvrir entièrement leur contenu. Fermez. Bonnes à consommer après 1 semaine, ces marinades gagneront à vieillir un peu.

  Niveau de difficulté
Assez facile

 Temps de cuisson
Environ 40 minutes

 Matériel nécessaire
Bocaux stérilisés, avec couvercles résistant au vinaigre (voir pp. 42-43)

 Quantité obtenue
Environ 1,5 litre

Durée de conservation
1 an, au réfrigérateur

Suggestions d'accompagnement
Servez-les en salade, nappés d'un filet d'huile d'olive, ou pour agrémenter viandes froides et volailles

Citrons au sel

(voir illustration p. 29)

Voici un ingrédient vedette de la cuisine nord-africaine. Tout en attendrissant sa peau, le sel donne au citron un goût plus fort et piquant.

Limes en conserve, voir CONSEILS.

INGRÉDIENTS

1 kg (2 lb) de petits citrons (non traités), à peau fine

sel

environ 1½ tasse de jus de citron ou de lime, ou d'eau acidulée (voir étape 3)

1 à 2 cuillerées à soupe d'huile d'olive vierge

1 Lavez et brossez les citrons. Coupez-les en quartiers dans le sens de la longueur, en veillant à laisser les sections encore attachées du côté de la queue, de façon qu'elles ressemblent à des pétales de fleur.

2 Ouvrez délicatement chaque citron pour en saupoudrer l'intérieur avec 1 cuillerée à café de sel. Mettez les citrons dans le bocal en les serrant les uns contre les autres ; posez un poids au-dessus (voir p. 46). Laissez reposer 4 à 5 jours dans un endroit chaud comme une fenêtre ensoleillée.

3 Remplissez le bocal avec le jus de citron, ou l'eau acidulée (comptez dans ce cas 1½ cuillerée à thé d'acide citrique pour 2 tasses d'eau froide), en veillant à ce que les citrons soient entièrement recouverts.

4 Versez l'huile d'olive à la surface du liquide en une fine couche, de manière à empêcher la formation de moisissure. Fermez aussitôt le bocal. D'aspect d'abord trouble, la saumure s'éclaircira au bout de 3 à 4 semaines, signe que les citrons sont prêts.

CONSEILS

• Comme l'illustre la photographie ci-contre, vous pouvez très bien appliquer cette recette à d'autres agrumes, notamment les limes et les limettes.

• Une fois les citrons dégustés, ne jetez surtout pas leur liquide de conservation : il fera un délicieux assaisonnement pour vos salades, de même qu'il parfumera délicatement vos ragoûts.

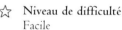 **Niveau de difficulté**
Facile

 Matériel nécessaire
Bocal stérilisé de 1,5 litre, avec couvercle résistant au vinaigre (voir pp. 42-43)

 Quantité obtenue
Environ 1 litre

 Durée de conservation
2 ans, au réfrigérateur

 Suggestions d'accompagnement
Servez-les avec du poisson grillé ; utilisez-les pour relever tajines et couscous, ou pour agrémenter des crudités ou des viandes froides

Écorce de melon d'eau marinée

L'écorce de melon d'eau se prête à beaucoup d'utilisations : en effet, elle peut être conservée dans du sirop, confite au sucre ou mise à fermenter dans de la saumure.

INGRÉDIENTS

500 g (1 lb) d'écorce de melon d'eau épluchée (enlevez la peau verte, mais laissez environ 5 mm/¼ po de chair rouge)

4 cuillerées à soupe de sel

4 tasses de sucre granulé

3 tasses d'eau

3 tasses de vinaigre de cidre ou de vinaigre de vin blanc

Pour le sachet d'épices (voir p. 47)

5 cm (2 po) de gingembre frais, haché

1 bâton de cannelle, écrasé

1 cuillerée à soupe de baies de piment de la Jamaïque

1 cuillerée à soupe de clous de girofle

zeste de citron ou d'orange (facultatif)

1 Coupez l'écorce de melon d'eau en cubes de 2,5 cm (1 po) et mettez-les dans un grand bol en verre avec le sel. Ajoutez assez d'eau pour couvrir, puis mélangez jusqu'à dissolution du sel. Recouvrez le bol d'un linge et laissez reposer toute la nuit.

2 Le lendemain, faites sécher les cubes d'écorce, puis mettez-les dans une marmite et couvrez avec de l'eau fraîche. Portez à ébullition, puis baissez le feu et laissez mijoter pendant 15 minutes. Égouttez les cubes et séchez-les avec soin.

3 Versez le sucre, l'eau et le vinaigre dans la marmite nettoyée, et ajoutez le sachet d'épices. Portez à ébullition et faites cuire 5 minutes. Écumez soigneusement, ajoutez les cubes de melon d'eau et ramenez à ébullition, puis réduisez l'intensité et laissez mijoter pendant 45 minutes à 1 heure.

4 Après avoir retiré le sachet d'épices, remplissez les bocaux chauds et fermez aussitôt. Stérilisez le produit pour en prolonger la conservation. Ces marinades seront prêtes dans 1 mois.

 Niveau de difficulté
Facile

 Temps de cuisson
1 heure à 1 h 30 min

 Matériel nécessaire
Bocaux stérilisés, avec couvercles résistant au vinaigre (voir pp. 42-43)

 Quantité obtenue
Environ 1,5 litre

 Durée de conservation
2 ans, après stérilisation (voir pp. 44-45)

 Suggestions d'accompagnement
Délicieux avec une volaille ou du jambon froid

— CONSEIL —

Assurez-vous de retirer toute la peau verte du melon d'eau, car elle a des propriétés laxatives.

Poires aux épices

(voir illustration p. 30)

Particulièrement goûteux avec du gibier, ces fruits, marinés dans une sorte de sangria au vinaigre, sont aussi particulièrement décoratifs.

INGRÉDIENTS

1 kg (2 lb) de poires bien fermes

le jus de 1 citron

5 tasses de vinaigre de vin rouge

2 tasses de vin rouge

2 tasses de sucre

¾ tasse de miel liquide

Pour le sachet d'épices (voir p. 47)

1 cuillerée à soupe de poivre noir en grains

2 cuillerées à thé de clous de girofle

2 cuillerées à thé de baies de piment de la Jamaïque

1 cuillerée à thé de fleurs de lavande (facultatif)

2 feuilles de laurier

1 grand bâton de cannelle

quelques lanières d'écorce de citron

1 Diluez le jus de citron dans un grand bol d'eau froide. A l'aide d'un couteau économe, retirez des lanières de peau sur les poires de façon à les zébrer. Mettez les fruits ainsi pelés dans l'eau citronnée.

2 Versez dans une grande marmite le vinaigre, le vin, le sucre et le miel ; ajoutez le sachet d'épices et portez à ébullition. Écumez soigneusement et laissez bouillir 5 minutes.

3 Ajoutez les poires et faites-les cuire à feu doux 35 à 40 minutes, jusqu'à ce qu'elles soient légèrement ramollies (si vous les piquez avec un couteau, elles doivent encore offrir une résistance à la lame). Enlevez les fruits du liquide de cuisson à l'aide d'une cuiller ajourée et disposez-les dans le bocal stérilisé chaud.

4 Ramenez le liquide de cuisson à ébullition et faites-le bouillir le temps qu'il réduise de moitié et épaississe légèrement. Retirez le sachet d'épices. Remplissez le bocal du sirop bouillant pour recouvrir entièrement les fruits ; fermez. Ces poires seront prêtes à être consommées au bout de 1 mois environ. Stérilisez-les si vous voulez en prolonger la conservation.

 Niveau de difficulté
Assez facile

 Temps de cuisson
Environ 50 minutes

 Matériel nécessaire
Couteau économe ; bocal stérilisé de 1 litre, à très large col, avec couvercle résistant au vinaigre (voir pp. 42-43)

 Quantité obtenue
Environ 1 litre

 Durée de conservation
2 ans, après stérilisation (voir pp. 44-45)

Suggestions d'accompagnement
Servez avec du gibier, de la dinde ou des filets de canard

CONSERVES À L'HUILE

LA CONSERVATION À L'HUILE est une méthode très ancienne, qui fut largement employée par les Romains. Elle est la réponse des pays chauds à la technique de conservation alimentaire des pays froids, laquelle s'effectue au moyen de la graisse animale. Non seulement l'huile agit-elle comme un isolant, mais elle apporte également une délicieuse et subtile saveur à ce qu'elle conserve, d'où l'intérêt d'en choisir une d'excellente qualité. Comme l'huile d'olive vierge peut se révéler trop forte pour cet usage, vous pouvez la couper avec une huile douce, telles l'huile d'arachide ou l'huile de pépins de raisin. Mais rien ne vous empêche de lui préférer l'huile d'olive pure. A vous de faire des essais et de procéder au dosage qui vous convient le mieux.

Champignons à l'huile

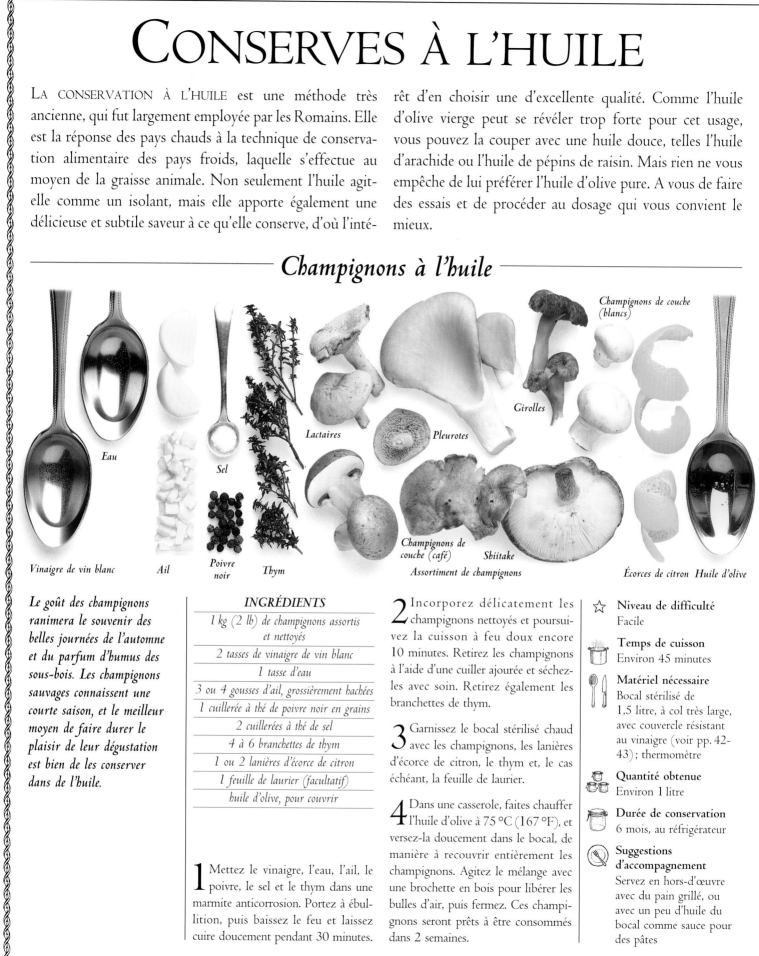

Eau

Vinaigre de vin blanc

Ail

Sel

Poivre noir

Thym

Lactaires

Pleurotes

Champignons de couche (café)

Shiitake

Girolles

Champignons de couche (blancs)

Assortiment de champignons

Écorces de citron Huile d'olive

Le goût des champignons ranimera le souvenir des belles journées de l'automne et du parfum d'humus des sous-bois. Les champignons sauvages connaissent une courte saison, et le meilleur moyen de faire durer le plaisir de leur dégustation est bien de les conserver dans de l'huile.

INGRÉDIENTS

1 kg (2 lb) de champignons assortis et nettoyés
2 tasses de vinaigre de vin blanc
1 tasse d'eau
3 ou 4 gousses d'ail, grossièrement hachées
1 cuillerée à thé de poivre noir en grains
2 cuillerées à thé de sel
4 à 6 branchettes de thym
1 ou 2 lanières d'écorce de citron
1 feuille de laurier (facultatif)
huile d'olive, pour couvrir

1 Mettez le vinaigre, l'eau, l'ail, le poivre, le sel et le thym dans une marmite anticorrosion. Portez à ébullition, puis baissez le feu et laissez cuire doucement pendant 30 minutes.

2 Incorporez délicatement les champignons nettoyés et poursuivez la cuisson à feu doux encore 10 minutes. Retirez les champignons à l'aide d'une cuiller ajourée et séchez-les avec soin. Retirez également les branchettes de thym.

3 Garnissez le bocal stérilisé chaud avec les champignons, les lanières d'écorce de citron, le thym et, le cas échéant, la feuille de laurier.

4 Dans une casserole, faites chauffer l'huile d'olive à 75 °C (167 °F), et versez-la doucement dans le bocal, de manière à recouvrir entièrement les champignons. Agitez le mélange avec une brochette en bois pour libérer les bulles d'air, puis fermez. Ces champignons seront prêts à être consommés dans 2 semaines.

 Niveau de difficulté
Facile

 Temps de cuisson
Environ 45 minutes

Matériel nécessaire
Bocal stérilisé de 1,5 litre, à col très large, avec couvercle résistant au vinaigre (voir pp. 42-43) ; thermomètre

 Quantité obtenue
Environ 1 litre

 Durée de conservation
6 mois, au réfrigérateur

 Suggestions d'accompagnement
Servez en hors-d'œuvre avec du pain grillé, ou avec un peu d'huile du bocal comme sauce pour des pâtes

AVANT DE FERMER
le bocal, assurez-vous
que les champignons
sont entièrement
recouverts par l'huile.

LES CHAMPIGNONS À L'HUILE
assurent à eux seuls un hors-d'œuvre ou
une entrée. Servez-les sur d'épaisses
tranches de pain de campagne frottées à l'ail
et grillées dans un peu de l'huile de conservation.

UN ASSORTIMENT
DE CHAMPIGNONS
sauvages et de
champignons
de couche offre
une incomparable
variété de goûts.

L'ÉCORCE DE CITRON
apporte une saveur
subtile aux champignons.

CONSEILS

• Les champignons absorbant beaucoup d'eau,
ne les lavez que si c'est absolument nécessaire.
En revanche, nettoyez-les soigneusement en
coupant la partie sableuse des pieds, en ôtant
toute trace de poussière ou de moisissure, en
les frottant délicatement avec une serviette en
papier.
• A condition qu'ils soient fraîchement cueil-
lis et en excellent état, les cèpes, les morilles,
les bolets, les girolles et la plupart des champignons sylvestres se prêtent à la conservation.
Les champignons blancs et autres champignons de couche peuvent se préparer de la
même manière.

Aubergines à l'huile

Adaptation d'une formule libanaise, cette recette donne une idée de conserve originale, à découvrir absolument. Préparées de cette manière, les aubergines acquièrent une surprenante douceur et fondent dans la bouche. Quant à l'huile du bocal, elle assaisonnera de façon incomparable vos salades.

INGRÉDIENTS

1 kg (2 lb) de mini-aubergines, équeutées
sel
¼ tasse de demi-pacanes
2 citrons (non traités), découpés en fines demi-rondelles
6 gousses d'ail, émincées
2 tasses d'huile d'olive, pour couvrir les légumes

1 Faites cuire les aubergines à la vapeur 5 à 7 minutes, le temps de les ramollir. Laissez refroidir.

2 Entaillez profondément chaque aubergine sur toute sa longueur de manière à y ouvrir une poche. Saupoudrez l'intérieur d'une petite pincée de sel et placez-y une demi-pacane, ½ rondelle de citron et une lamelle d'ail. Refermez la poche au moyen d'une mini-brochette en bois.

3 Mettez les aubergines dans le bocal stérilisé chaud. S'il reste un peu d'ail et de citron, disposez-les entre les aubergines.

4 Dans une casserole, faites chauffer l'huile d'olive à 80 °C (180 °F), puis versez-la délicatement dans le bocal, de manière à recouvrir entièrement les légumes ; fermez. Ces aubergines seront bonnes à consommer au bout de 3 à 4 semaines.

 Niveau de difficulté
Assez facile

 Temps de cuisson
Environ 10 minutes

 Matériel nécessaire
Étuveuse ; bocal stérilisé de 1,5 litre, à col très large, avec couvercle (voir pp. 42-43) ; thermomètre

 Quantité obtenue
Environ 1 litre

 Durée de conservation
6 mois, au réfrigérateur

 Suggestion d'accompagnement
Servez en hors-d'œuvre

Légumes grillés en conserve

Le fait de griller les légumes ajoute un délicieux goût fumé à cette recette adaptée d'un classique de la cuisine sicilienne. Toutes sortes de variantes sont possibles, à vous de choisir les légumes à votre convenance.

Poivrons à l'huile, voir VARIANTE

INGRÉDIENTS

500 g (1 lb) de petites aubergines, coupées en deux dans le sens de la longueur, ou de grandes aubergines, coupées en gros bâtonnets
2 courgettes moyennes, coupées en gros bâtonnets
3 cuillerées à soupe de sel
4 citrons (non traités)
500 g (1 lb) de poivrons rouges et jaunes, coupés en épaisses lanières
5 échalotes, épluchées
1 grosse tête d'ail, épluchée
2½ tasses d'huile d'olive
2 à 3 cuillerées à soupe de câpres
2 ou 3 branchettes de romarin
2 ou 3 branchettes de thym

1 Mettez les aubergines et les courgettes dans une passoire, et saupoudrez-les de 2 cuillerées à soupe de sel. Mélangez intimement, puis laissez dégorger environ 1 heure. Rincez les légumes à l'eau froide, faites-les égoutter et séchez-les soigneusement à l'aide de serviettes en papier.

2 Exprimez le jus des citrons, en épluchant l'écorce de l'un d'entre eux. Dans un grand bol en verre, mettez ensemble le jus de citron, l'écorce et le reste de sel ; mélangez jusqu'à dissolution du sel.

3 Enduisez les aubergines, les courgettes, les poivrons, les échalotes et l'ail de 4 à 5 cuillerées à soupe d'huile d'olive, et mettez à cuire sous le gril du four ou sur un barbecue ; laissez griller doucement les légumes pendant 5 minutes sur toutes les faces, en les retournant dès que leur peau noircit et se boursoufle.

4 Incorporez le tout au jus de citron ; recouvrez le bol d'un linge et laissez mariner 1 heure.

5 Retirez les légumes de la marinade et disposez-les dans le bocal brûlant avec les câpres et les herbes. Incorporez ce qui reste d'huile à la marinade ; versez ce mélange dans une casserole et faites chauffer à 80 °C (180 °F).

6 Versez délicatement le liquide brûlant dans le bocal, à ras bord, pour recouvrir entièrement les légumes, et fermez hermétiquement. Cette conserve sera bonne à consommer après 4 à 6 semaines.

 Niveau de difficulté
Assez facile

Temps de cuisson
Environ 12 minutes

 Matériel nécessaire
Bocal stérilisé de 2 litres, à col très large et couvercle (voir pp. 42-43) ; thermomètre

 Quantité obtenue
Environ 2 litres

 Durée de conservation
1 an, au réfrigérateur

 Suggestion d'accompagnement
Servez avec des antipasti

VARIANTE

♦ *Poivrons à l'huile*

Utilisez 1,5 kg (3 lb) de poivrons rouges ou jaunes, grillés et pelés (voir p. 56). Faites mariner les poivrons encore chauds dans le jus de citron, avec 3 ou 4 gousses d'ail écrasées. Mélangez, couvrez et mettez 24 heures au froid. Une fois à température ambiante, séchez les poivrons et garnissez-en un bocal stérilisé de 1 litre.

Fonds d'artichauts à l'huile

Très populaires dans tout le bassin méditerranéen, les artichauts se consomment aussi bien chauds – cuisinés en ragoût – que froids – en vinaigrette, en salade composée... et, bien sûr, marinés à l'huile d'olive. Pour cette recette, privilégiez les tout petits artichauts ; inutile d'enlever leur foin, contentez-vous d'ôter les feuilles extérieures et coupez-les en deux.

INGRÉDIENTS

2 gros citrons (non traités)
1½ cuillerée à soupe de sel
1 branchette de thym émiettée
1,5 kg (3 lb) de jeunes artichauts
2 tasses d'huile d'olive et d'huile de pépins de raisin mélangées

1 Pressez le jus des citrons, en épluchant l'écorce d'un seul. Réservez les 4 demi-citrons vidés.

2 Dans un grand récipient en verre, mélangez bien le jus de citron, l'écorce, le sel et le thym jusqu'à dissolution du sel.

3 Coupez la queue des artichauts, retirez les feuilles de manière à dénuder le fond (voir étapes 1 et 2). En-levez la partie dure au couteau, et le foin à l'aide d'une cuiller à pample-mousse, puis frottez les fonds avec la pulpe des citrons pour les empêcher de noircir (voir étapes 3 et 4).

4 Si les fonds d'artichauts sont épais, coupez-les en deux dans le sens de la longueur. Laissez mariner tous les fonds 30 minutes dans le jus de citron.

5 Garnissez le bocal avec les fonds. Incorporez l'huile au reste de la marinade ; battez le mélange, puis ver-sez-le dans le bocal, en veillant à ce que les légumes soient entièrement recouverts ; fermez. Les fonds d'artichauts seront bons à consommer dans 6 à 8 semaines (dans l'intervalle, agitez le bocal de temps à autre pour bien mé-langer les ingrédients).

 Niveau de difficulté
Assez facile

 Matériel nécessaire
Bocal stérilisé de 1 litre, à col très large, avec couvercle (voir pp. 42-43)

 Quantité obtenue
Environ 750 ml

 Durée de conservation
2 ans, au réfrigérateur

Suggestions d'accompagnement
Servez en entrée, avec un assortiment d'antipasti, ou encore émincés dans un plat de pâtes

LES MINI-ARTICHAUTS sont irremplaçables pour cette recette.

PRÉPARER LES ARTICHAUTS

1 Coupez la queue des artichauts à l'aide d'une lame aiguisée, en tranchant au niveau des dernières feuilles.

2 Effeuillez complètement cha-que artichaut en frottant les parties exposées avec du citron pour les empêcher de noircir.

3 Au couteau, ôtez la partie dure des fonds d'artichauts ; puis frottez ceux-ci avec la chair du ci-tron sur toute leur surface.

4 A l'aide d'une cuiller à pample-mousse, retirez le foin de cha-que fond et déposez-les au fur et à mesure dans le jus de citron.

Tomates séchées marinées à l'huile
(voir illustration p. 14)

Une fois séchées, les tomates développent un goût prononcé, sucré et épicé, qui permet de les utiliser pour rehausser de très nombreux plats de manière inégalable. En Italie et en Grèce, comme en Provence, les tomates sont mises à sécher directement au soleil (voir p. 60), ce qui demande environ 2 jours.

INGRÉDIENTS

1 kg (2 lb) de tomates à côtes ou de tomates taliennes, coupées en deux

2 cuillerées à soupe de sel

2 cuillerées à soupe de sucre

2 cuillerées à soupe de feuilles séchées de basilic ou de menthe

2 cuillerées à soupe d'huile d'olive vierge

1 branchette de romarin

1 ou 2 gousses d'ail finement émincées (facultatif)

1 ou 2 piments séchés (facultatif)

huile d'olive, pour couvrir

1 Disposez les moitiés de tomates, côté ouvert en haut, sur une grille métallique que vous placerez au-dessus d'un plateau de cuisson recouvert de papier aluminium. Saupoudrez chaque tomate de sel, de sucre, de basilic ou de menthe, puis nappez-les d'un filet d'huile d'olive.

2 Allumez le four en réglant le thermostat sur la plus faible puissance possible, et maintenez la porte entrouverte. Laissez cuire 8 à 12 heures ; il faut que les tomates soient sèches, mais encore souples.

3 Garnissez le bocal des tomates séchées, du romarin, et, le cas échéant, de l'ail et des piments.

4 Remplissez le bocal d'huile d'olive jusqu'à ce qu'elle couvre entièrement les légumes. Agitez le contenu à l'aide d'une brochette en bois pour libérer les bulles d'air, puis fermez. Ces tomates seront bonnes à consommer dans 1 ou 2 jours à peine, mais meilleures encore avec le temps.

 Niveau de difficulté
Facile

 Temps de cuisson
8 à 12 heures

 Matériel nécessaire
Bocal stérilisé de 600 ml, avec couvercle (voir pp. 42-43)

 Quantité obtenue
Environ 300 ml

Durée de conservation
2 ans, au réfrigérateur

Suggestions d'accompagnement
Servez avec du poisson grillé, du thon au four, ou encore avec une salade

Labna (fromage doux)
(voir technique p. 54)

Le labna est un yogourt du Moyen-Orient au goût agréablement piquant. A l'origine, il était fait avec du lait de brebis ou du lait de chèvre ; aujourd'hui, on en trouve surtout au lait de vache. Veillez à choisir une huile d'olive d'excellente qualité, car elle apporte une saveur sans égale au fromage.

INGRÉDIENTS

8 tasses de yogourt

⅓ tasse d'huile d'olive vierge

le jus et l'écorce de 1 citron

2 cuillerées à soupe de menthe séchée (facultatif)

1 cuillerée à soupe de thym finement haché (facultatif)

1 cuillerée à soupe de sel

huile d'olive, pour couvrir

1 Dans un grand récipient en verre, mettez le yogourt, l'huile d'olive, l'écorce et le jus de citron, le cas échéant la menthe et le thym, et le sel. Remuez avec une cuiller en bois jusqu'à ce que tous les ingrédients soient intimement mélangés.

2 Garnissez un autre grand bol d'une double épaisseur de mousseline, en débordant largement sur les côtés. Versez-y la préparation.

3 Nouez ensemble les bouts de la mousseline et maintenez-les attachés par une ficelle que vous suspendrez au-dessus du bol.

4 Entreposez le tout dans un endroit froid, entre 6 et 8 °C (42-46 °F), et laissez le yogourt égoutter pendant 2 jours (l'été) ou 3 jours (l'hiver). Par temps chaud, vous pouvez utiliser le bas de votre réfrigérateur.

5 Faites réfrigérer le mélange bien égoutté jusqu'à ce qu'il soit ferme au toucher, ce qui le rend plus facile à travailler. Façonnez à la main dans la pâte obtenue des boulettes de fromage de 4 cm (1½ po) de diamètre environ.

6 Au besoin, mettez ces boulettes à réfrigérer à nouveau, afin qu'elles ne se déforment pas, puis remplissez-en le bocal.

7 Versez de l'huile d'olive dans le bocal pour recouvrir entièrement les boulettes de fromage. Avant de fermer, frappez plusieurs fois le bocal contre le plan de travail pour libérer les bulles d'air. Les labnas sont d'ores et déjà prêts à être dégustés.

 **Niveau de difficulté**
Assez facile

 Matériel nécessaire
Mousseline stérilisée ; bocal stérilisé de 1,5 litre, à col très large, avec couvercle (voir pp. 42-43)

 Quantité obtenue
Environ 1,25 litre

 Durée de conservation
6 mois, au réfrigérateur

Suggestions d'accompagnement
Servez les boulettes de fromage nappées d'un peu de leur huile avec des tomates-cerises à l'apéritif ; incorporez-les en petits dés dans une omelette à la menthe fraîche

Fruits de mer à l'huile

— (voir illustration p. 27)

Il vous faut de nombreux fruits de mer différents pour réussir cette conserve aussi plaisante à l'œil qu'au palais. Incontournables sont les moules, les palourdes, les crevettes et les pétoncles, mais les coques et les praires sont également les bienvenues. N'oubliez pas non plus les petits crustacés — composez avec la taille et la couleur des crevettes ! (S'il vous était vraiment impossible de trouver des fruits de mer frais, alors tournez-vous vers les assortiments congelés du commerce, mais le résultat sera nettement moins bon.)

INGRÉDIENTS

1 gros citron (non traité), coupé en quartiers

1 cuillerée à soupe de sel

1 petit calmar (330 g / 10 oz), paré et détaillé en tranches de 1 cm (½ po)

200 g (½ lb) de petits poulpes, entiers et nettoyés ou un gros poulpe en tranches

400 g (¾ lb) de moules ou de palourdes entières

200 g (½ lb) de petits pétoncles

400 g (¾ lb) de crevettes parées (de préférence non décortiquées)

2 ou 3 branchettes de romarin

1 ou 2 feuilles de laurier

2 ou 3 piments séchés (facultatif)

2 tasses d'huile d'olive

Pour la marinade

1 tasse de vin blanc sec

1 tasse d'eau

1 tasse de vinaigre de vin blanc

1 petit bulbe de fenouil, émincé

quelques lanières de zeste de citron ou d'orange

2 cuillerées à thé de sel

1 cuillerée à thé de poivre noir en grains

1 cuillerée à thé de graines de fenouil

1 Mettez les quartiers de citron dans une passoire et salez-les. Mélangez et laissez reposer environ 1 heure.

2 Dans une marmite anticorrosion, mettez tous les ingrédients de la marinade et portez-les à ébullition. Réduisez le feu et laissez cuire doucement pendant 20 minutes. Incorporez les rondelles de calmar et les poulpes, puis laissez encore mijoter pendant 15 à 20 minutes, jusqu'à ce que les poulpes commencent à s'attendrir.

3 Ajoutez ensuite dans la casserole le reste des fruits de mer et poursuivez la cuisson à feu doux encore 5 minutes, le temps que cuisent les pétoncles. Égouttez les fruits de mer et séchez-les avec soin.

4 Mettez les fruits de mer encore chauds dans le bocal brûlant, avec les quartiers de citron, le romarin, les feuilles de laurier et, le cas échéant, les piments. Dans une casserole, faites chauffer l'huile d'olive à 60 °C (140 °F) ; versez-la dans le bocal jusqu'à recouvrir les ingrédients ; fermez. Cette conserve sera bonne à consommer dans 4 à 6 semaines.

 Niveau de difficulté
Assez facile

 Temps de cuisson
45 à 55 minutes

 Matériel nécessaire
Bocal stérilisé de 1,5 litre, à col très large, avec couvercle (voir pp. 42-43) ; thermomètre

 Quantité obtenue
Environ 1,25 litre

 Durée de conservation
3 à 4 mois, au réfrigérateur

Suggestions d'accompagnement
Servez avec des antipasti, ou sur des pâtes

CONSEILS

• D'une manière générale, sélectionnez les plus petits coquillages de chaque espèce.

• Les moules et les palourdes peuvent rester attachées à la demi-coquille pour obtenir un effet décoratif.

• Le bouillon, une fois filtré, servira de base à une soupe de poisson.

Harengs à l'huile épicée

— (voir illustration p. 27)

Cette recette de mon cru, robuste et épicée, fait la conquête de tous les amateurs de piquant. Pour la réussir, il vous faut avant tout des poissons à chair ferme ou des harengs au sel (voir technique p. 74). Vous pouvez préparer les maquereaux de la même façon.

INGRÉDIENTS

1 kg (2 lb) de harengs salés (ou 500 g / 1 lb de filets préparés)

2 tasses d'huile d'olive et d'huile de pépins de raisin mélangées

1 bâton de cannelle de 5 cm (2 po), écrasé

1 tige de citronnelle, hachée

3 ou 4 piments rouges séchés, fendus

4 ou 5 clous de girofle

4 ou 5 graines de cardamome

1 Faites dessaler les harengs dans plusieurs bains d'eau froide, pendant 24 heures, puis séchez-les avec soin. Coupez-les en deux dans le sens de la longueur et retirez toutes les arêtes. Rincez-les et faites-les à nouveau sécher sur des serviettes en papier ;

coupez-les en morceaux de la taille d'une bouchée. (Pour des filets préparés, inutile de les faire dessaler.)

2 Mettez dans une casserole le reste des ingrédients et portez lentement à ébullition. Maintenez juste en dessous de l'ébullition pendant 20 minutes, retirez du feu et laissez la température redescendre à 50 °C (120 °F).

3 Garnissez le bocal brûlant avec les morceaux de harengs, puis remplissez-le de l'huile épicée encore chaude, jusqu'à couvrir les poissons. Agitez le bocal pour bien répartir les épices et chasser d'éventuelles bulles d'air. Fermez. Les harengs marinés seront bons dans 3 à 4 semaines.

 Niveau de difficulté
Facile

 Temps de cuisson
Environ 25 minutes

Matériel nécessaire
Thermomètre ; bocal stérilisé, à col très large, avec couvercle (voir pp. 42-43)

 Quantité obtenue
Environ 500 ml

 Durée de conservation
6 mois, au réfrigérateur

 Suggestions d'accompagnement
Servez avec de la vodka frappée, en sandwiches ouverts ou bien en entrée

CONDIMENTS, SAUCES ET MÉLANGES D'ÉPICES

LES RECETTES PROPOSÉES ICI utilisent une large gamme d'ingrédients. Originaires des quatre coins du globe, ceux-ci sont à la base de bien des cuisines nationales. L'inépuisable conjugaison de saveurs que leurs mélanges offrent participe à l'« art » culinaire. Un trait de sauce maison ou une pointe de condiment « artisanal » suffisent à rehausser et à personnaliser le plus modeste des plats. C'est la raison pour laquelle il est très utile de disposer d'une réserve de ses propres mélanges d'épices, ne serait-ce que parce qu'ils apportent la touche finale indispensable à toutes sortes de conserves.

Achards de tomates aux poires

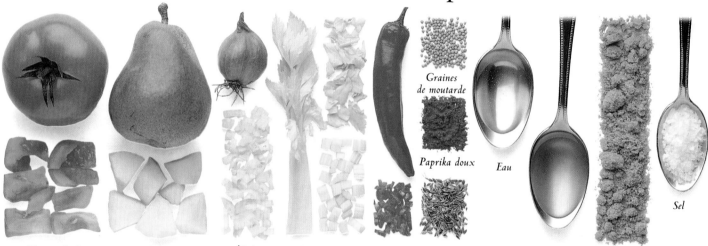

Tomates à côtes   *Poires*   *Échalotes*   *Céleri-branche*   *Piments rouges*   *Graines de moutarde*   *Graines d'aneth*   *Paprika doux*   *Eau*   *Vinaigre de cidre*   *Cassonade dorée*   *Sel*

La recette que voici est originaire de la côte ouest du Canada, là où les poires remplacent les habituelles pommes. Choisissez de préférence des anjous ou des bartletts, à la fois fermes (mais pas farineuses) et juteuses.

INGRÉDIENTS

1 kg (2 lb) de tomates à côtes ou italiennes, pelées, épépinées et concassées

625 g (1¼ lb) de poires pelées, vidées et coupées en morceaux

300 g (10 oz) d'échalotes (ou, à défaut, d'oignons), finement hachées

6 branches de céleri avec leurs feuilles, finement hachées

1 cuillerée à soupe de graines de moutarde blanche

1 cuillerée à soupe de graines d'aneth

1 cuillerée à soupe de paprika doux

2 ou 3 piments rouges frais, épépinés et finement hachés (facultatif)

1 tasse d'eau

4 tasses de vinaigre de cidre ou de vinaigre de vin blanc

1 tasse de cassonade dorée ou de sucre blanc

1 cuillerée à soupe de sel

1 Versez l'eau dans une marmite anticorrosion et mettez-y tomates, poires, échalotes ou oignons, céleri, graines de moutarde et d'aneth, paprika et, le cas échéant, piments.

2 Portez à ébullition. Écumez soigneusement, puis réduisez le feu et laissez cuire doucement, en remuant, pendant environ 20 minutes, jusqu'à ce que les poires deviennent molles.

3 Incorporez le vinaigre, le sucre et le sel. Toujours à feu doux, laissez cuire encore 1 heure à 1 h 30 min, le temps que s'évapore presque tout le liquide et que la sauce épaississe.

4 Retirez du feu. A la louche, remplissez les bocaux chauds, et fermez-les. Stérilisez si vous voulez prolonger la conservation (voir p. 45).

☆ **Niveau de difficulté**
Facile

Temps de cuisson
1 h 30 min à 2 heures

Matériel nécessaire
Marmite anticorrosion ; bocaux stérilisés, avec couvercles résistant au vinaigre (voir pp. 42-43)

Quantité obtenue
Environ 1,5 litre

Durée de conservation
6 mois, au réfrigérateur ; 2 ans, après stérilisation

Suggestions d'accompagnement
Servez avec des hamburgers, ou des grillades de viandes ou de poissons

LES GRAINES D'ANETH et le paprika apportent leur douceur au condiment, tandis que les piments et les graines de moutarde lui donnent sa force.

LES ACHARDS DE TOMATES AUX POIRES Subtil accompagnement pour des kebabs et autres brochettes.

UTILISEZ DES COUVERCLES à vis ou à étrier si vous souhaitez stériliser votre sauce pour la conserver plus longtemps.

— **VARIANTE** —

✦ *Ketchup aux fruits à la québécoise*
Employez 15 à 20 tomates rouges, 1 pied de céleri, 3 oignons, 3 pommes mcintosh, 4 pêches, 4 poires, 10 grains de raisin vert sans pépins, 1 à 2 cuillerées à soupe d'épices à marinades dans une mousseline avec ½ cuillerée à thé de poivre, 2 tasses de vinaigre de cidre, 2 tasses de sucre et 1 cuillerée à soupe de sel. Coupez les légumes et les fruits en tout petits morceaux. Mettez-les dans une marmite avec les épices. Reprenez à l'étape 2.

Achards de maïs et poivrons
(voir illustration p. 17)

Célébrissime aux États-Unis, ce condiment doit une bonne part de sa popularité au fait qu'il accompagne souvent les hamburgers. Inimitable, son goût est à la fois doux et prononcé. Si vous l'aimez plutôt fort, n'hésitez pas à ajouter quelques piments émincés au hachis de légumes.

INGRÉDIENTS

300 g (10 oz) de chou blanc (sans les côtes dures ni le trognon), haché

2 oignons moyens, émincés

6 branches de céleri, grossièrement hachées

2 poivrons verts, grossièrement hachés

2 poivrons rouges, grossièrement hachés

10 épis de maïs frais, égrenés

5 tasses de vinaigre de cidre

2 tasses de cassonade dorée

2 cuillerées à soupe de graines de moutarde blanche

1 cuillerée à soupe de sel

1 Hachez au robot le chou, les oignons, le céleri et les poivrons. Versez ce hachis, ainsi que tous les autres ingrédients, dans une marmite anticorrosion. Portez à ébullition, puis laissez cuire à feu doux 45 minutes à 1 heure ; il faut que le maïs soit tendre et la sauce épaisse.

2 A l'aide d'une louche, remplissez les bocaux chauds, en veillant à ce que la sauce recouvre les légumes ; fermez. Le condiment est prêt. Réfrigérez-le ou, si vous voulez en prolonger la conservation, stérilisez-le.

 Niveau de difficulté
Facile

 Temps de cuisson
45 minutes à 1 heure

 Matériel nécessaire
Robot culinaire ; bocaux stérilisés, avec couvercles résistant au vinaigre (voir pp. 42-43)

 Quantité obtenue
Environ 2,5 litres

 Durée de conservation
1 an, après stérilisation (voir pp. 44-45)

Canneberges à l'orange
(voir illustration p. 28)

La saveur acidulée des canneberges est faite de légèreté et de fraîcheur. Ces baies donnent également couleur et piquant à des plats aussi différents que des farcis, des poissons ou des salades. En outre, cette recette accompagne à merveille la dinde de Noël !

INGRÉDIENTS

500 g (1 lb) de canneberges fraîches

2 oranges, coupées en morceaux, épépinées

3 à 4 cuillerées à soupe de miel liquide

2 à 3 cuillerées à soupe de Grand Marnier ou de liqueur d'orange

1 cuillerée à thé de graines de coriandre, fraîchement moulues

1 cuillerée à thé de sel

1 Passez la totalité des ingrédients au robot, suffisamment longtemps pour que les canneberges et les morceaux d'orange soient réduits en purée.

2 Garnissez les bocaux du mélange, puis fermez-les et mettez-les au réfrigérateur. Le condiment est prêt à être consommé. (Si vous souhaitez le déguster dans les 2 ou 3 jours, inutile de stériliser le bocal.)

 Niveau de difficulté
Facile

 Matériel nécessaire
Robot culinaire ; bocaux stérilisés avec couvercles (voir pp. 42-43)

 Quantité obtenue
Environ 750 ml

 Durée de conservation
1 mois, au réfrigérateur

Sauce tomate
(voir illustration p. 15)

Il s'agit sans nul doute de la sauce la plus connue et la plus populaire. Bien qu'il existe sur le marché d'innombrables sauces tomate toutes faites, rien ne vaut une fabrication maison à base de produits frais. Veillez seulement à utiliser des tomates de bonne qualité, de préférence mûries sur tige. Non stérilisée, votre sauce pourra se conserver au frais pendant 3 mois.

INGRÉDIENTS

4 cuillerées à soupe d'huile d'olive

2 oignons moyens, hachés

6 gousses d'ail, hachées

6 branches de céleri (avec feuilles), hachées

2 kg (4 lb) de tomates à côtes ou italiennes, pelées, épépinées et concassées

1 tasse d'eau ou de vin blanc sec

2 cuillerées à thé de sel

2 cuillerées à thé de miel ou de sucre (facultatif)

Pour le bouquet garni (voir p. 47)

3 ou 4 branchettes de thym

4 feuilles de sauge

2 feuilles de laurier

2 lanières d'écorce d'orange ou de citron (facultatif)

1 Dans une cocotte, faites chauffer l'huile d'olive ; ajoutez les oignons, l'ail, le céleri. Faites revenir doucement une dizaine de minutes, le temps que l'oignon devienne translucide.

2 Incorporez les ingrédients restants, ainsi que le bouquet garni, et portez à ébullition ; baissez l'intensité et laissez cuire à petit feu, sans couvrir, pendant 30 à 45 minutes, jusqu'à évaporation presque totale du liquide.

3 Retirez le bouquet garni. Remplissez de sauce les bouteilles ou les bocaux chauds ; fermez. La sauce tomate est prête. Réfrigérez-la, ou procédez à la stérilisation si vous voulez la conserver plus de 1 mois.

Niveau de difficulté
Facile

Temps de cuisson
45 ou 50 minutes

Matériel nécessaire
Bocaux ou bouteilles stérilisés, avec couvercles ou bouchons de liège (voir pp. 42-43)

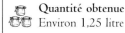 **Quantité obtenue**
Environ 1,25 litre

 Durée de conservation
1 an, après stérilisation

 Suggestions d'accompagnement
Servez sur des pâtes, ou dans un ragoût

Ketchup aux poivrons rouges

(voir technique p. 56)

Le ketchup peut être confectionné avec toutes sortes de fruits et légumes. La recette que voici utilise des poivrons rouges pour créer une sauce originale au subtil goût fumé. Non stérilisé, votre ketchup se conservera au frais pendant 3 mois.

INGRÉDIENTS

2 kg (4 lb) de poivrons rouges

500 g (1 lb) d'échalotes ou d'oignons

2 pommes à cuire moyennes, en morceaux

2 ou 3 piments rouges frais, épépinés et grossièrement hachés (facultatif)

6 tasses d'eau

3 tasses de vinaigre de vin rouge ou de vinaigre de cidre

⅔ tasse de cassonade dorée ou de sucre blanc

1 cuillerée à soupe de sel

1 cuillerée à soupe de fécule d'arrowroot ou de fécule de maïs

Pour le bouquet garni (voir p. 47)

1 brin d'estragon

2 brins de menthe, de thym, de sauge et de persil

2 lanières d'écorce de citron

Pour le sachet d'épices (voir p. 47)

1 cuillerée à soupe de graines de coriandre

1 cuillerée à soupe de poivre noir en grains

1 cuillerée à thé de clous de girofle

1 Faites griller les poivrons, et pelez-les (étapes 1 et 2, p. 56). Rincez-les bien, fendez-les en deux et retirez le pédoncule, les graines et les filaments blancs. Épluchez les échalotes.

2 Mettez au robot les poivrons, les échalotes ou les oignons, les pommes et, le cas échéant, les piments ; mixez jusqu'à obtention d'une purée.

3 Versez le mélange dans une marmite anticorrosion ; ajoutez le sachet d'épices, le bouquet garni et l'eau. Portez à ébullition, réduisez le feu et laissez cuire pendant 25 minutes. Retirez du feu et mettez à refroidir.

4 Retirez le bouquet garni et le sachet d'épices ; égouttez la préparation en la pressant dans une passoire pour en extraire le jus, et reversez la purée obtenue dans la marmite nettoyée. Ajoutez le vinaigre, le sucre et le sel. Portez à ébullition, en remuant, puis laissez cuire à feu doux entre 1 heure et 1 h 30 min, le temps que la sauce réduise de moitié.

5 Mélangez la fécule à un peu de vinaigre, et incorporez la pâte ainsi obtenue au ketchup. Ramenez à ébullition pendant 1 à 2 minutes. Remplissez les bouteilles chaudes, bouchez-les. Procédez à la stérilisation si désiré (voir pp. 44-45). Le ketchup est prêt.

☆☆ **Niveau de difficulté**
Assez facile

Temps de cuisson
1 h 30 min à 2 heures

Matériel nécessaire
Robot culinaire ; bouteilles stérilisées, avec fermetures résistant au vinaigre ou bouchons de liège (voir pp. 42-43)

Quantité obtenue
Environ 1 litre

Durée de conservation
3 mois, au réfrigérateur
2 ans, après stérilisation

Suggestions d'accompagnement
Servez avec des poissons frits ou grillés, du porc, ou comme sauce pour le riz et les pâtes

Ketchup rouge

Une recette du Lac-Saint-Jean qui fait partie du répertoire de la famille Tremblay.

INGRÉDIENTS

30 grosses tomates rouges

1 poivron rouge, haché fin

4 branches de céleri, hachées fin

10 pommes moyennes, hachées fin

6 à 8 tasses de sucre blanc

4 cuillerées à soupe combles de sel fin

5 tasses de vinaigre blanc ou de vinaigre de cidre

⅓ tasse d'épices à marinades

10 oignons moyens, hachés fin

1 Ébouillantez les tomates et pelez-les (voir p. 46). Retirez le trognon en les défaisant grossièrement. Mettez-les dans une grande marmite anticorrosion à fond épais. Écrasez-les avec le dos d'une cuillère de bois.

2 Mettez tous les autres ingrédients dans la marmite avec les tomates. Fabriquez un sachet pour y enfermer les épices à marinade (voir p. 47).

3 Déposez la marmite sur un feu moyen et faites mijoter la préparation pendant 3 heures. Vérifiez, surtout pendant la première heure, qu'elle ne colle pas : tournez avec une cuillère de bois et, au besoin, ajoutez quelques cuillerées d'eau.

4 Lorsque la cuisson est terminée, retirez le sachet d'épices. Remplissez les bocaux pendant qu'ils sont chauds et jusqu'au rebord, de façon à laisser le moins d'air possible à l'intérieur. Fermez-les hermétiquement. Le ketchup est prêt, mais gagnera encore à attendre.

☆☆ **Niveau de difficulté**
Assez facile

Temps de cuisson
3 heures

Matériel nécessaire
Bocaux stérilisés, avec couvercles résistant au vinaigre (voir pp. 42-43)

Quantité obtenue
Environ 5 à 6 litres

Durée de conservation
2 ans, après stérilisation (voir pp. 44-45)

Suggestions d'accompagnement
Parfait avec une tourtière du Lac-Saint-Jean ou un pâté chinois

Sauce chili

C'est le piment chipotle qui donne à cette sauce brûlante son goût fumé caractéristique. Les chipotles sont des piments jalapeño fumés. Au cas où vous ne parviendriez pas à vous les procurer, remplacez-les par une quantité double de piments frais grillés (voir Légumes grillés en marinade, p. 106).

— CONSEILS —

• Après avoir épépiné ou pilé au mortier les piments, veillez à ne pas vous toucher les yeux et lavez-vous immédiatement les mains ; il est en fait préférable de porter des gants pour ce travail.
• Pour obtenir une sauce plus onctueuse, filtrez le mélange dans une passoire à mailles fines après l'étape 3.

INGRÉDIENTS

2 ou 3 piments chipotles
1 kg (2 lb) de tomates italiennes ou autres tomates, pelées et épépinées
2 oignons moyens, grossièrement coupés en rondelles
4 gousses d'ail, émincées
3 tasses de vinaigre de cidre ou de vinaigre de malt distillé
2 cuillerées à soupe de cassonade foncée
1 cuillerée à soupe de sel
1 cuillerée à soupe de coriandre en poudre
1 cuillerée à soupe de fécule de maïs ou de fécule d'arrowroot
1 botte de feuilles de coriandre, hachées

1 Mettez les piments dans un bol de préparation et recouvrez-les d'eau bouillante. Laissez refroidir. Réservez l'eau, séchez les piments. Fendez-les sur toute leur longueur et retirez les graines à l'aide d'un couteau.

2 Travaillez les piments, les tomates, les oignons et l'ail au robot. Versez le mélange obtenu dans une marmite avec l'eau où ont trempé les piments. Portez à ébullition, puis laissez cuire 30 minutes à feu doux.

3 Incorporez le vinaigre, le sucre, le sel et la coriandre en poudre. Ramenez à ébullition, puis laissez cuire doucement 25 à 30 minutes, en remuant ; il faut que le mélange ait réduit de moitié.

4 Mélangez la fécule à un peu d'eau pour obtenir une pâte que vous ajouterez dans la marmite. Incorporez-y le hachis de coriandre et faites cuire 1 à 2 minutes, sans cesser de remuer. Remplissez les bouteilles stérilisées chaudes et bouchez-les. Faites stériliser le produit ; cachetez les bouchons (voir pp. 43-45). La sauce peut être consommée immédiatement, mais elle sera meilleure dans 3 ou 4 semaines.

 Niveau de difficulté
Assez facile

 Temps de cuisson
Environ 1 heure

 Matériel nécessaire
Robot culinaire ; bouteilles stérilisées avec bouchons de liège et paraffine (voir pp. 42-43)

 Quantité obtenue
Environ 1 litre

 Durée de conservation
1 an, après stérilisation

 Suggestions d'accompagnement
Parfaite pour relever les plats en sauce, les soupes et, bien sûr, le chili con carne

Ketchup vert

Cette recette typique du répertoire québécois permet de disposer d'une grande quantité de tomates vertes quand l'arrivée de l'automne freine les ardeurs du soleil et qu'il nous faut les cueillir sans tarder avant les premières gelées nocturnes.

INGRÉDIENTS

5 kg (10 lb) de tomates vertes
¼ tasse de sel
6 oignons
1 gros pied de céleri
3 gros poivrons rouges
4 carottes moyennes
6 pommes
1 chou-fleur
2 tasses de sucre granulé
3 tasses de vinaigre blanc ou de vinaigre de cidre
1 boîte entière d'épices à marinades enfermées dans un carré de mousseline

1 Coupez les tomates en dés. Mettez-les dans une passoire au-dessus d'un bol. Saupoudrez-les avec le sel et laissez-les dégorger toute la nuit.

2 Le lendemain, agitez la passoire pour achever d'égoutter les tomates ; ne les passez pas sous l'eau froide.

3 Pelez les oignons. Lavez le céleri et débarrassez-le de ses feuilles. Parez les poivrons. Grattez les carottes. Découpez les pommes en quartiers, débarrassez-les du cœur et des pépins. Lavez le chou-fleur à l'eau vinaigrée, retirez le trognon. Hachez ensuite tous ces légumes très fin, à la main ou au robot culinaire.

4 Mettez ce hachis de légumes et de fruits dans une grande marmite anticorrosion. Saupoudrez le sucre sur le vinaigre et versez le tout dans la marmite. Ajoutez le sachet d'épices à marinades (voir p. 47).

5 Faites bouillir 4 heures à feu moyen en remuant fréquemment, pour que le ketchup réduise et épaississe. Remplissez à la louche les bocaux chauds ; fermez. Faites stériliser le ketchup si vous voulez en prolonger la conservation. Il est déjà prêt à consommer, mais il gagnera à vieillir.

 Niveau de difficulté
Assez facile

 Temps de cuisson
4 heures

 Matériel nécessaire
Bocaux stérilisés, avec couvercles résistant au vinaigre (voir pp. 42-43)

 Quantité obtenue
Environ 5 litres

Durée de conservation
2 ans, après stérilisation

Suggestions d'accompagnement
Servez avec de la viande ou de la tourtière

Salsa cuite aux tomates et aux poivrons
(voir illustration p. 14)

Le mot salsa, qui signifie « sauce » en espagnol, dénote l'origine mexicaine. Cette recette connaît une variante sans cuisson : il suffit d'ajouter les tomates et les herbes au hachis et de laisser le tout mariner 2 à 3 heures avant emploi. Dans ce cas, la salsa doit être conservée au réfrigérateur et consommée dans les 2 semaines.

INGRÉDIENTS

750 g (1½ lb) de poivrons multicolores

2 ou 3 piments frais rouges ou verts, épépinés

1 gros oignon rouge

2 gousses d'ail, épluchées

3 cuillerées à soupe d'huile d'olive (ou autre)

3 cuillerées à soupe de vinaigre de vin rouge ou de jus de citron

2 cuillerées à thé de sel

500 g (1 lb) de tomates rouges bien fermes, pelées, épépinées et hachées

3 cuillerées à soupe de feuilles de coriandre ou de persil, hachées

1 Coupez grossièrement les poivrons, les piments et l'oignon, puis passez-les au robot avec l'ail, l'huile, le vinaigre ou le jus de citron.

2 Versez la purée obtenue dans une marmite anticorrosion, avec les tomates, le sel et les herbes. Portez à ébullition, puis faites cuire à feu doux pendant 5 minutes. Remplissez les bocaux stérilisés ; fermez-les. Faites stériliser le produit, laissez refroidir et scellez (voir pp. 44-45). La salsa est prête.

 Niveau de difficulté
Facile

 Temps de cuisson
Environ 5 min

 Matériel nécessaire
Robot culinaire ; bocaux stérilisés avec couvercles résistant au vinaigre (voir pp. 42-43)

 Quantité obtenue
Environ 1 litre

 Durée de conservation
6 mois, après stérilisation

Sauce aux prunes à la chinoise

Aigre-douce et relevée, cette spécialité asiatique accompagne tout aussi bien le canard rôti que les soupes et les plats en sauce.

INGRÉDIENTS

2 kg (4 lb) de prunes rouges ou d'un mélange de celles-ci et de prunes damson

4 tasses de vinaigre de vin blanc

2 cuillerées à thé de sel

1 tasse de sauce soja

1 tasse de miel ou de cassonade foncée

1 cuillerée à soupe de fécule de maïs

Pour le sachet d'épices (voir p. 47)

1 cuillerée à soupe d'anis étoilé, écrasé

2 cuillerées à thé de poivre de Sichuan, légèrement écrasé

1 cuillerée à thé de piments rouges séchés, écrasés

1 Mettez les prunes, le vinaigre, le sel et le sachet d'épices dans une marmite anticorrosion. Portez à ébullition, puis réduisez le feu et laissez mijoter

25 minutes, le temps que les fruits se transforment en bouillie.

2 Retirez les épices. Passez la purée de fruits à travers une passoire, puis remettez-la dans la marmite nettoyée. Ajoutez en remuant la sauce soja et le miel ou le sucre. Portez à ébullition et laissez cuire à feu doux 45 minutes ; il faut que la purée réduise.

3 Mélangez la fécule à un peu d'eau pour obtenir une pâte que vous incorporerez à la préparation dans la marmite, sans cesser de tourner. Ensuite, remplissez les bouteilles stérilisées chaudes et bouchez-les. Faites stériliser ; cachetez les bouchons (voir pp. 43-45). La sauce est prête, mais elle se bonifiera avec le temps.

 Niveau de difficulté
Facile

 Temps de cuisson
Environ 1 h 15 min

 Matériel nécessaire
Marmite anticorrosion ; bouteilles stérilisées, avec fermetures résistant au vinaigre ou bouchons de liège et paraffine (voir pp. 42-43)

 Quantité obtenue
Environ 1 litre

 Durée de conservation
2 ans, après stérilisation

 Suggestions d'accompagnement
Utilisez pour assaisonner les salades

Harissa
(voir illustration p. 17)

Voici la recette du célèbre assaisonnement d'origine marocaine, indispensable à tout couscous. Au moment de servir, vous pouvez adoucir l'harissa en y ajoutant un peu de purée de tomates. Vous pouvez également le parfumer avec de l'ail, de la coriandre et du carvi.

INGRÉDIENTS

500 g (1 lb) de piments rouges forts séchés, épépinés

¾ tasse d'huile d'olive (et encore un peu pour couvrir)

2 cuillerées à soupe de sel

1 Dans un bol, mettez les piments épépinés et couvrez-les d'eau bouillante. Laissez tremper 15 à 20 minutes, le temps que les piments s'amollissent.

2 Séchez les piments, puis passez-les au robot avec ½ tasse de l'eau dans laquelle ils ont trempé. Mixez jusqu'à obtenir une pâte de consistance homogène. Ajoutez-y, en tournant, l'huile et le sel. Garnissez les bocaux.

3 Recouvrez la préparation d'une fine couche d'huile, puis fermez les bocaux et mettez-les au réfrigérateur. L'harissa est prêt à servir.

 Niveau de difficulté
Facile

 Matériel nécessaire
Robot culinaire ; bocaux stérilisés, avec couvercles (voir pp. 42-43)

 Quantité obtenue
Environ 500 ml

 Durée de conservation
6 mois, au réfrigérateur

Harrief

Cette spécialité marocaine est une sauce très relevée. Elle apporte ce qu'il faut de piquant à toutes sortes de plats et préparations, des potages aux salades, et accompagne bien les viandes cuites au gril ou au barbecue.

CONSEIL

La force des piments variant sensiblement d'une espèce à l'autre, il est difficile d'en fixer la quantité exacte à employer. Pour réaliser cette recette, il est conseillé d'utiliser les grands piments rouges au goût piquant mais pas trop violent.

INGRÉDIENTS

2 kg (4 lb) de poivrons rouges
250 g (½ lb) de piments rouges frais, épépinés
250 g (½ lb) de gousses d'ail, épluchées
¾ tasse d'huile d'olive fruitée
1 tasse de vinaigre de cidre
3 cuillerées à soupe de sel
1 à 2 cuillerées à soupe d'assaisonnement au chili (facultatif)
2 cuillerées à soupe de graines de cumin, fraîchement moulues
2 cuillerées à thé de fécule de maïs

1 Faites griller les poivrons (voir étapes 1 et 2, p. 56). Rincez-les bien, puis coupez-les, retirez le pédoncule, les graines et les filaments blancs.

2 Travaillez les poivrons au robot avec les piments, l'ail et l'huile. Versez la purée obtenue dans une marmite et ajoutez-y le vinaigre, le sel et les épices. Portez à ébullition, puis laissez mijoter 1 heure à 1 h 30 min pour que le mélange réduise d'un tiers.

3 Mélangez la fécule à un peu de vinaigre pour obtenir une pâte que vous incorporerez à la préparation dans la marmite en remuant bien. Ramenez à ébullition et faites bouillir 1 minute sans cesser de tourner.

4 Remplissez du mélange les bocaux stérilisés chauds ; fermez. La sauce est prête, mais elle gagnera à vieillir.

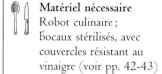 **Niveau de difficulté**
Assez facile

 **Temps de cuisson**
1 heure à 1 h 30 min

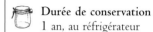 **Matériel nécessaire**
Robot culinaire ;
Bocaux stérilisés, avec couvercles résistant au vinaigre (voir pp. 42-43)

 **Quantité obtenue**
Environ 1 litre

Durée de conservation
1 an, au réfrigérateur

Suggestion d'accompagnement
Utilisez comme condiment

Zhug
(voir illustrations pp. 16-17)

Voici la recette d'une sauce extrêmement relevée qui nous vient du Yémen, où elle agrémente de nombreux plats. Juste au moment de servir, ajoutez quelques feuilles de coriandre fraîche hachées. Si vous préférez une version adoucie du zhug, remplacez la moitié des piments ou plus par des poivrons verts.

INGRÉDIENTS

1 grosse tête d'ail, épluchée
750 g (1½ lb) de piments verts frais
2 bottes de feuilles de coriandre
1 cuillerée à soupe de graines de coriandre
2 cuillerées à thé de graines de cumin
2 cuillerées à thé de poivre noir en grains
1 cuillerée à thé de graines de cardamome
1 cuillerée à thé de clous de girofle
1½ cuillerée à soupe de sel
un peu d'huile d'olive, pour couvrir

1 Hachez finement ail, piments et coriandre fraîche au robot.

2 Réduisez toutes les épices en poudre dans un mortier ou à l'aide d'un moulin. Tamisez cette poudre sur le hachis aux piments, puis ajoutez le sel et mélangez intimement.

3 En tassant bien, remplissez de la préparation les bocaux stérilisés. Couvrez d'une fine couche d'huile ; fermez. Gardez au réfrigérateur. Le zhug est prêt.

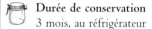 **Niveau de difficulté**
Facile

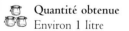 **Matériel nécessaire**
Robot ; mortier, ou moulin à épices ou à café ; bocaux stérilisés, avec couvercles (voir pp. 42-43)

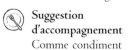 **Quantité obtenue**
Environ 1 litre

Durée de conservation
3 mois, au réfrigérateur

Suggestion d'accompagnement
Comme condiment

Blatjang de dattes
(voir illustration p. 35)

Cette recette fut introduite en Afrique du Sud par des esclaves malais, au XVIIe siècle. Il s'agit d'une sauce aux dattes épicée, piquante et douce à la fois, qui accompagne parfaitement le riz et les poissons gras. Le blatjang peut également se préparer avec d'autres fruits séchés, notamment abricots, pêches ou mangues.

INGRÉDIENTS

150 g (5 oz) de tamarin en bloc
1½ tasse d'eau bouillante
500 g (1 lb) de dattes, dénoyautées et grossièrement hachées
5 cm (2 po) de gingembre frais, pelé et haché
8 gousses d'ail, hachées
3 ou 4 piments rouges séchés, épépinés et hachés
4 tasses de vinaigre de vin rouge
2 cuillerées à thé de sel

1 Faites tremper le tamarin 30 minutes dans l'eau bouillante. Égouttez-le, puis versez le liquide dans une marmite avec tous les autres ingrédients. Portez à ébullition, puis laissez mijoter 10 minutes. Laissez refroidir.

2 Passez le mélange au robot ; reversez-le dans la marmite nettoyée. Faites bouillir 1 à 2 minutes. Remplissez les bouteilles brûlantes ; scellez-les. Prêt à être consommé, le blatjang se bonifiera avec le temps.

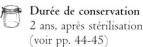 **Niveau de difficulté**
Facile

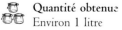 **Temps de cuisson**
Environ 15 minutes

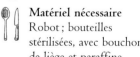 **Matériel nécessaire**
Robot ; bouteilles stérilisées, avec bouchons de liège et paraffine (voir pp. 42-43)

Quantité obtenue
Environ 1 litre

Durée de conservation
2 ans, après stérilisation (voir pp. 44-45)

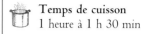

Masalas et mélanges d'épices

Le masala est un mélange d'épices dont se servent les cuisiniers indiens pour donner à leurs plats une gamme de saveurs aussi riche que subtile. En fait, il y a autant de masalas que de cuisiniers. Les épices sont utilisées aussi fraîches que possible, et quelquefois grillées, puis moulues. Les dosages conseillés sont à considérer comme de simples indications : libre à vous de vous en écarter pour inventer vos propres masalas.

CONSEILS

• Pour faire griller les épices, mettez-les dans une poêle à frire sans aucune matière grasse, et remuez constamment sur le feu jusqu'à ce qu'elles commencent à crépiter et à exhaler leur parfum.

• Assurez-vous que les pétales de rose que vous serez amené à utiliser (généralement en vente chez les herboristes) n'ont pas été traités avec des produits chimiques.

1. CHAWAGE (MÉLANGE D'ÉPICES DU YÉMEN)

3 cuillerées à soupe de poivre noir en grains

3 cuillerées à soupe de graines de cumin

2 cuillerées à soupe de graines de coriandre

1 cuillerée à thé de clous de girofle

1 cuillerée à thé de graines vertes de cardamome

2 cuillerées à thé de poudre de curcuma

2. GARAM MASALA

1 cuillerée à soupe de graines de cumin, grillées

1 cuillerée à soupe de graines de coriandre, grillées

2 cuillerées à thé de poivre noir en grains

5 cm (2 po) de bâton de cannelle, écrasé

1 cuillerée à thé de brins de macis, émiettés

1 cuillerée à thé de graines de cumin noir (kala jeera)

½ noix muscade, cassée en petits morceaux

3. MASALA INDIEN

2 cuillerées à soupe de graines de coriandre

2 cuillerées à thé de poivre noir en grains

2 cuillerées à thé de graines de cumin

2 cuillerées à thé de graines de carvi

1 cuillerée à thé de graines vertes de cardamome

4. MASALA DOUX

2 cuillerées à soupe de graines de coriandre

1 cuillerée à soupe de baies de piment de la Jamaïque

1 cuillerée à soupe de clous de girofle

1 cuillerée à soupe de graines de cardamome

2 cuillerées à thé de graines de carvi

1 cuillerée à thé d'anis (facultatif)

5. MÉLANGE D'ÉPICES ANGLAIS

5 cm (2 po) de bâton de cannelle, écrasé ou 1½ cuillerée à soupe de cannelle moulue

1 cuillerée à soupe de baies de piment de la Jamaïque

2 cuillerées à thé de clous de girofle

2 cuillerées à thé de graines de coriandre

1 noix muscade, cassée en morceaux

1 ou 2 lanières d'écorce d'orange séchée (facultatif)

6. MÉLANGE MAROCAIN POUR VIANDE

1 cuillerée à soupe de poivre noir en grains

1 cuillerée à soupe de baies de piment de la Jamaïque

2 cuillerées à thé de brins de macis, émiettés

1 noix muscade, cassée en petits morceaux

2,5 cm (1 po) de bâton de cannelle, écrasé

1 cuillerée à soupe de paprika doux (facultatif)

2 cuillerées à thé de poudre de curcuma

7. RAS EL HANOUT

2 cuillerées à thé de poivre noir en grains

1 cuillerée à thé de graines de coriandre

1 cuillerée à thé de graines de cumin

1 cuillerée à thé de baies de piment de la Jamaïque

5 cm (2 po) de bâton de cannelle, écrasé

½ noix muscade, cassée en petits morceaux

½ cuillerée à thé de clous de girofle

½ cuillerée à thé de graines de cardamome

1 cuillerée à soupe de pétales de rose séchés, émiettés (facultatif)

1 cuillerée à thé de gingembre moulu

½ cuillerée à thé de chili en poudre

1 Pour chaque recette, mettez tous les ingrédients (excepté ceux qui sont déjà en poudre) dans un mortier, ou un moulin à café ou à épices. Réduisez-les en fine poudre, puis mélangez-la avec les épices déjà moulues.

2 Pour obtenir une poudre encore plus fine, passez-la dans un tamis et broyez les débris les plus gros dans le mortier ou le moulin. Filtrez à nouveau le mélange, en jetant cette fois ce qui reste dans le tamis. Placez la poudre dans un petit bocal étanche.

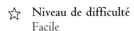

☆ **Niveau de difficulté**
Facile

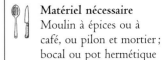

🍴 **Matériel nécessaire**
Moulin à épices ou à café, ou pilon et mortier ; bocal ou pot hermétique

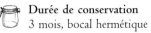

Durée de conservation
3 mois, bocal hermétique

Suggestions d'utilisation
(1) s'associe bien aux viandes, particulièrement au poulet ; (2) donne de très bons résultats avec les marinades ; (3) et (6) relèvent et parfument les boulettes de viande, les hamburgers et les koftas ; (4) et (5) s'imposent pour agrémenter le mincemeat (voir recette p. 169) ; (7) convient pour les plats sucrés comme salés

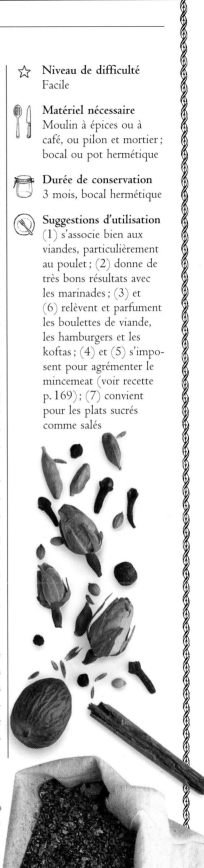

CHUTNEYS

LES CHUTNEYS PEUVENT ÊTRE DOUX, aigres-doux, forts, plus ou moins relevés, selon le goût de chacun. En fonction des ingrédients utilisés, leur texture varie également : ainsi ils sont onctueux, croquants ou un mélange des deux. Originaires de l'Inde, ces condiments sont confectionnés à base de légumes, de fruits, d'épices et d'aromates, que l'on confit dans du vinaigre. On peut préparer des chutneys frais, à consommer immédiatement – vous en trouverez ici quelques recettes –, mais il est plus fréquent d'en faire des conserves. Celles-ci accompagnent à peu près tous les plats, des viandes froides aux viandes chaudes, des légumes aux œufs, en passant par le fromage. Les chutneys se conservent très bien et se bonifient avec le temps. Ces préparations sont des invitations à l'improvisation : entreprenez ces mariages de saveurs au moment où les marchés abondent en fruits et légumes. Évitez le vinaigre blanc, et privilégiez plutôt les vinaigres moins âpres (de cidre, de vin ou de citron). Il est conseillé de conserver les chutneys pendant au moins 1 mois avant de les utiliser, pour que leurs arômes aient le temps de se développer et de se mêler.

Chutney au gingembre

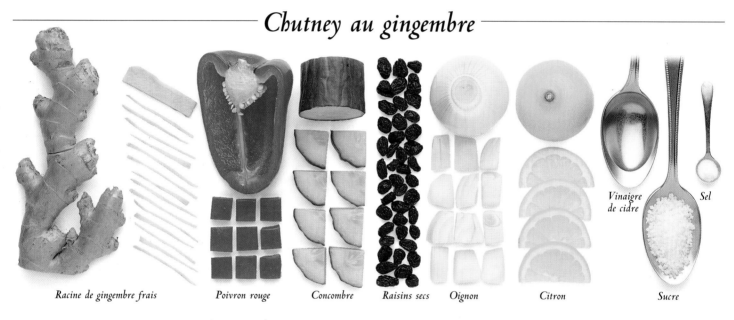

Racine de gingembre frais *Poivron rouge* *Concombre* *Raisins secs* *Oignon* *Citron* *Vinaigre de cidre* *Sel* *Sucre*

Il s'agit ici de l'adaptation d'une ancienne recette d'un très savoureux chutney indien.

INGRÉDIENTS

300 g (10 oz) de gingembre frais, râpé

2 poivrons rouges moyens, découpés en carrés

1 gros concombre, coupé en quatre, puis en tranches épaisses

1¼ tasse de raisins secs

2 gros oignons, grossièrement hachés

4 citrons, coupés en fines demi-rondelles

4 tasses de vinaigre de cidre ou de vinaigre de vin blanc

2 tasses (500 g) de sucre granulé

2 cuillerées à thé de sel

1 Mettez tous les ingrédients, à l'exception du sucre et du sel, dans une marmite anticorrosion. Portez le mélange à ébullition, puis réduisez l'intensité et laissez cuire à feu doux environ 30 minutes, le temps que les fruits et les légumes s'amollissent.

2 Incorporez le sucre et le sel, en remuant jusqu'à dissolution complète. Laissez encore cuire doucement 30 à 45 minutes ; il faut que la majeure partie du liquide s'évapore et que le chutney épaississe.

3 Remplissez à la louche les bocaux stérilisés chauds, puis fermez. Le chutney sera bon à consommer dans 1 mois, mais il gagnera à vieillir un peu.

☆ **Niveau de difficulté**
Facile

Temps de cuisson
1 heure à 1 h 15 min

Matériel nécessaire
Bocaux stérilisés avec couvercles résistant au vinaigre (voir pp. 42-43)

Quantité obtenue
Environ 1,5 litre

Durée de conservation
2 ans, après stérilisation (voir pp. 44-45)

Suggestions d'accompagnement
Servez avec du poulet froid ou du poisson grillé

LE CHUTNEY AU GINGEMBRE
accompagnera à merveille une tranche de thon poêlée ou une darne de saumon grillée. Servez le poisson avec un mélange de riz blanc et sauvage, et un coulis de tomates épicé.

LES PETITS MORCEAUX de légumes, les demi-rondelles de citron et les raisins secs donnent au chutney sa consistance croquante.

LE GINGEMBRE FRAIS râpé libère toute sa saveur pendant la cuisson et produit un chutney fortement aromatisé, au goût prononcé.

CONSEILS

• Quand vous achetez du gingembre frais, choisissez des racines fermes, avec une écorce lisse, et conservez-les au réfrigérateur.

• Les morceaux de racine de gingembre non utilisés peuvent être congelés pour un emploi ultérieur. Le moment venu, râpez-les sitôt sortis du congélateur.

• Les morceaux de racine de gingembre peuvent aussi être conservés dans de l'alcool (vodka, cognac ou xérès) et utilisés pour parfumer cocktails ou desserts.

• Ne jetez pas les pelures de racine de gingembre : lavez-les bien, recouvrez-les de vinaigre et faites-les mariner 3 mois. Filtrez et utilisez ce vinaigre aromatisé pour assaisonner salades ou plats de riz.

Chutney aux tomates vertes — *(voir illustration p. 15)*

Cette recette de chutney aigre-doux mérite d'être dégustée ! Il est très difficile de peler des tomates vertes. Qu'à cela ne tienne, ne les pelez pas ; cela n'empêchera pas ce chutney fruité de réjouir le palais des gourmets.

INGRÉDIENTS

750 g (1½ lb) de tomates vertes

500 g (1 lb) de pommes à cuire

250 g (½ lb) d'oignons, grossièrement hachés

1 cuillerée à soupe de sel

¼ tasse de raisins secs

2 tasses de cassonade dorée ou de sucre blanc

1 tasse de vinaigre de cidre

le jus et le zeste râpé de 2 citrons

2 cuillerées à soupe de graines de moutarde blanche ou noire

2 ou 3 piments rouges frais, épépinés et hachés (facultatif)

Pour le sachet d'épices (voir p. 47)

1 cuillerée à soupe de graines de coriandre

2 cuillerées à thé de poivre noir en grains

2 cuillerées à thé de baies de piment de la Jamaïque

1 cuillerée à thé de clous de girofle

2 bâtons de cannelle, écrasés

1 Épluchez, si vous le voulez, les tomates (voir p. 46), puis coupez-les grossièrement en morceaux. Pelez, évidez et coupez les pommes (réservez les épluchures et les trognons pour le sachet d'épices). Mettez les tomates, les pommes, les oignons et le sel dans une marmite, portez à ébullition et laissez cuire à feu doux 20 minutes.

2 Ajoutez les raisins secs, le sucre, le vinaigre, le jus et le zeste des citrons, ainsi que le sachet d'épices. Ramenez à ébullition, en tournant jusqu'à dissolution du sucre, puis laissez cuire doucement 30 minutes, le temps que la préparation épaississe.

3 Ajoutez les graines de moutarde et, éventuellement, les piments. Remplissez à la louche les bocaux stérilisés chauds, puis fermez. Le chutney sera bon dans 1 mois.

☆ **Niveau de difficulté**
Facile

Temps de cuisson
Environ 1 heure

Matériel nécessaire
Bocaux stérilisés avec couvercles résistant au vinaigre (voir pp. 42-43)

Quantité obtenue
Environ 1,5 litre

Durée de conservation
1 an, après stérilisation (voir pp. 44-45)

Suggestions d'accompagnement
Servez avec du rôti de porc, des cailles rôties ou dans des sandwiches

Chutney à la citrouille — *(voir technique p. 58)*

La citrouille fait un superbe et appétissant chutney. Si vous voulez obtenir une texture croquante, réduisez un peu le temps de cuisson indiqué dans l'étape 2. Une fois mis en bocal, votre chutney gagnera à développer ses arômes pendant 6 semaines.

INGRÉDIENTS

1,25 kg (2½ lb) de citrouille épluchée, épépinée et coupée en cubes de 2,5 cm (1 po)

750 g (1½ lb) de pommes, pelées, évidées et grossièrement découpées

5 cuillerées à soupe de gingembre râpé

3 ou 4 piments rouges frais, épépinés et émincés

2 cuillerées à soupe de graines de moutarde blanche

2 cuillerées à soupe de graines de moutarde noire

4 tasses de vinaigre de cidre ou de vinaigre de malt distillé

2 tasses de cassonade ou de sucre blanc

1 cuillerée à soupe de sel

1 Mélangez intimement tous les ingrédients dans une marmite, à l'exception de la cassonade et du sel.

2 Portez à ébullition, puis réduisez l'intensité et laissez cuire à feu doux 20 à 25 minutes, le temps que la citrouille s'amollisse.

3 Ajoutez la cassonade et le sel. Ramenez à ébullition, en tournant jusqu'à dissolution complète du sucre. Faites cuire à feu doux pendant environ 1 heure, en remuant fréquemment.

4 Remplissez les bocaux stérilisés chauds, puis fermez. Prêt à être consommé dans 3 semaines, le chutney se bonifiera avec le temps.

VARIANTE

◆ *Chutney à l'ananas (voir illustration p. 34) Remplacez la citrouille par de l'ananas et réduisez de 100 g (4 oz) la quantité de pommes. Mettez les fruits dans une marmite avec 1 tasse d'eau, portez à ébullition, puis laissez mijoter pour que les fruits s'amollissent. Ajoutez 1½ tasse de vinaigre, 1¼ tasse de sucre, 2 cuillerées à soupe de graines de moutarde, puis continuez comme indiqué dans l'étape 3. Avant la mise en bocal, incorporez 6 piments verts émincés et 2 cuillerées à thé de graines de carvi.*

☆ **Niveau de difficulté**
Facile

Temps de cuisson
1 h 15 min à 1 h 30 min

Matériel nécessaire
Bocaux stérilisés avec couvercles résistant au vinaigre (voir pp. 42-43)

Quantité obtenue
Environ 2 litres

Durée de conservation
2 ans, après stérilisation (voir pp. 44-45)

Suggestions d'accompagnement
Mélangez quelques grosses cuillerées de chutney à du riz blanc pour accompagner un cari ; se marie délicieusement avec poulet ou crevettes roses

Chutney aux oignons crus
(voir illustration p. 18)

Cette recette rafraîchissante appartient à la grande famille des chutneys sans cuisson, servis comme amuse-gueule. A la place des oignons, vous pouvez aussi utiliser des pommes, des coings, des carottes ou des navets râpés.

INGRÉDIENTS

500 g (1 lb) d'oignons doux, blancs ou violets, coupés en fines rondelles

1 cuillerée à soupe de sel

1 ou 2 piments, finement hachés

3 cuillerées à soupe de vinaigre de vin blanc ou de vinaigre de cidre

2 cuillerées à soupe de menthe ou de coriandre fraîche, hachée

1 cuillerée à thé de graines de nigelle

1 Mettez les rondelles d'oignons dans une passoire et saupoudrez-les de sel. Mélangez bien et laissez dégorger environ 1 heure.

2 Pressez les oignons pour réduire le plus possible leur humidité, mélangez-les intimement aux autres ingrédients, puis laissez reposer pendant 1 heure avant de servir. Le chutney est prêt à être utilisé.

 Niveau de difficulté
Facile

 Quantité obtenue
Environ 250 ml

 Durée de conservation
1 semaine, au réfrigérateur

Suggestions d'accompagnement
Servez avec des caris, ou en salade

Chutney aux carottes et aux amandes
(voir illustrations pp. 22-23)

Voici une adaptation de la confiture de cheveux d'ange, un classique du Moyen-Orient composé de longues et très fines lanières de carottes. Ainsi émincées et préparées, les carottes prennent une apparence translucide très appétissante. Ce chutney aigre-doux est un régal avec le fromage.

INGRÉDIENTS

1,25 kg (2½ lb) de carottes, râpées

125 g (4 oz) de gingembre frais, râpé

1 tasse de vinaigre de vin blanc

le jus et le zeste râpé de 2 gros citrons

¾ tasse d'eau

1½ tasse de sucre blanc ou de cassonade

4 cuillerées à soupe de miel

2 cuillerées à soupe de graines de coriandre, fraîchement moulues

1 cuillerée à soupe de sel

3 cuillerées à soupe d'amandes effilées

3 ou 4 piments oiseaux séchés

1 Mettez tous les ingrédients, à l'exception des amandes et des piments, dans un grand bol en verre.

Mélangez bien, couvrez et laissez reposer toute la nuit.

2 Versez le mélange dans une marmite anticorrosion. Portez à ébullition, puis faites cuire à feu doux pendant 20 minutes. Ranimez l'ébullition et maintenez-la 10 à 15 minutes, le temps que la préparation épaississe.

3 Ajoutez les amandes ainsi que les piments que vous aurez réduits en poudre dans un moulin à épices ou à café. Remuez bien. Remplissez à la louche les bocaux stérilisés chauds ; fermez. Le chutney sera bon à consommer dans 1 mois, mais gagnera à vieillir un peu.

 Niveau de difficulté
Facile

 Temps de cuisson
30 à 35 minutes

 Matériel nécessaire
Moulin à épices ou à café ; bocaux stérilisés, avec couvercles résistant au vinaigre (voir pp. 42-43)

 Quantité obtenue
Environ 1,5 litre

 Durée de conservation
2 ans, après stérilisation (voir pp. 44-45)

 Suggestion d'accompagnement
Servez avec des viandes blanches froides

Chutney à la courge

Ce chutney aussi simple que bon fait de ce légume du potager un mets délicat. Si vous utilisez une courge de belle taille, pensez à ôter les graines et le cœur. Cette recette peut également se préparer avec des courgettes.

INGRÉDIENTS

1 kg (2 lb) de courge, épluchée, évidée et coupée en cubes de 2,5 cm (1 po)

2 cuillerées à soupe de sel

2 gros oignons, grossièrement hachés

environ 5 carottes, râpées

100 g (3½ oz) de gingembre confit, grossièrement haché

1 ou 2 piments rouges frais, finement hachés

2 cuillerées à soupe de graines de moutarde noire

1 cuillerée à soupe de poudre de curcuma

3 tasses de vinaigre de cidre

1 tasse de sucre

1 Dans une passoire, saupoudrez les cubes de courge de 1 cuillerée à soupe de sel et laissez dégorger 1 heure. Rincez rapidement et séchez. Mettez la courge dans une marmite anticorrosion avec tous les ingrédients, à l'exception du sucre et du reste de sel. Portez à ébullition, puis faites cuire à feu doux pendant 25 minutes.

2 Ajoutez, en remuant, le sucre et le sel, puis laissez cuire à feu doux 1 heure à 1 h 15 min. Remplissez à la louche les bocaux stérilisés chauds ; fermez. Le chutney sera bon à consommer dans 1 mois.

 Niveau de difficulté
Facile

 Temps de cuisson
1 h 30 min à 2 heures

 Matériel nécessaire
Bocaux stérilisés, avec couvercles résistant au vinaigre (voir pp. 42-43)

 Quantité obtenue
Environ 1,5 litre

 Durée de conservation
2 ans, après stérilisation (voir pp. 44-45)

Chutney à l'aubergine et à l'ail

Un condiment fondant dans la bouche, qui allie la douceur de l'aubergine à la piquante saveur de l'ail. Utilisez de préférence de grosses aubergines d'un violet clair, à la peau bien lisse et satinée.

INGRÉDIENTS

1 kg (2 lb) d'aubergines, coupées en cubes de 2,5 cm (1 po)

2 cuillerées à soupe de sel

3 cuillerées à soupe d'huile d'olive, d'arachide ou de sésame

3 cuillerées à soupe de graines de sésame

1 cuillerée à soupe de graines de nigelle (facultatif)

4 têtes d'ail, épluchées

250 g (½ lb) d'échalotes, coupées en quatre

2 ou 3 piments rouges ou verts, épépinés et grossièrement hachés

3 tasses de vinaigre de cidre ou de vinaigre de vin blanc

3 cuillerées à thé de paprika doux

⅔ tasse de cassonade

1 petite botte de menthe fraîche, hachée (facultatif)

1 Dans une passoire, saupoudrez les cubes d'aubergines de la moitié du sel, mélangez bien et laissez dégorger 1 heure. Rincez et séchez soigneusement dans du papier absorbant.

2 Chauffez l'huile dans une marmite et faites-y revenir 1 à 2 minutes le sésame, et le nigelle, le cas échéant, le temps que les graines de sésame commencent à sauter.

3 Ajoutez les aubergines, l'ail, les échalotes et les piments, et laissez cuire environ 5 minutes en remuant fréquemment.

4 Ajoutez le vinaigre, portez à ébullition, puis faites cuire à petit feu pendant 15 minutes, le temps que les aubergines s'amollissent. Incorporez le paprika, la cassonade et ce qui reste de sel, en remuant.

5 Augmentez un peu la chaleur et, toujours en remuant fréquemment, laissez cuire entre 45 minutes et 1 heure ; il faut que la préparation épaississe. Ajoutez éventuellement la menthe et retirez la marmite du feu.

6 Remplissez à la louche les bocaux stérilisés chauds du mélange ; fermez. Bon à consommer dans 1 mois, ce chutney sera meilleur encore avec le temps.

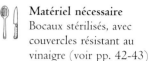 **Niveau de difficulté**
Facile

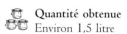 **Temps de cuisson**
1 heure à 1 h 30 min

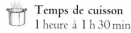 **Matériel nécessaire**
Bocaux stérilisés, avec couvercles résistant au vinaigre (voir pp. 42-43)

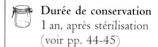 **Quantité obtenue**
Environ 1,5 litre

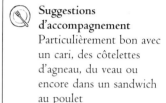 **Durée de conservation**
1 an, après stérilisation (voir pp. 44-45)

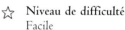 **Suggestions d'accompagnement**
Particulièrement bon avec un cari, des côtelettes d'agneau, du veau ou encore dans un sandwich au poulet

Chutney à la tomate rouge

Ce chutney est très doux et parfumé. Il se prépare normalement avec du jaggery, mais si vous avez du mal à trouver ce sucre indien, remplacez-le par de la cassonade.

INGRÉDIENTS

3 cuillerées à soupe d'huile d'arachide ou de sésame

2 oignons, grossièrement hachés

1 tête d'ail, épluchée et grossièrement hachée

6 cuillerées à soupe de gingembre frais, finement râpé

2 ou 3 piments rouges frais, épépinés et émincés (facultatif)

1 kg (2 lb) de tomates italiennes ou de tomates à côtes, pelées, épépinées et hachées

¼ tasse de jaggery ou de cassonade dorée

1 tasse de vinaigre de vin rouge

6 graines de cardamome

1 botte de feuilles de basilic ou de menthe, grossièrement hachées

1 Faites chauffer l'huile dans une marmite ; jetez-y les oignons, l'ail, le gingembre, et les piments, le cas échéant. Faites revenir le tout 5 minutes environ, jusqu'à ce que les oignons commencent à blondir. Ajoutez alors les tomates et laissez cuire pendant 15 minutes de plus, le temps qu'elles s'amollissent.

2 Ajoutez le jaggery, ou la cassonade, et le vinaigre. Portez à ébullition, puis faites cuire à feu doux 25 à 30 minutes en remuant fréquemment ; le mélange doit épaissir. Retirez du feu.

3 Réduisez en poudre les graines de cardamome dans un moulin à épices ou à café, et incorporez-la, en la tamisant, au chutney. Ajoutez le basilic ou la menthe, et mélangez. Remplissez à la louche les bocaux stérilisés chauds ; fermez. Bon à consommer dans 1 mois, ce chutney sera meilleur encore avec le temps.

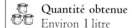 **Niveau de difficulté**
Facile

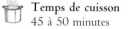 **Temps de cuisson**
45 à 50 minutes

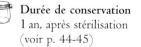 **Matériel nécessaire**
Moulin à épices ou à café ; bocaux stérilisés, avec couvercles résistant au vinaigre (voir pp. 42-43)

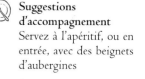 **Quantité obtenue**
Environ 1 litre

Durée de conservation
1 an, après stérilisation (voir p. 44-45)

Suggestions d'accompagnement
Servez à l'apéritif, ou en entrée, avec des beignets d'aubergines

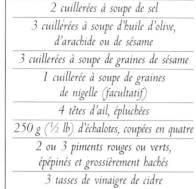

Chutney épicé à la mangue

Cette recette, qui nous vient de l'État du Bihar, en Inde, est celle d'une conserve forte, dorée et très parfumée. Si le curcuma donne d'excellents résultats, le safran confère à ce chutney une saveur sans égale.

INGRÉDIENTS

2 kg (4 lb) de mangues vertes, épluchées et coupées en morceaux de 2,5 cm (1 po) (voir étapes 1 et 2, p. 175)

2 limes ou 2 citrons, coupés en demi-rondelles

3 ou 4 piments rouges frais, épépinés et grossièrement hachés

3 tasses de vinaigre de vin blanc ou de vinaigre blanc distillé

2 tasses de cassonade dorée

1 cuillerée à soupe de sel

1 cuillerée à soupe de graines vertes de cardamome

1 cuillerée à thé de graines de cumin

1 cuillerée à thé de piment en poudre (facultatif)

1 cuillerée à thé de poudre de curcuma ou ½ cuillerée à thé de brins de safran

1 Mettez les mangues, les limes, les piments et le vinaigre dans une marmite. Portez à ébullition, puis faites cuire à feu doux 10 à 15 minutes, jusqu'à ce que les mangues soient tendres. Ajoutez en tournant le sucre et le sel. Laissez cuire doucement encore 50 minutes à 1 heure.

2 Réduisez en poudre les graines de cardamome et de cumin dans un moulin à épices ou à café, et ajoutez-la, en la tamisant, au chutney, ainsi que, le cas échéant, le piment en poudre. Sans cesser de tourner, incorporez-y le curcuma ou les brins de safran que vous aurez fait tremper quelques minutes dans un peu d'eau chaude.

3 Remplissez à la louche les bocaux stérilisés chauds ; fermez. Le chutney sera bon dans 1 mois.

 Niveau de difficulté
Facile

 Temps de cuisson
1 heure à 1 h 15 min

 Matériel nécessaire
Moulin à épices ou à café ; bocaux stérilisés, avec couvercles résistant au vinaigre (voir pp. 42-43)

 Quantité obtenue
Environ 1,5 litre

 Durée de conservation
2 ans, après stérilisation (voir pp. 44-45)

 Suggestions d'accompagnement
Servez avec du riz, un cari de poulet, ou encore avec des gambas grillées

Chutney aux prunes

La recette originale, qui vient de l'État de l'Assam, en Inde, comprend une quinzaine de piments et plusieurs cuillerées à soupe de chili en poudre. Il va sans dire qu'elle est vraiment très relevée – un régal pour les amateurs. La version proposée ici est plus adaptée aux palais occidentaux, libre à vous de forcer sur les piments pour restituer le goût authentique.

INGRÉDIENTS

500 g (1 lb) de prunes violettes

500 g (1 lb) de prunes blanches

6 grosses gousses d'ail, grossièrement hachées

6 piments rouges frais, épépinés et grossièrement hachés

⅓ tasse d'eau

125 g (4 oz) de tamarin en bloc ou 2 cuillerées à soupe de pâte de tamarin

3 tasses de vinaigre de malt

1½ tasse de cassonade dorée ou de sucre

2 cuillerées à thé de sel

1 cuillerée à thé de clous de girofle

1 cuillerée à thé de baies de piment de la Jamaïque

1 bâton de cannelle

½ cuillerée à thé de graines de cumin noir (kala jeera)

1 Coupez les prunes en deux et dénoyautez-les. Brisez les noyaux au marteau ou au casse-noix, et rassemblez-les dans un nouet de mousseline.

2 Mettez les demi-prunes, le nouet de mousseline, l'ail, les piments et l'eau dans une grande marmite. Portez à ébullition, puis faites cuire à feu doux, en remuant fréquemment, 15 à 20 minutes, jusqu'à ce que les fruits s'amollissent.

3 Pendant ce temps, si vous utilisez un bloc de tamarin, laissez-le tremper 20 minutes dans 1 tasse d'eau chaude ; passez-le et jetez les grosses graines.

4 Ajoutez dans la marmite le vinaigre, le tamarin passé ou la pâte de tamarin, le sucre et le sel. Ramenez à ébullition en remuant, puis faites encore cuire à feu doux 25 à 30 minutes ; la préparation doit épaissir. Retirez du feu et enlevez le nouet.

5 Réduisez en poudre les clous de girofle, le piment de la Jamaïque et la cannelle dans le moulin à épices ou à café, et ajoutez-la au chutney en même temps que les graines de cumin. Remplissez à la louche les bocaux stérilisés chauds ; fermez. Ce chutney sera bon à consommer dans 1 mois.

 Niveau de difficulté
Facile

 Temps de cuisson
Environ 1 h 15 min

 Matériel nécessaire
Marteau ou casse-noix ; carré de mousseline ; moulin à épices ou à café ; bocaux stérilisés, avec couvercles résistant au vinaigre (voir pp. 42-43)

 Quantité obtenue
Environ 1 litre

 Durée de conservation
2 ans, après stérilisation (voir pp. 44-45)

 Suggestions d'accompagnement
Servez avec du lapin ou de la viande froide

CONSEIL

Choisissez pour cette recette des prunes fermes et charnues, et utilisez de préférence un mélange de prunes rouge foncé et de victoria.

Chutney à la pomme

C'est un savoureux chutney, onctueux, doux et fruité, tout aussi bon quand les poires viennent seconder les pommes pour moitié. Il accompagne fort bien un sandwich aux crevettes ou au jambon-fromage.

INGRÉDIENTS

1,25 kg (2½ lb) de pommes vertes, pelées, évidées et grossièrement hachées

625 g (1¼ lb) d'oignons, grossièrement hachés

2 citrons, coupés en fines demi-rondelles

2 tasses de raisins secs

2 gousses d'ail, finement hachées (facultatif)

2 tasses de vinaigre de cidre

2 tasses de mélasse

1 cuillerée à soupe de sel

1 cuillerée à thé de gingembre en poudre

1 cuillerée à thé de cannelle en poudre

1 cuillerée à thé de curcuma en poudre

1 Mettez les pommes, les oignons, les citrons, les raisins secs, le vinaigre et éventuellement l'ail dans une marmite. Portez à ébullition, puis faites cuire à feu doux 15 à 20 minutes : il faut que les pommes s'amollissent, sans être réduites en bouillie.

2 Ajoutez la mélasse en remuant bien, puis laissez cuire à feu doux encore 30 à 45 minutes, le temps que la préparation épaississe. Retirez du feu. Incorporez le sel et les épices.

3 Remplissez à la louche les bocaux stérilisés chauds ; scellez. Le chutney à la pomme sera bon à consommer dans 1 mois.

☆ **Niveau de difficulté**
Facile

Temps de cuisson
45 minutes à 1 heure

Matériel nécessaire
Bocaux stérilisés, avec couvercles résistant au vinaigre (voir pp. 42-43)

Quantité obtenue
Environ 2 litres

Durée de conservation
1 an, après stérilisation (voir pp. 44-45)

Suggestions d'accompagnement
Servez avec du porc ou sur du pain beurré

Chutney aux fruits exotiques

Une recette délicieusement rafraîchissante. Préférez ici un ananas victoria, des kumquats plutôt que des oranges, et n'hésitez pas à ajouter un mélange de kiwi, de papaye et de litchis frais.

INGRÉDIENTS

250 g (½ lb) de kumquats ou d'oranges

1 petit ananas, pelé, évidé et coupé en morceaux de 2,5 cm (1 po)

500 g (1 lb) de pommes à cuire, pelées, évidées et grossièrement hachées

1¼ tasse d'abricots secs, mis à tremper si nécessaire, et grossièrement hachés

250 g (½ lb) d'épis de maïs miniatures coupés en tronçons de 2,5 cm (1 po)

4 tasses de vinaigre de cidre ou de vinaigre de vin blanc

2 tasses de sucre

3 ou 4 piments rouges frais, épépinés et hachés

2 cuillerées à soupe de graines de moutarde noire

2 cuillerées à soupe de sel

1 cuillerée à soupe de poivre vert en grains

1 botte de feuilles de menthe, hachées

1 Si vous utilisez des kumquats, laissez-les entiers ; s'il s'agit d'oranges, coupez-les en deux, puis en morceaux de la taille d'un kumquat. Mettez tous les fruits dans une marmite, avec le maïs et le vinaigre. Portez à ébullition, puis faites cuire à feu doux pendant 15 minutes.

2 Ajoutez le sucre, les piments, les graines de moutarde, le sel et le poivre vert. Remuez jusqu'à dissolution du sucre, puis laissez cuire à feu doux 50 minutes à 1 heure en remuant fréquemment.

3 Hors du feu, ajoutez la menthe fraîche. Remplissez à la louche les bocaux stérilisés chauds ; fermez. Prêt dans 1 mois, ce chutney se bonifiera avec le temps.

☆ **Niveau de difficulté**
Facile

Temps de cuisson
1 heure à 1 h 30 min

Matériel nécessaire
Bocaux stérilisés, avec couvercles résistant au vinaigre (voir pp. 42-43)

Quantité obtenue
Environ 3 litres

Durée de conservation
1 an, après stérilisation (voir pp. 44-45)

Suggestions d'accompagnement
Servez avec de la volaille, du fromage ou des caris

Chutney aux figues

Ce chutney sombre et très onctueux est une manière idéale d'utiliser des figues pas encore mûres, si l'on a la chance de se trouver dans un pays où elles abondent.

INGRÉDIENTS

5 tasses de vinaigre de vin rouge

500 g (1 lb) de cassonade dorée

2 cuillerées à soupe de sel

1 kg (2 lb) de figues noires bien fermes, pas encore mûres, coupées en tranches de 1 cm (½ po) d'épaisseur

500 g (1 lb) d'oignons, en fines rondelles

250 g (½ lb) de dattes, hachées

¼ tasse de gingembre frais, finement râpé

2 cuillerées à soupe de paprika doux

1 cuillerée à soupe de graines de moutarde blanche

3 cuillerées à soupe d'estragon haché, ou 1 cuillerée à soupe d'estragon séché

1 Mettez le vinaigre, la cassonade et le sel dans une marmite ; en remuant jusqu'à dissolution du sucre et du sel, portez à ébullition, puis faites cuire doucement environ 5 minutes.

2 Ajoutez les figues, les oignons, les dattes et les épices. Ramenez à ébullition, puis poursuivez la cuisson à feu doux pendant 1 heure ; la préparation doit épaissir.

3 Hors du feu, incorporez l'estragon et mélangez bien. Remplissez à la louche les bocaux stérilisés chauds ; fermez. Ce chutney sera bon à consommer dans 1 mois.

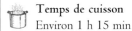 **Niveau de difficulté**
Facile

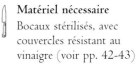 **Temps de cuisson**
Environ 1 h 15 min

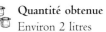 **Matériel nécessaire**
Bocaux stérilisés, avec couvercles résistant au vinaigre (voir pp. 42-43)

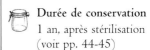 **Quantité obtenue**
Environ 2 litres

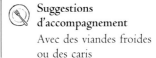 **Durée de conservation**
1 an, après stérilisation (voir pp. 44-45)

 **Suggestions d'accompagnement**
Avec des viandes froides ou des caris

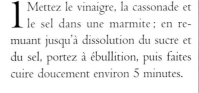

Chutney aux pêches
(voir illustration p. 31)

Un chutney tout de clarté et de fraîcheur. Comme il arrive que les pêches en conserve pâlissent, ajoutez 2 cuillerées à soupe de paprika doux pour obtenir une teinte rosée, ou 2 cuillerées à thé de curcuma en poudre pour une teinte jaune d'or. Il suffit de les mêler aux autres épices moulues.

CONSEIL
Une cuisson prolongée modifie la saveur des épices en poudre. Pour préserver leur goût et leur fraîcheur, ne les ajoutez au chutney qu'après l'avoir retiré du feu.

INGRÉDIENTS

1 kg (2 lb) de pêches, pelées, évidées et coupées en tranches de 2,5 cm (1 po) d'épaisseur

2 pommes à cuire, pelées, évidées et hachées

250 g (½ lb) de grains de raisin vert, soigneusement épépinés

2 citrons, coupés en fines demi-rondelles

250 g (½ lb) d'échalotes, hachées

3 gousses d'ail, finement râpées

5 cuillerées à soupe de gingembre frais, finement râpé

2 tasses de vinaigre de cidre ou de vinaigre de vin blanc

1 tasse de sucre

1 cuillerée à thé de clous de girofle

1 cuillerée à thé de graines de cardamome

5 cm (2 po) de bâton de cannelle

2 cuillerées à thé de graines de carvi

1 Mettez tous les fruits, les échalotes, l'ail, le gingembre et le vinaigre dans une marmite. Portez à ébullition, puis faites cuire à feu doux environ 25 minutes ; les pommes doivent être tendres, et les échalotes translucides.

2 Ajoutez le sucre, en remuant fréquemment jusqu'à dissolution complète. Poursuivez la cuisson à feu doux pendant encore 35 à 40 minutes, le temps que la préparation épaississe. Retirez du feu.

3 Réduisez en poudre les clous de girofle, les graines de cardamome et le bâton de cannelle dans un moulin à épices ou à café.

4 Ajoutez, en les tamisant, les épices moulues au chutney, puis incorporez-y les graines de carvi et mélangez intimement le tout.

5 Remplissez à la louche les bocaux stérilisés chauds, puis fermez. Ce chutney aux pêches sera bon à consommer dans 1 mois, mais il deviendra encore meilleur avec le temps.

 Niveau de difficulté
Facile

 Temps de cuisson
Environ 1 h 15 min

 Matériel nécessaire
Moulin à épices ou à café ; bocaux stérilisés, avec couvercles résistant au vinaigre (voir pp. 42-43)

 Quantité obtenue
Environ 1,75 litre

 Durée de conservation
6 mois, après stérilisation (voir pp. 44-45)

 Suggestions d'accompagnement
Servez avec des caris épicés, du canard ou des cailles

VINAIGRES, HUILES ET MOUTARDES AROMATIQUES

LES HUILES ET LES VINAIGRES assimilent très bien la saveur des fruits ou des aromates qui y sont ajoutés. Vous pouvez facilement créer vos propres condiments, lesquels rehausseront avec originalité toutes sortes de plats, jusqu'à la plus modeste salade. Il est inutile d'employer des huiles au goût déjà prononcé, comme l'huile de noix ou de noisette, qui masqueraient les saveurs des ingrédients que vous y incorporerez. Il en est de même avec les vinaigres : ce sont les plus doux – de cidre ou de vin blanc – qui conviennent le mieux. Si vous avez la chance de disposer d'un tonnelet en bois de chêne, vous obtiendrez des résultats incomparables en y laissant vieillir vos vinaigres aromatiques pendant 2 ou 3 années. Quant à la moutarde, c'est l'un des plus vieux condiments utilisés par l'homme pour relever les mets. Il fut un temps où l'on accompagnait chaque bouchée de viande de graines de moutarde ; c'est une fois mélangée à de l'eau que la moutarde séchée en poudre acquiert tout son arôme et toute sa force.

Vinaigre à l'estragon

Vinaigre de vin blanc   *Estragon*   *Thym*   *Piments*   *Ail*   *Poivre noir*

Voici le vinaigre tout simplement idéal pour les assaisonnements de salades. Plus encore que tout autre, il gagne beaucoup à vieillir longtemps – 2 ou 3 ans, et si possible en fût de chêne – après quoi il peut être filtré (voir p. 47) et utilisé... avec modération.

INGRÉDIENTS

4 tasses de vinaigre de vin blanc ou de vinaigre de cidre

2 brins d'estragon

2 branchettes de thym

2 piments rouges frais ou séchés (facultatif)

2 gousses d'ail, épluchées et pilées au mortier

2 cuillerées à thé de poivre noir en grains

1 Dans une marmite, portez rapidement le vinaigre à ébullition et maintenez-la 1 à 2 minutes. Retirez du feu et laissez refroidir le liquide à 40 °C (104 °F).

2 Ne lavez les herbes que si c'est nécessaire, puis séchez-les avec soin et froissez-les pour libérer leur parfum. Vous pouvez en faire des bouquets. Si vous utilisez des piments, entaillez profondément chacun d'eux sur toute sa longueur.

3 Répartissez équitablement estragon, thym, ail, poivre, et piments, le cas échéant, dans les bouteilles stérilisées. Remplissez-les du vinaigre chaud, puis bouchez-les. De temps à autre, agitez les bouteilles pour mêler les saveurs. Ce vinaigre pourra être utilisé au bout de 3 semaines.

 Niveau de difficulté
Facile

 Temps de cuisson
3 à 4 minutes

 Matériel nécessaire
Thermomètre ;
2 bouteilles stérilisées
de 500 ml, avec
bouchons résistant au
vinaigre (voir pp. 42-43)

 Quantité obtenue
Environ 1 litre

 Durée de conservation
2 à 3 ans

CHOISISSEZ
UNE BOUTEILLE
à col assez large
pour laisser
passer le
bouquet
d'herbes.

LE VINAIGRE À L'ESTRAGON
assaisonne toutes sortes d'entrées et de salades
composées sans altérer le goût des aliments.
Évitez seulement de le marier à une huile
trop parfumée, laquelle étoufferait sa finesse.

FROISSER LES HERBES fait ressortir
tous leurs arômes. Veillez cependant
à ne pas déchirer les feuilles : en
s'émiettant dans le vinaigre, elles
perdraient leur qualité esthétique.

LES PIMENTS sont bien plus beaux
entiers, sans pour autant épicer
davantage.

VARIANTES

✦ *Vinaigre aux herbes de Provence*
Suivez la même recette, en utilisant 3 ou 4 brins de
romarin, de thym et de lavande. Quelques gouttes de
ce vinaigre font ressortir la saveur des fruits, et
notamment des fraises.

✦ *Vinaigre à l'échalote* (voir illustration p. 19)
Épluchez et hachez grossièrement 500 g (1 lb)
d'échalotes ; répartissez-les équitablement dans les
bouteilles, que vous remplirez du vinaigre chaud,
en suivant la recette principale. Ce vinaigre est
sans égal pour accompagner les coquillages.

✦ *Vinaigre au citron* (voir illustration p. 29)
Prélevez les zestes de 3 ou 4 citrons (ou oranges)
en gardant le plus possible de peau blanche ; embro-
chez ces lanières sur une pique en bois que vous
introduirez dans chaque bouteille. Procédez pour
le reste comme indiqué dans la recette principale.
Excellent avec une salade frisée aux lardons.

Vinaigre aux groseilles à maquereau

Ce vinaigre rare est tout particulièrement savoureux avec le poisson.

INGRÉDIENTS

5 tasses de vinaigre de cidre

1 kg (2 lb) de groseilles à maquereau aigrelettes

4 tasses d'oseille ou d'épinards

zeste de 1 citron

1 Dans une marmite, portez le vinaigre à ébullition, et faites-le bouillir 1 à 2 minutes. Retirez du feu et laissez refroidir le liquide.

2 Lavez les groseilles à maquereau et l'oseille, ou les épinards, puis séchez-les bien. Hachez-les grossièrement au robot.

3 Mettez ce hachis avec le zeste de citron dans un grand bocal; versez-y le vinaigre. Couvrez le bocal avec un linge, et entreposez-le dans un endroit chaud pendant 3 à 4 semaines, en l'agitant de temps à autre.

4 Versez la préparation dans un sac à gelée et filtrez-la (voir p. 47). Remplissez les bouteilles stérilisées, bouchez-les. Ne vous inquiétez pas si le vinaigre est trouble: il s'éclaircira au bout de quelques semaines.

— VARIANTE —

✦ *Vinaigre aux bleuets*

Remplacez les groseilles à maquereau par autant de bleuets, n'employez ni oseille ou épinards ni zeste de citron; en revanche, prévoyez 6 tasses de vinaigre. Particulièrement indiqué pour déglacer un magret de canard.

 Niveau de difficulté
Facile

 Temps de cuisson
3 à 4 minutes

Matériel nécessaire
Robot de cuisine; sac à gelée stérilisé; bouteilles stérilisées, avec bouchons résistant au vinaigre (voir pp. 42-43)

 Quantité obtenue
Environ 2 litres

 Durée de conservation
2 ans

 Suggestions d'utilisation
Assaisonnez-en plats de poisson et sauces de gibier

Vinaigre à la framboise

(voir illustration p. 33)

Ce merveilleux vinaigre au bouquet fruité est la meilleure façon d'utiliser des framboises trop mûres. Veillez cependant à n'employer aucun fruit qui soit abîmé!

— CONSEILS —

• Bien que les vinaigres aux fruits gardent toute leur saveur au fil de la conservation, ils peuvent perdre leur belle couleur originelle et devenir bruns.

• Les vinaigres aux fruits peuvent être troubles. Il faut alors les laisser dans un endroit froid et sombre, le temps que les impuretés tombent au fond de la bouteille. Si cela ne suffisait pas, battez 2 blancs d'œufs dans un peu de vinaigre jusqu'à ce qu'ils soient mousseux. Ajoutez-les graduellement au reste du vinaigre trouble, agitez énergiquement, remettez en bouteille et entreposez 1 semaine dans un endroit froid. Une fois que les impuretés seront tombées au fond, transvasez le liquide clarifié.

INGRÉDIENTS

5 tasses de vinaigre de cidre ou de vinaigre de vin blanc

1 kg (2 lb) de framboises bien mûres et parfumées

quelques fraises des bois et quelques feuilles de basilic (facultatif)

1 Dans une marmite, portez rapidement le vinaigre à ébullition et faites-le bouillir 1 à 2 minutes. Retirez du feu et laissez refroidir à 40 °C (104 °F).

2 Équeutez et nettoyez les framboises, puis réduisez-les en purée dans un robot. Mettez la purée obtenue dans un grand bol de préparation.

3 Versez le vinaigre chaud sur la purée de framboises et mélangez bien. Couvrez avec un linge et laissez mariner dans un endroit chaud pendant 2 semaines, en remuant de temps à autre.

4 Versez le mélange dans un sac à gelée et filtrez-le (voir p. 47). Remplissez les bouteilles stérilisées et bouchez-les.

5 Pour renforcer la saveur du vinaigre, vous pouvez embrocher fraises des bois et feuilles de basilic sur une pique en bois que vous introduirez dans chaque bouteille; rebouchez. Ce vinaigre peut dès à présent être utilisé, mais il sera meilleur avec le temps.

— VARIANTES —

✦ *Vinaigre aux mûres et vinaigre au cassis* (voir illustration p. 33)

Remplacez les framboises par autant de mûres ou de baies de cassis, en prenant soin de prévoir 6 tasses de vinaigre. Suivez la recette principale, sans l'étape 5. Les vinaigres aux mûres ou au cassis assaisonnent parfaitement les salades, et peuvent, dilués, se déguster en boisson rafraîchissante.

 Niveau de difficulté
Facile

 Temps de cuisson
3 à 4 minutes

Matériel nécessaire
Thermomètre; robot de cuisine; sac à gelée stérilisé; bouteilles stérilisées, avec bouchons résistant au vinaigre (voir pp. 42-43)

 Quantité obtenue
Environ 2 litres

 Durée de conservation
2 ans

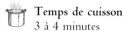 **Suggestions d'utilisation**
Assaisonnez-en salades, sauces de gibier ou framboises fraîches

Vinaigres aromatiques

Cette gamme de vinaigres a l'avantage de se préparer et de se conserver sans la moindre difficulté ; le mieux est d'en disposer de plusieurs, tout prêts à l'emploi, afin de varier les assaisonnements. Le choix du vinaigre de base est une affaire de goût, néanmoins, la saveur fruitée du vinaigre de cidre se prête à tous les mariages. Pour obtenir une version adoucie, il vous suffit d'ajouter 2 à 4 cuillerées à soupe de sucre blanc, de cassonade ou encore de miel pour 4 tasses de vinaigre.

Vinaigre parfumé

INGRÉDIENTS

8 tasses de vinaigre

1. VINAIGRE AUX ÉPICES

2 cuillerées à soupe de poivre noir en grains

2 cuillerées à soupe de graines de moutarde

1 cuillerée à soupe de clous de girofle

2 cuillerées à thé de brins de macis émiettés

2 noix muscade, cassées en petits morceaux

2 ou 3 piments rouges séchés, écrasés

1 bâton de cannelle, écrasé

2 ou 3 feuilles de laurier

1 cuillerée à soupe de sel

2. VINAIGRE FORT ET ÉPICÉ

3 échalotes, émincées

6 cm (2½ po) de gingembre frais, râpé

5 ou 6 piments rouges séchés, écrasés

1 cuillerée à soupe de poivre noir en grains

1 cuillerée à soupe de baies de piment de la Jamaïque

2 cuillerées à thé de clous de girofle

1 bâton de cannelle, écrasé

2 cuillerées à thé de sel

3. VINAIGRE PARFUMÉ

5 cm (2 po) de gingembre frais, en lamelles

2 cuillerées à soupe de graines de coriandre

1 cuillerée à soupe de poivre noir en grains

1 cuillerée à soupe de graines de cardamome

1 cuillerée à soupe de baies de piment de la Jamaïque

2 bâtons de cannelle, écrasés

2 noix muscade, cassées en petits morceaux

1 cuillerée à thé de graines d'anis

quelques lanières d'écorce de citron ou d'orange

1 cuillerée à soupe de sel

4. VINAIGRE DOUX

1 cuillerée à soupe de poivre noir en grains

1 cuillerée à soupe de baies de genièvre

1 cuillerée à soupe de baies de piment de la Jamaïque

1 cuillerée à soupe de graines de carvi

2 cuillerées à thé de graines d'aneth ou de céleri

2 ou 3 feuilles de laurier

2 ou 3 gousses d'ail, pilées

2 cuillerées à soupe de sel

5. VINAIGRE DOUX À L'OIGNON

125 g (4 oz) d'oignons, émincés

1 petite botte d'estragon

4 gousses d'ail, pilées

2 cuillerées à thé de poivre noir en grains

1 cuillerée à thé de clous de girofle

2 cuillerées à soupe de sel

6. VINAIGRE AU GINGEMBRE

90 g (3 oz) de gingembre frais, coupé en lamelles

1 cuillerée à soupe de poivre noir en grains

1 cuillerée à soupe de graines de moutarde

1 cuillerée à soupe de baies de piment de la Jamaïque

2 cuillerées à thé de clous de girofle

2 morceaux de gingembre séché

1 bâton de cannelle, écrasé

2 cuillerées à soupe de sel

1 Pour chaque recette, rassemblez tous les ingrédients, sauf le sel, dans un carré de mousseline. Mettez ce sachet d'épices (voir p. 47) avec le vinaigre et le sel dans une marmite. Amenez à ébullition et faites bouillir 10 à 12 minutes.

2 Laissez refroidir, puis retirez le sachet d'épices. Filtrez le vinaigre s'il est trouble (voir p. 47) avant d'en remplir les bouteilles stérilisées ; bouchez. Le vinaigre est prêt à servir, mais il se bonifiera avec le temps.

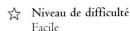 **Niveau de difficulté**
Facile

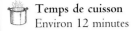 **Temps de cuisson**
Environ 12 minutes

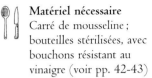 **Matériel nécessaire**
Carré de mousseline ; bouteilles stérilisées, avec bouchons résistant au vinaigre (voir pp. 42-43)

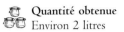 **Quantité obtenue**
Environ 2 litres

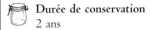 **Durée de conservation**
2 ans

Suggestions d'utilisation
(1) et (2) avec les oignons au vinaigre (p. 92) ; (3) et (4) avec les gousses d'ail marinées (p. 92) ; (5) avec les cornichons à l'huile d'olive (p. 97) et (6) avec le chow chow (p. 95)

Vinaigre aux épices

Vinaigre doux sans sucre

Adouci par l'addition de pur jus de fruits plutôt que de sucre, ce vinaigre peut être utilisé dans presque toutes les marinades. Préparez-le au début de l'hiver, de façon qu'il arrive à maturation au retour des beaux jours, quand vient le temps des crudités, des salades fraîches, des buffets froids...

INGRÉDIENTS

16 tasses (4 litres) de vinaigre de cidre ou de vinaigre de malt distillé

1⅓ tasse de pur jus de pomme ou de poire

2 cuillerées à soupe de poivre noir en grains

1 cuillerée à soupe de baies de piment de la Jamaïque

2 cuillerées à thé de clous de girofle

2 cuillerées à soupe de graines de coriandre

3 bâtons de cannelle

quelques piments frais ou séchés (facultatif)

1 Dans une grande marmite, portez à ébullition, en écumant, le vinaigre et le jus de fruits. Préparez un sachet d'épices avec les autres ingrédients (voir p. 47), plongez-le dans le liquide et laissez bouillir pendant environ 10 minutes.

2 Retirez le sachet d'épices, remplissez les bouteilles stérilisées, bouchez-les. Prêt à être utilisé dès maintenant, ce vinaigre gagnera néanmoins à vieillir un peu.

 Niveau de difficulté
Facile

 Temps de cuisson
Environ 12 minutes

 Matériel nécessaire
Bouteilles stérilisées avec bouchons résistant au vinaigre (voir pp. 42-43)

 Quantité obtenue
Environ 4,3 litres

 Durée de conservation
Presque indéfiniment

Huile malaise

Originaire de Malaysia, cette huile aux piments et aux échalotes a un subtil goût de noisette. Comme elle est assez forte, utilisez-la avec modération pour assaisonner salades composées, légumes, plats en sauce... ou encore pour faire revenir fricassées de volaille ou gambas.

INGRÉDIENTS

100 g (3½ oz) de piments séchés, équeutés

325 g (¾ lb) d'échalotes, épluchées

8 à 10 gousses d'ail, épluchées

4 tasses d'huile d'arachide ou d'huile de sésame raffinée

1 Passez au robot les piments séchés, les gousses d'ail et les échalotes entières afin d'obtenir une préparation homogène.

2 Versez ce hachis dans une casserole à fond épais et ajoutez l'huile. En remuant fréquemment, faites revenir le mélange à feu doux pendant environ 20 minutes, le temps que les échalotes blondissent.

3 Retirez du feu et laissez complètement refroidir. Filtrez l'huile obtenue (voir p. 47). Remplissez-en les bouteilles stérilisées, bouchez-les. Cette huile est prête à consommer.

 Niveau de difficulté
Facile

 Temps de cuisson
Environ 23 minutes

 Matériel nécessaire
Robot ; bouteilles stérilisées, avec bouchons de liège (voir pp. 42-43)

 Quantité obtenue
Environ 1 litre

 Durée de conservation
6 mois

Huile au basilic

Les huiles aromatisées sont indispensables à une cuisine raffinée. Mais s'il fallait ne garder qu'une recette, il s'agirait bien de celle-ci, à la saveur méridionale, faite de basilic, le roi des aromates, et d'une huile incomparable. Un apprêt idéal pour des pâtes ou une salade de tomates !

INGRÉDIENTS

4 tasses d'huile d'olive vierge

5 tasses de basilic frais

1 Faites chauffer doucement l'huile dans une casserole, jusqu'à ce qu'elle atteigne 40 °C (104 °F).

2 Écrasez un peu le basilic avant d'en garnir les bouteilles chaudes stérilisées. Remplissez-les de l'huile chaude, et bouchez. Cette huile sera bonne dans 3 à 4 semaines.

CONSEIL

Si vous voulez conserver cette huile au-delà de quelques semaines, mieux vaut la filtrer (voir p. 47) au bout de 3 mois, avant qu'une macération prolongée n'abîme les feuilles de basilic. Remettez l'huile filtrée en bouteille et rebouchez.

 Niveau de difficulté
Facile

 Temps de cuisson
3 à 4 minutes

 Matériel nécessaire
Thermomètre ; bouteille stérilisée, avec bouchon de liège (voir pp. 42-43)

 Quantité obtenue
Environ 1 litre

Durée de conservation
1 an, filtrée

Suggestions d'utilisation
Incomparable pour parfumer tomates en salade, pâtes fraîches, ratatouilles et fromages de chèvre frais

Huile aux piments

Rouge et brûlante comme le feu, cette huile, qui semble née pour relever les pizzas, donne du piquant à tout ce qu'elle touche, des pâtes au steak tartare.

INGRÉDIENTS

100 g (3½ oz) de petits piments rouges frais, équeutés

4 tasses d'huile d'olive, de sésame, de maïs ou de pépins de raisin

2 cuillerées à soupe de paprika fort ou doux

1 Hachez finement les piments au robot de cuisine, puis mettez-les dans une casserole avec l'huile de votre choix (dans l'idéal, un mélange d'huiles d'olive et de pépins de raisin).

2 Faites doucement chauffer la préparation jusqu'à atteindre 120 °C (245 °F), puis laissez cuire à petit feu pendant environ 15 minutes. Retirez du feu et laissez tiédir.

3 Ajoutez le paprika en remuant le mélange, puis laissez-le complètement refroidir. Filtrez (voir p. 47). Remplissez les bouteilles stérilisées de l'huile obtenue, bouchez-les. Cette huile est prête à servir.

☆ **Niveau de difficulté**
Facile

Temps de cuisson
Environ 18 minutes

Matériel nécessaire
Robot ; thermomètre ; bouteilles stérilisées, avec bouchons de liège (voir pp. 42-43)

Quantité obtenue
Environ 1 litre

Durée de conservation
1 an

Moutarde à l'orange et à l'estragon

Cette savoureuse moutarde à gros grains est recommandée pour badigeonner les viandes avant de les faire griller. Si vous comptez l'utiliser sans attendre, il est inutile de faire bouillir le jus d'orange.

INGRÉDIENTS

le zeste et le jus de 2 oranges

1 tasse de graines de moutarde jaune

⅓ tasse de vinaigre de vin blanc

2 cuillerées à thé de sel

1 cuillerée à soupe d'estragon frais, haché, ou 1 cuillerée à thé d'estragon en poudre

un peu de cognac ou de whisky

1 Dans une petite casserole, mettez le jus et le zeste des oranges, portez à ébullition, puis réduisez aussitôt l'intensité de la chaleur et faites cuire à feu doux quelques secondes. Retirez du feu et laissez refroidir.

2 Réservez 2 cuillerées à soupe de graines de moutarde ; réduisez le reste en poudre grossière dans un moulin à épices ou à café. Mettez-la dans un bol de préparation en verre avec les graines réservées ; ajoutez le jus et le zeste des oranges, et mélangez intimement. Laissez reposer 5 minutes, avant d'incorporer, en remuant bien, le vinaigre, le sel et l'estragon.

3 Remplissez les bocaux stérilisés du mélange. Déposez sur chacun d'eux un disque de papier ciré préalablement trempé dans du cognac ou du whisky ; fermez. Cette moutarde sera bonne à consommer dans quelques jours, le temps que les graines de moutarde entières lui communiquent leur saveur.

☆ **Niveau de difficulté**
Facile

Matériel nécessaire
Moulin à épices ou à café ; bocaux stérilisés ; disques de papier ciré (voir pp. 42-43)

Quantité obtenue
Environ 500 ml

Durée de conservation
6 mois

Suggestions d'accompagnement
Servez avec des viandes froides ou badigeonnez-en des mêts à rôtir

Moutarde épicée

Cette moutarde faite maison peut être utilisée comme simple condiment ou comme l'ingrédient providentiel venant rehausser la saveur d'une sauce ou d'une viande rôtie. Elle est parfaite aussi, mélangée à de la crème fraîche, pour déglacer une viande blanche.

INGRÉDIENTS

½ tasse de graines de moutarde jaune

3 cuillerées à soupe de graines de moutarde brune

250 g (½ lb) de tamarin en bloc, mis à tremper 25 minutes dans 1⅓ tasse d'eau

1 cuillerée à soupe de miel

1 cuillerée à thé de sel

1 cuillerée à thé de baies de piment de la Jamaïque, moulues

¼ cuillerée à thé de cannelle en poudre

¼ cuillerée à thé de clous de girofle, moulus

¼ cuillerée à thé de graines de cardamome, moulues

un peu de cognac ou de whisky

1 Dans un moulin à épices ou à café, broyez finement les graines de moutarde puis mélangez les poudres obtenues dans un bol de préparation.

2 Filtrez le tamarin et ajoutez-le à la poudre de moutarde avec le miel, le sel et toutes les épices. Mélangez.

3 Remplissez les bocaux, en veillant à ce qu'il n'y ait pas de bulles d'air. Déposez sur chacun d'eux un disque de papier ciré préalablement trempé dans du cognac ou du whisky ; fermez. Attendez quelques jours avant de consommer cette moutarde.

☆ **Niveau de difficulté**
Facile

Matériel nécessaire
Moulin à épices ou à café ; bocaux stérilisés ; disques de papier ciré (voir pp. 42-43)

Quantité obtenue
Environ 500 ml

Durée de conservation
6 mois

Suggestions d'accompagnement
Servez avec rôti de porc ou tajine d'agneau

CONSERVES DE VIANDE

LA CONSERVATION DE LA VIANDE n'est pas une opération extrêmement difficile, elle exige cependant un tour de main, beaucoup de patience et une grande attention au moindre détail. Commencez par suivre scrupuleusement chaque recette ; quand vous vous serez familiarisé avec la technique, vous pourrez innover, en diversifiant aromates et autres ingrédients, sans jamais perdre de vue les précautions essentielles (voir p. 42).

Chevreuil mariné

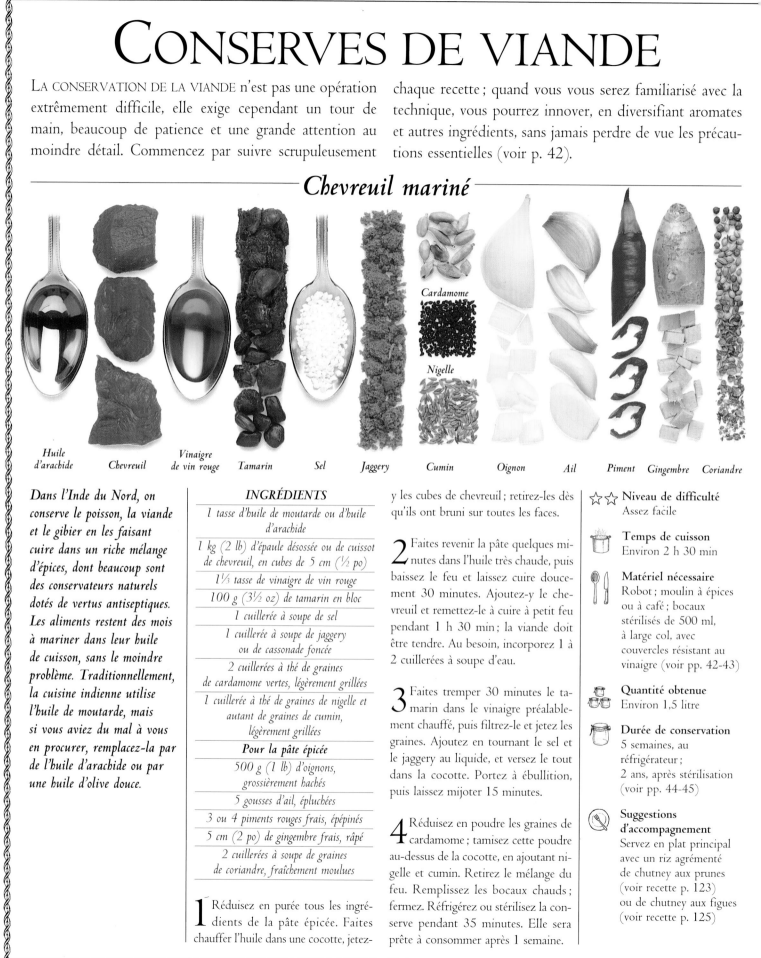

Huile d'arachide   Chevreuil   Vinaigre de vin rouge   Tamarin   Sel   Jaggery   Cumin   Oignon   Ail   Piment   Gingembre   Coriandre

Cardamome

Nigelle

Dans l'Inde du Nord, on conserve le poisson, la viande et le gibier en les faisant cuire dans un riche mélange d'épices, dont beaucoup sont des conservateurs naturels dotés de vertus antiseptiques. Les aliments restent des mois à mariner dans leur huile de cuisson, sans le moindre problème. Traditionnellement, la cuisine indienne utilise l'huile de moutarde, mais si vous aviez du mal à vous en procurer, remplacez-la par de l'huile d'arachide ou par une huile d'olive douce.

INGRÉDIENTS

1 tasse d'huile de moutarde ou d'huile d'arachide

1 kg (2 lb) d'épaule désossée ou de cuissot de chevreuil, en cubes de 5 cm (½ po)

1⅓ tasse de vinaigre de vin rouge

100 g (3½ oz) de tamarin en bloc

1 cuillerée à soupe de sel

1 cuillerée à soupe de jaggery ou de cassonade foncée

2 cuillerées à thé de graines de cardamome vertes, légèrement grillées

1 cuillerée à thé de graines de nigelle et autant de graines de cumin, légèrement grillées

Pour la pâte épicée

500 g (1 lb) d'oignons, grossièrement hachés

5 gousses d'ail, épluchées

3 ou 4 piments rouges frais, épépinés

5 cm (2 po) de gingembre frais, râpé

2 cuillerées à soupe de graines de coriandre, fraîchement moulues

1 Réduisez en purée tous les ingrédients de la pâte épicée. Faites chauffer l'huile dans une cocotte, jetez-y les cubes de chevreuil ; retirez-les dès qu'ils ont bruni sur toutes les faces.

2 Faites revenir la pâte quelques minutes dans l'huile très chaude, puis baissez le feu et laissez cuire doucement 30 minutes. Ajoutez-y le chevreuil et remettez-le à cuire à petit feu pendant 1 h 30 min ; la viande doit être tendre. Au besoin, incorporez 1 à 2 cuillerées à soupe d'eau.

3 Faites tremper 30 minutes le tamarin dans le vinaigre préalablement chauffé, puis filtrez-le et jetez les graines. Ajoutez en tournant le sel et le jaggery au liquide, et versez le tout dans la cocotte. Portez à ébullition, puis laissez mijoter 15 minutes.

4 Réduisez en poudre les graines de cardamome ; tamisez cette poudre au-dessus de la cocotte, en ajoutant nigelle et cumin. Retirez le mélange du feu. Remplissez les bocaux chauds ; fermez. Réfrigérez ou stérilisez la conserve pendant 35 minutes. Elle sera prête à consommer après 1 semaine.

☆☆ **Niveau de difficulté**
Assez facile

Temps de cuisson
Environ 2 h 30 min

Matériel nécessaire
Robot ; moulin à épices ou à café ; bocaux stérilisés de 500 ml, à large col, avec couvercles résistant au vinaigre (voir pp. 42-43)

Quantité obtenue
Environ 1,5 litre

Durée de conservation
5 semaines, au réfrigérateur ; 2 ans, après stérilisation (voir pp. 44-45)

Suggestions d'accompagnement
Servez en plat principal avec un riz agrémenté de chutney aux prunes (voir recette p. 123) ou de chutney aux figues (voir recette p. 125)

LE TAMARIN ET LE JAGGERY (ou la cassonade foncée) donnent au gibier une belle couleur.

LE CHEVREUIL MARINÉ

assure un repas original et de très grande qualité; il suffit de faire réchauffer la viande et de la servir avec des chapatis chauds. Un décor de feuilles de coriandre et de rondelles de piments rouges achève de composer un plat extrêmement appétissant.

LES ÉPICES GRILLÉES viennent enrichir la saveur délicate du chevreuil.

CONSEILS

• Avant de réchauffer la viande pour la servir, retirez la couche de graisse qui s'est formée à la surface.

• Griller les épices est un excellent moyen de leur faire exprimer tous leurs arômes. Il faut pour cela les jeter dans une poêle à frire, chauffée sans la moindre matière grasse, et les laisser cuire brièvement, en secouant la poêle constamment, jusqu'à ce que les épices commencent à changer de couleur et à sauter.

Jambon salé et séché

(voir technique p. 64)

Voici la recette d'un jambon doux qui gagnera à attendre quelques jours avant d'être cuit. Pour obtenir un goût plus corsé, laissez-le sécher un peu plus et fumez-le si vous le souhaitez (voir Conseil, ci-dessous). Vous pouvez remplacer le porc par du mouton ou de l'agneau.

IMPORTANT

Avant d'entreprendre cette recette, veuillez vous reporter aux informations données en pages 42 et 64.

CONSEIL

Si vous le souhaitez, ce jambon peut être fumé à froid avant cuisson. Procédez au fumage après les étapes 4 ou 5, à 30 °C (86 °F) maximum, pendant 18 à 24 heures, ou même davantage en fonction de votre goût (voir p. 66).

INGRÉDIENTS

1 jambon de 5 à 6 kg (11 à 13 lb)
2 tasses de gros sel
Pour la saumure
12 tasses d'eau, ou 8 tasses d'eau et 4 tasses de bière forte
3 tasses de sel
1½ tasse de mélasse ou de cassonade
1 cuillerée à soupe de salpêtre
1 bouquet de thym
3 branchettes de romarin
3 feuilles de laurier
2 cuillerées à soupe de baies de genièvre, écrasées
2 clous de girofle
Pour la pâte
1¼ tasse de farine de blé complète
¼ tasse de sel
8 à 10 cuillerées à thé d'eau

1 Frottez de sel toute la surface de la cuisse de porc, en salant bien la moindre fissure. Tapissez le fond d'un grand plat inoxydable d'une couche de sel épaisse de 1 cm (½ po). Déposez-y la viande et saupoudrez-la du reste de sel. Couvrez d'un linge et mettez au réfrigérateur 24 à 48 heures.

2 Préparez la saumure (voir p. 47) et laissez-la complètement refroidir. Nettoyez la viande de son excédent de sel, placez-la dans le pot et recouvrez-la entièrement de la saumure.

3 Posez un poids sur la viande (voir p. 46). Couvrez et entreposez 15 à 20 jours au réfrigérateur (ou dans un endroit froid, voir ci-dessous). Vérifiez chaque jour la saumure et remplacez-la au besoin.

4 Retirez le jambon de son bain de saumure, rincez-le, séchez-le. Suspendez-le 2 ou 3 jours dans un endroit froid (6-8 °C/42-46 °F), sec, sombre et bien ventilé. Le jambon peut à présent être cuisiné, mais si vous voulez lui donner un goût plus prononcé, continuez comme ci-après.

5 Préparez la pâte et badigeonnez-en d'une bonne couche la partie visible de la viande. Suspendez le jambon encore 15 à 20 jours, en le protégeant avec un calicot (dès qu'il aura séché en surface).

☆ **Niveau de difficulté**
☆☆ Difficile

Temps de cuisson
25 à 30 minutes pour 500 g (1 lb)

Matériel nécessaire
Grand pot de terre ; crochets à viande ; mousseline ou calicot stérilisé (voir p. 42)

Quantité obtenue
3,75 kg à 4,5 kg (8¼ à 9¾ lb)

Durée de conservation
2 ans, cru ; 3 semaines, cuit

Suggestions d'accompagnement
Servez chaud avec une sauce aux cerises, ou froid avec une sauce Cumberland

✳ **Attention**
Recette contenant du salpêtre (voir p. 42)

VEDETTE D'UN BUFFET CAMPAGNARD, ce jambon froid s'accompagnera bien d'oranges entières aux épices (voir recette p. 100) et de tomates-cerises aux aromates (voir recette p. 93)

CUISSON DU JAMBON

LAISSEZ TREMPER le jambon 24 heures avant de le faire cuire.

1 Mettez le jambon dans une bassine et recouvrez-le d'eau froide ; ajoutez romarin, thym, zeste de citron, laurier, persil, pomme, carotte, oignon, courgette, clous de girofle et poivre. Laissez 24 heures.

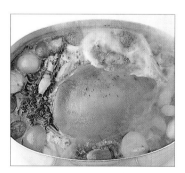

2 Portez lentement à ébullition, puis laissez mijoter à couvert 25 à 30 minutes pour 500 g (1 lb). Ajoutez de l'eau au besoin.

3 Si vous servez le jambon froid, laissez-le refroidir dans son eau de cuisson. Découennez à l'aide d'un couteau bien affûté.

Poulet fumé
— (voir illustration p. 24)

Le poulet fumé est un vrai régal et un succès garanti. N'employez que des poulets fermiers de qualité. Bien d'autres volailles — dinde, coquelet, caneton... — peuvent être préparées de la même manière ; à vous de modifier le temps de saumurage en fonction de la taille de l'animal : ajoutez ou enlevez 1 heure par livre d'écart avec le poids indiqué.

IMPORTANT
Avant d'entreprendre cette recette, veuillez vous reporter aux informations données en pages 42 et 64.

INGRÉDIENTS
1 poulet de 1,5 à 2 kg (3-4 lb)
1 cuillerée à soupe d'huile d'olive ou d'huile d'arachide
4 ou 5 branchettes de thym
4 ou 5 brins d'estragon
1 feuille de laurier
Pour la saumure
8 tasses d'eau
2¾ tasses de sel
5 ou 6 brins d'estragon
4 ou 5 rondelles de citron

1 Pour préparer la saumure, mettez tous les ingrédients dans une casserole inoxydable ; portez à ébullition, en tournant jusqu'à dissolution du sel ; réduisez le feu et laissez cuire doucement environ 10 minutes. Filtrez et laissez complètement refroidir.

2 Lavez et séchez le poulet ; retirez soigneusement la peau et ôtez la graisse. Attachez ensemble les cuisses avec de la ficelle, puis piquez-les avec une brochette en bois.

3 Placez le poulet dans une cocotte ou un plat profond et recouvrez-le de la saumure. Posez un poids au-dessus (voir p. 46), puis mettez à réfrigérer 6 à 8 heures.

4 Séchez soigneusement le poulet. Enfilez une brochette en bois à travers ses ailes troussées, attachez-y une ficelle et suspendez-le 24 heures dans un endroit froid (6-8 °C/42-46 °F), sec, sombre et bien ventilé.

5 Enduisez d'huile tout le poulet, puis déposez-le, cuisses en bas, sur la grille du fumoir. Fumez à chaud à 110-125 °C (225-240 °F) pendant 3 heures à 3 h 30 min. A mi-temps, ajoutez les herbes au bois de fumage.

6 Pour vérifier la cuisson du poulet, piquez-le avec une brochette en bois au plus épais de la cuisse : le jus qui s'en écoule doit être limpide et sans traces de rose. Laissez-le refroidir, enveloppé dans une feuille de papier d'aluminium, avant de le mettre au réfrigérateur.

 Niveau de difficulté
Difficile

 Temps de cuisson
Environ 15 minutes, plus 3 heures à 3 h 30 min de fumage

 Matériel nécessaire
Fumoir ; casserole et cocotte inoxydables ; brochettes en bois ; ficelle de cuisine ; crochet à viande

 Quantité obtenue
Environ 1,5 kg (3 lb)

Durée de conservation
1 mois, au réfrigérateur ; 3 mois, au congélateur

Suggestions d'accompagnement
Servez froid, découpé en fines tranches, avec une salade composée ; en canapé avec de la mangue fraîche ; en brochettes avec des poires aux épices (voir recette p. 103)

Pastrami

Les origines de cette recette originale légèrement fumée et délicieusement piquante sont sans doute à chercher en Turquie. Normalement, le fumage de la viande ne dure que 4 heures, mais, pour plus de saveur, essayez de fumer votre pastrami 12 heures avec du bois d'arbre fruitier.

IMPORTANT
Avant d'entreprendre cette recette, veuillez vous reporter aux informations données en pages 42 et 64.

INGRÉDIENTS
3 kg (6 lb) de poitrine de bœuf maigre
1 tasse de gros sel
6 gousses d'ail, pilées
4 cuillerées à soupe de cassonade
4 cuillerées à soupe de poivre noir en grains, grossièrement moulu
4 cuillerées à soupe de graines de coriandre, grossièrement moulues
1 cuillerée à soupe de gingembre en poudre
1 cuillerée à thé de salpêtre

1 Frottez la poitrine de bœuf avec la moitié du sel et mettez-la dans un grand bol en verre. Couvrez d'un linge et laissez dégorger 2 heures. Rincez rapidement la viande et séchez-la.

2 Mélangez le sel restant avec tous les autres ingrédients et frottez-en

la viande. Remettez-la dans le bol nettoyé ; couvrez et entreposez au réfrigérateur 10 à 15 jours, en retournant la viande tous les 2 ou 3 jours.

3 Passez un crochet à l'une des extrémités de la pièce de viande et suspendez-la 1 jour dans un endroit froid (6-8 °C/42-46 °F), sec, sombre et bien ventilé. Faites fumer à froid à 40 °C (100 °F) maximum pendant 4 à 6 heures.

4 Faites cuire le pastrami dans de l'eau (non salée) à faible ébullition pendant 2 h 30 min à 3 heures ; il faut que la viande soit tendre. Séchez-la avec soin avant de la servir chaude ou froide — dans ce cas, laissez-la refroidir sous un poids (voir p. 46) avant de la placer au réfrigérateur.

 Niveau de difficulté
Assez facile

 Temps de cuisson
2 h 30 min à 3 heures, et 4 à 6 heures de fumage

 Matériel nécessaire
Fumoir ; crochet à viande

 Quantité obtenue
2 à 2,5 kg (4-5 lb)

 Durée de conservation
4 à 6 semaines, au réfrigérateur ; 6 mois, au congélateur

Suggestions d'accompagnement
Servez sur des tranches de pain de campagne grillées

✱ Attention
Recette contenant du salpêtre (voir p. 42)

Saucisses de Toulouse

(voir illustration p. 25)

Ces célèbres saucisses sont simplement assaisonnées de sel et de poivre blanc (plus esthétique que le poivre noir, bien que moins bon). Mais elles peuvent être relevées avec toutes sortes d'aromates et d'épices (voir Variantes ci-dessous). La façon dont vous les dégusterez vous fera choisir leur parfum.

IMPORTANT

Avant d'entreprendre cette recette, veuillez vous reporter aux informations données en pages 42 et 64.

VARIANTES

✦ ***Saucisses aux herbes***
A l'étape 2, ajoutez 2 cuillerées à soupe de persil haché menu, mélangé, si désiré, à du thym.

✦ ***Saucisses à l'ail***
A l'étape 2, ajoutez 3 gousses d'ail pilées et 2 cuillerées à soupe d'herbes de Provence.

✦ ***Saucisses Cumberland***
A l'étape 2, ajoutez ½ cuillerée à thé de noix muscade râpée.

INGRÉDIENTS

2,1 kg (4¼ lb) d'épaule de porc maigre, coupée en cubes
900 g (1¾ lb) de poitrine de porc, coupée en cubes
¼ tasse de sel
1 cuillerée à thé de poivre blanc ou noir en grains, fraîchement moulu
½ cuillerée à thé de salpêtre
3 à 4 m (12-15 pi) de boyaux naturels

Pour chaque bocal

2 gousses d'ail, blanchies pendant 2 minutes (voir p. 46)
2 branchettes de thym
1 brin de romarin
huile d'olive ou saindoux, pour couvrir

1 Passez au hache-viande la viande maigre (grille pour hachis grossier), puis le gras (grille pour hachis fin).

2 Mettez ces hachis dans un grand bol en verre avec le sel, le poivre et le salpêtre. Pétrissez énergiquement la pâte ; couvrez et mettez à réfrigérer au moins 4 heures.

3 Préparez les boyaux comme indiqué (voir étapes 4 et 5, p. 68). Remplissez-les de viande et divisez-les en un chapelet de saucisses de 5 cm (2 po) de long (voir étape 6, p. 69).

4 Faites cuire les saucisses à la poêle, au gril ou au barbecue 8 à 10 minutes de chaque côté ; il faut qu'elles soient grillées à l'extérieur, mais encore un peu roses et humides à l'intérieur. Placez-les immédiatement dans les bocaux stérilisés chauds, avec l'ail et les aromates.

5 Si vous utilisez de l'huile d'olive, chauffez-la à 90 °C (194 °F), avant d'en couvrir entièrement les saucisses dans chaque bocal ; fermez.

6 Si vous utilisez du saindoux, faites-le fondre, puis laissez-le refroidir un peu avant d'en remplir les bocaux. Réfrigérez jusqu'à ce qu'il fige, puis ajoutez encore un peu de saindoux fondu pour recouvrir les saucisses d'au moins 1 cm (½ po) ; fermez.

7 Stockez les bocaux dans un endroit froid (6-8 °C/42-46 °F) et sombre ou dans le bas du réfrigérateur. Les saucisses seront prêtes dans 1 mois. L'huile de conservation ou le saindoux serviront à cuisiner d'autres plats.

☆☆ **Niveau de difficulté**
Assez facile

Temps de cuisson
Environ 20 minutes

Matériel nécessaire
Hache-viande ; poussoir à saucisse ; bocaux stérilisés, avec couvercles (voir pp. 42-43) ; thermomètre

Quantité obtenue
Environ 3 kg (6 lb)

Durée de conservation
1 an, au réfrigérateur

Suggestions d'accompagnement
Servez dans un cassoulet, des ragoûts, des sautés de haricots, des soupes

* **Attention**
Recette contenant du salpêtre (voir p. 42)

CONSEIL

Si vous voulez les déguster fraîches, n'employez pas de salpêtre ; préparez des saucisses de 10 cm (4 po) de long (ou laissez-les en un seul boyau), mettez-les au réfrigérateur et faites-les cuire dans les 2 jours (étape 4).

Saucisses sèches d'agneau

(voir illustration p. 25)

Il existe plusieurs versions de cette charcuterie bien connue du monde musulman. Ces saucisses peuvent se déguster après 4 semaines – elles seront alors très parfumées – ou bien plus tard si on les aime sèches et dures.

IMPORTANT

Avant d'entreprendre cette recette, veuillez vous reporter aux informations données en pages 42 et 64.

INGRÉDIENTS

1,5 kg (3 lb) de gigot (ou d'épaule) d'agneau désossé, coupé en gros cubes
300 g (10 oz) de gras d'agneau ou de bœuf, coupé en gros cubes
6 gousses d'ail, pilées
4 cuillerées à soupe d'huile d'olive
1½ cuillerée à soupe de sel
1 cuillerée à soupe de graines de fenouil
2 cuillerées à soupe de paprika doux
1 cuillerée à thé de menthe séchée
1 à 2 cuillerées à thé de piment en poudre
½ cuillerée à thé de poivre noir en grains, fraîchement moulu
½ cuillerée à thé de salpêtre
3,50 m (10-12 pi) de boyaux naturels

1 Hachez grossièrement l'agneau et le gras. Ajoutez les autres ingrédients et mélangez intimement. Versez cette chair à saucisse dans un bol en verre, en chassant les bulles d'air ; couvrez et réfrigérez pendant 12 heures.

2 Préparez les boyaux (voir étapes 4 et 5, p. 68), remplissez-les puis divisez-les en chapelet de saucisses de 15 cm (6 po) de long (voir étape 6, p. 69). Suspendez-les dans un endroit froid (6-8 °C/42-46 °F), sec, sombre et bien ventilé pendant 4 à 5 semaines, le temps qu'elles perdent 50 % de leur poids. Enveloppez-les dans du papier sulfurisé et mettez-les au réfrigérateur.

☆☆ **Niveau de difficulté**
Assez facile

Matériel nécessaire
Hache-viande ; poussoir à saucisse ; crochets à viande

Quantité obtenue
Environ 1 kg (2 lb)

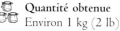

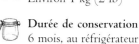

Durée de conservation
6 mois, au réfrigérateur

Suggestions d'accompagnement
Servez-les grillées avec tajines et couscous

* **Attention**
Recette contenant du salpêtre (voir p. 42)

Saucisses de canard séchées

(voir illustration p. 25)

Il s'agit d'une très ancienne recette de cuisine chinoise. En Chine, ces saucisses douces et parfumées sont mises à sécher aux vents froids des montagnes. A défaut d'un air aussi vivifiant, accrochez-les dans une pièce aérée et fraîche : vous obtiendrez tout de même de bons résultats. Vous pouvez également réaliser ces saucisses avec de la viande de porc, ou un mélange de gras de porc et de bœuf ou de gibier.

IMPORTANT
Avant d'entreprendre cette recette, veuillez vous reporter aux informations données en pages 42 et 64.

INGRÉDIENTS
3 kg (6 lb) de canard, désossé, avec sa peau

300 g (10 oz) de filets de veau ou de porc, coupés en cubes

3 cuillerées à soupe de saké ou d'alcool de riz

3 ou 4 piments thaï frais, épépinés et hachés

1 cuillerée à soupe de sel

4 ou 5 graines d'anis étoilé, finement moulues

1 cuillerée à thé de poivre de Sichuan, finement moulu

1 cuillerée à thé de graines de fenouil, finement moulues

4 m (15 pi) de boyaux naturels

un petit peu d'huile d'arachide

Pour la saumure
1 tasse de sauce soja

4 cuillerées à soupe de miel ou de mélasse

3 gousses d'ail, pilées

5 cm (2 po) de gingembre frais, râpé

½ cuillerée à thé de salpêtre

1 Mettez les viandes dans un bol. Mélangez les ingrédients de la saumure, versez sur la viande en la frottant. Mettez au réfrigérateur 24 heures, en remuant de temps à autre.

2 Passez au hache-viande le canard (grille pour hachis grossier), puis l'autre viande (grille pour hachis fin). Mélangez ces hachis aux ingrédients restants, à l'exception de l'huile. Versez le tout dans un bol propre, en chassant les bulles d'air ; couvrez et mettez 12 heures à réfrigérer.

3 Préparez les boyaux (voir étapes 4 et 5, p. 68) et remplissez-les. Divisez-les ensuite en un chapelet de saucisses de 10 cm (4 po) de long (voir étape 6, p. 69).

4 Suspendez les saucisses dans un endroit froid, sec, sombre et ventilé 4 à 5 semaines, le temps qu'elles perdent 50 % de leur poids. Au bout de 10 jours, frottez-les d'huile.

 Niveau de difficulté
Assez facile

Matériel nécessaire
Hache-viande ; poussoir à saucisse ; crochets à viande

 Quantité obtenue
Environ 1 kg (2 lb)

 Durée de conservation
6 mois, au réfrigérateur ; 3 mois, au congélateur

Suggestion d'accompagnement
Servez dans un plateau de charcuterie

✳ **Attention**
Recette contenant du salpêtre (voir p. 42)

CONSEIL
Une fois séchées, les saucisses de canard se conserveront, bien enveloppées dans du papier ciré ou sulfurisé, dans un endroit froid (6-8 °C/42-46 °F), sec et sombre – ou au réfrigérateur.

Landjäger

(voir illustration p. 25)

Cette saucisse allemande plate et épicée s'apparente au gendarme français (Landjäger signifie d'ailleurs « gendarme à pied ») et passe pour la charcuterie attitrée des chasseurs. Pour le fumage, servez-vous si possible de bois de cerisier.

IMPORTANT
Avant d'entreprendre cette recette, veuillez vous reporter aux informations données en pages 42 et 64.

INGRÉDIENTS
1,25 kg (2½ lb) de bœuf maigre, coupé en gros cubes

1 kg (2 lb) de poitrine salée ou fumée

5 gousses d'ail, pilées

1 cuillerée à soupe de sel

1 cuillerée à soupe de cassonade

½ cuillerée à thé de salpêtre

2 cuillerées à thé de graines de coriandre, finement moulues

1 cuillerée à thé de poivre noir en grains, fraîchement moulu

2 cuillerées à thé de graines de carvi

⅓ tasse de kirsch

3,50 m (12 pi) de boyaux naturels

un petit peu d'huile d'arachide

1 Passez au hache-viande le bœuf (grille pour hachis grossier), puis la poitrine (grille pour hachis fin).

2 Ajoutez les autres ingrédients, à l'exception de l'huile, et mélangez.

Tassez le tout dans un bol en verre, en chassant les bulles d'air ; couvrez et mettez 48 heures à réfrigérer.

3 Préparez et remplissez les boyaux (voir étapes 4 et 5, p. 68), puis divisez-les en un chapelet de saucisses de 15 cm (6 po) de long (voir étape 6, p. 69). Placez les saucisses entre deux planchettes de bois, déposez un poids au-dessus et mettez ainsi à réfrigérer 48 heures.

4 Suspendez les saucisses 24 heures dans un endroit froid (6-8 °C/42-46 °F), sec, sombre et bien ventilé, puis fumez-les à froid à 30 °C (86 °F) pendant 12 heures.

5 Frottez les saucisses d'un peu d'huile. Remettez-les à sécher comme précédemment pendant 2 à 3 semaines, le temps qu'elles perdent 50 % de leur poids.

☆☆ **Niveau de difficulté**
Assez facile

Matériel nécessaire
Hache-viande ; poussoir à saucisse ; crochets à viande ; fumoir

Quantité obtenue
Environ 1,5 kg (2½ lb)

Durée de conservation
4 à 5 mois, au réfrigérateur

✳ **Attention**
Recette contenant du salpêtre (voir p. 42)

CONSEILS
• Pour accélérer le processus de séchage, suspendez les saucisses en face d'un ventilateur.
• Pour le stockage, enveloppez-les dans du papier ciré ou sulfurisé et rangez-les au réfrigérateur (vous pouvez aussi les congeler).

Saucissons à l'ail et aux herbes
(voir technique p. 68)

INGRÉDIENTS

1 kg (2 lb) d'épaule de porc, parée, en retirant les tendons, et coupée en gros cubes

1½ cuillerée à soupe de sel

½ cuillerée à thé de salpêtre

⅓ tasse de vodka

350 g (¾ lb) de poitrine de porc, coupée en gros cubes

5 gousses d'ail, finement hachées

3 cuillerées à soupe de thym, finement haché

2 cuillerée à thé de poivre noir en grains

2 cuillerées à thé de graines de coriandre, grossièrement moulues

½ cuillerée à thé de grains de poivre noir, fraîchement moulus

¼ cuillerée à thé de baies de piment de la Jamaïque, fraîchement moulues

environ 2 m (6 pi) de boyaux naturels (taille moyenne)

La recette se prête à bien des assaisonnements, selon le goût.

IMPORTANT

Avant d'entreprendre cette recette, veuillez vous reporter aux informations données en pages 42 et 64.

1 Mettez les morceaux de viande dans un grand bol, ajoutez le sel, le salpêtre, la vodka et mélangez intimement. Couvrez et réfrigérez 12 heures.

2 Passez au hache-viande l'épaule, puis la poitrine de porc (grille pour hachis fin). Mélangez ces hachis en y incorporant la marinade restée dans le bol de préparation.

3 Ajoutez les autres ingrédients et mélangez soigneusement. Mettez à réfrigérer au moins 2 heures.

4 Préparez et remplissez les boyaux (voir étapes 4 et 5, p. 68). Divisez-les ensuite en un chapelet de saucissons de 20 cm (8 po) de long (voir étape 6, p. 69).

5 Suspendez les saucissons dans un endroit froid (6-8 °C/42-46 °F), sec, sombre et bien ventilé, 5 à 6 semaines, le temps qu'ils perdent 50 % de leur poids. Enveloppez-les ensuite dans du papier ciré, et stockez-les dans un endroit froid, sec et sombre ou dans le bas du réfrigérateur.

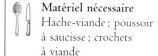 **Niveau de difficulté**
Assez facile

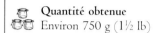 **Matériel nécessaire**
Hache-viande ; poussoir à saucisse ; crochets à viande

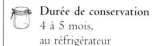 **Quantité obtenue**
Environ 750 g (1½ lb)

Durée de conservation
4 à 5 mois, au réfrigérateur

* **Attention**
Recette contenant du salpêtre (voir p. 42)

Assortiment de saucissons

Saucissons au piment
(voir illustrations pp. 24-25)

Proche du chorizo espagnol, ce saucisson épicé se mange aussi bien chaud et cuisiné que nature. Si vous ne l'aimez pas trop relevé, réduisez tout simplement le nombre de piments et remplacez le paprika fort par du doux. Par commodité, vous pouvez hacher le gras de porc au hache-viande plutôt que de le couper à la main, mais le saucisson y perd son bel aspect marbré. Si vous le servez cru, laissez-le à température ambiante.

IMPORTANT

Avant d'entreprendre cette recette, veuillez vous reporter aux informations données en pages 42 et 64.

INGRÉDIENTS

1 kg (2 lb) d'épaule de porc, coupée en gros cubes

1½ cuillerée à soupe de sel

1 cuillerée à soupe de cassonade

½ cuillerée à thé de salpêtre

⅓ tasse de cognac

350 g de gras de porc, coupé en petits morceaux

4 ou 5 gros piments rouges doux, hachés très finement

2 gousses d'ail, finement hachées

2 cuillerées à soupe de paprika fort ou doux

1 cuillerée à thé de piment en poudre, ou selon convenance

1 cuillerée à thé de graines d'anis

environ 2 m (6 pi) de boyaux naturels

1 Mettez l'épaule dans un grand bol de préparation, ajoutez le sel, le sucre, le salpêtre et le cognac. Malaxez à la main ; couvrez et mettez à réfrigérer 12 à 24 heures.

2 Passez la viande au hache-viande (grille pour hachis grossier). Mélangez le hachis et les autres ingrédients. Préparez les boyaux (voir étapes 4 et 5, p. 68), remplissez-les, puis divisez-les en saucissons de 50 cm (20 po) de long (voir étape 6, p. 69).

3 Attachez ensemble les deux extrémités de chaque saucisson pour lui donner la forme d'un fer à cheval. Suspendez-les dans un endroit froid (6-8 °C/42-46 °F), sec, sombre et bien ventilé, 4 à 6 semaines, le temps qu'ils perdent 50 % de leur poids. Enveloppez-les dans du papier sulfurisé et gardez-les au réfrigérateur.

VARIANTE

♦ Saucisson au piment fumé

Après 1 ou 2 jours de séchage, faites fumer les saucissons à froid (30 °C/86 °F) durant 6 à 8 heures (voir pp. 66-67). Laissez-les ensuite sécher 4 à 5 semaines, comme indiqué ci-dessus.

Niveau de difficulté
Assez facile

Matériel nécessaire
Hache-viande ; poussoir à saucisse ; crochets à viande ; fumoir (pour la variante)

Quantité obtenue
Environ 750 g (1½ lb)

Durée de conservation
4 à 5 mois, au réfrigérateur

Suggestions d'accompagnement
Servez à l'apéritif ou en entrée, accompagné de ratatouille froide et d'un hachis d'olives

* **Attention**
Recette contenant du salpêtre (voir p. 42)

Jerky

Voilà qui évoque, pour les Américains, des images du Far West. Concentrée et séchée avec des baies, cette préparation était du pemmican, aliment très nutritif et énergétique que les Métis emportaient pour de longs périples. A l'inverse du biltong, le jerky est séché sans être mariné.

IMPORTANT

Avant d'entreprendre cette recette, veuillez vous reporter aux informations données en pages 42 et 64.

INGRÉDIENTS

1 kg (2 lb) de bœuf (dans la cuisse)

2 cuillerées à thé de gros sel

2 cuillerées à soupe de poivre noir en grains, grossièrement moulu

1 cuillerée à thé de piment en poudre

1 Pour couper la viande plus facilement, placez-la au congélateur 2 à 3 heures. A l'aide d'un couteau bien aiguisé, coupez ensuite des tranches de 5 mm (¼ po) d'épaisseur (dans le sens des fibres), puis coupez-les en lanières longues de 5 cm (2 po).

2 Mélangez le sel, le poivre et le piment en poudre ; saupoudrez-en la viande, puis frottez-la bien.

3 Disposez les tranches sur un plat à four, en les espaçant un peu. Allumez le four au minimum et laissez la porte entrouverte.

4 Au bout de 5 heures environ, retournez les tranches, puis réenfournez encore 5 à 8 heures ; la viande doit perdre 75 % de son poids initial et être sèche et rigide. Laissez-la refroidir avant de la mettre en bocal ou de l'envelopper dans du papier ciré. Stockez-la dans un endroit froid (6-8 °C/42-46 °F), sec et sombre.

VARIANTE

◆ *A l'étape 2, remplacez le mélange sel-poivre-piment par : 4 cuillerées à soupe de sauce soja, 4 cuillerées à soupe de sauce tomate, 1 cuillerée à soupe de paprika, 1 cuillerée à soupe de piment en poudre. Cette sauce convient bien à la dinde.*

☆ **Niveau de difficulté**
Facile

Temps de cuisson
10 à 13 heures

Quantité obtenue
250 à 300 g (8-10 oz)

Durée de conservation
6 mois

Suggestions d'accompagnement
Servez tel quel, en casse-croûte, ou râpé dans une omelette

CONSEIL

Le bœuf, le gibier et la dinde se prêtent également bien à cette recette.

Biltong

(voir technique p. 62)

Cette spécialité sud-africaine est très parfumée.

IMPORTANT

Avant d'entreprendre cette recette, veuillez vous reporter aux informations données en pages 42 et 64.

INGRÉDIENTS

2 kg (4 lb) de bœuf (surlonge ou bas de ronde) ou de viande de gibier

1 tasse de gros sel

3 cuillerées à soupe de cassonade

1 cuillerée à thé de salpêtre

2 cuillerées à soupe de poivre noir en grains, moulu

3 cuillerées à soupe de graines de coriandre, grillées et moulues

4 cuillerées à soupe de vinaigre de malt

1 Pour couper la viande plus facilement, mettez-la 2 à 3 heures au congélateur. Coupez des tranches de 5 cm (2 po) d'épaisseur (dans le sens des fibres). Éliminez les nerfs et l'excédent de graisse.

2 Mélangez le sel, la cassonade, le salpêtre, le poivre et les graines de coriandre. Mettez une partie du mélange dans le fond d'un plat à four en faïence ou en verre ; couchez-y la viande en la saupoudrant du reste du mélange et en la frottant pour qu'elle en soit uniformément recouverte.

3 Arrosez la viande de vinaigre sur ses deux faces. Couvrez et mettez à réfrigérer 6 à 8 heures, en retournant les tranches de temps à autre ; au bout de 2 à 3 heures, frottez-les encore une fois du mélange au sel.

4 Retirez du plat les tranches de viande en les secouant pour faire tomber l'excès de sel. Suspendez-les au moyen d'un crochet à viande (voir étape 6, p. 63) dans un endroit froid (6-8 °C/42-46 °F), sec, sombre et bien ventilé, pendant 10 à 11 jours, le temps qu'elles perdent 40 à 50 % de leur poids initial. Mettez-les au réfrigérateur, enveloppées dans du papier ciré.

5 Pour achever de sécher le biltong, tapissez le bas du four avec du papier aluminium, placez la grille sur la position la plus haute, accrochez-y la viande et poursuivez la dessiccation à température minimale 8 à 16 heures, jusqu'à ce que les tranches deviennent noires et cassantes. Enveloppez-les dans du papier ciré et gardez-les au réfrigérateur.

☆ **Niveau de difficulté**
Facile

Temps de cuisson
8 à 16 heures de séchage au four

Matériel nécessaire
Crochet à viande

Quantité obtenue
Environ 1 kg (2 lb)

Durée de conservation
3 semaines, mi-sec
2 ans, séché

Suggestions de dégustation
Servez en casse-croûte

✳ **Attention**
Recette contenant du salpêtre (voir p. 42)

PÂTÉS ET ALIMENTS EN POT

AUTREFOIS, la conservation des aliments dans la graisse était un moyen pratique pour préserver viandes et abats (en morceaux ou hachés) qui n'étaient pas destinés à être rôtis. Très vite, ce procédé a conquis ses lettres de noblesse en gagnant la gastronomie : il permet en effet une cuisine extrêmement créative, transformant ce qui pourrait être un plat ordinaire en mets de grande qualité. C'est ainsi que les pâtés les plus raffinés naissent de simples hachis de viande auxquels sont ajoutés herbes, épices et alcool. Aussi est-il impératif de veiller à la qualité des produits employés ; tous ont leur importance et chacun participe au succès et à la saveur de la préparation. Une fois cette technique de conservation acquise, vous pourrez envisager, pour gagner en légèreté et en originalité, de réduire la quantité de graisse en compensant par des légumes (carottes, haricots, patates douces), voire par des fruits.

Confit de canard

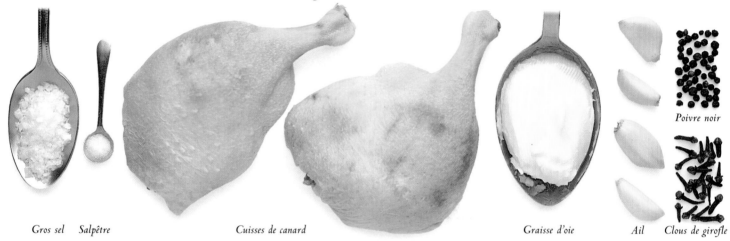

Gros sel   *Salpêtre*   *Cuisses de canard*   *Graisse d'oie*   *Ail*   *Clous de girofle*

Poivre noir

Cette spécialité originaire du sud-ouest de la France, qui se déguste seule ou qui accompagne merveilleusement le cassoulet, se prépare traditionnellement avec de l'oie ou du canard. Mais vous pouvez appliquer cette recette à de la dinde, du lapin ou même un rôti de porc... vous serez surpris par la qualité du résultat.

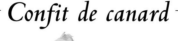
INGRÉDIENTS

2 cuillerées à soupe de gros sel
½ cuillerée à thé de salpêtre
6 belles cuisses de canard
750 g (1½ lb) de graisse d'oie ou de canard, filtrée
4 gousses d'ail
1 cuillerée à soupe de poivre noir en grains
½ cuillerée à thé de clous de girofle

1 Mélangez le sel et le salpêtre, et frottez-en les cuisses de canard sur toutes leurs faces. Mettez à réfrigérer 24 heures.

2 Séchez le canard en ôtant l'excédent de sel. Faites chauffer la graisse d'oie dans une grande casserole à fond épais. Mettez-y les cuisses avec l'ail, le poivre et les clous de girofle. Au besoin, rajoutez de la graisse pour couvrir entièrement la viande.

3 Faites cuire à feu très doux pendant 2 heures environ. Retirez le canard de la casserole et laissez-le refroidir. Filtrez la graisse à travers une mousseline (voir p. 47).

4 Versez un peu de graisse dans le bocal ou le pot en terre cuite (stérilisé), rangez-y les cuisses, puis remplissez avec le reste de graisse. Laissez-la figer, en complétant au besoin pour recouvrir le canard d'au moins 1 cm (½ po). Scellez le bocal ou fermez le pot d'une double épaisseur de papier ciré. Ce confit de canard est prêt à consommer.

☆ **Niveau de difficulté**
Facile

Temps de cuisson
Environ 2 heures

Matériel nécessaire
Mousseline stérilisée ; grand pot en terre cuite, stérilisé, ou bocal à très large col, avec couvercle (voir pp. 42-43)

Quantité obtenue
1,5 à 2 kg (3-4 lb)

Durée de conservation
6 mois, au réfrigérateur

Suggestions d'accompagnement
Servez très chaud avec des pommes de terre sautées et des cèpes

✳ **Attention**
Recette contenant du salpêtre (voir p. 42)

CONSEIL

Pour sortir les cuisses de canard confites sans les abîmer, mettez le pot ou le bocal au bain-marie, le temps que la graisse ramollisse un peu.

UNE ÉPAISSE COUCHE DE GRAISSE D'OIE doit recouvrir le canard.

CONFIT DE CANARD *ou confit d'oie entrent dans la composition du fameux cassoulet de Castelnaudary. Non moins réputé, le cassoulet de Toulouse s'enrichit en outre de saucisses de Toulouse (voir recette p. 136).*

FERMEZ LE POT au moyen d'une double épaisseur de papier ciré ou de papier aluminium.

Pâté de lapin

(voir illustration p. 25)

Il existe une très grande variété de ces préparations de pâtés, lesquelles s'inspirent bien souvent, en France, des traditions culinaires régionales. Le pâté de lapin est, à juste titre, l'un des plus célèbres et des plus prisés.

INGRÉDIENTS

1 lapin, coupé en morceaux et désossé (cuisses découpées en filets)

400 g (⅔ lb) de porc maigre, coupé en gros cubes

4 échalotes, grossièrement hachées

1 cuillerée à soupe d'huile

3 carottes, finement émincées

3 œufs

1 cuillerée à soupe de baies de poivre vert en saumure, asséchées

2 cuillerées à soupe de sel

½ cuillerée à thé de poivre noir en grains, fraîchement moulu

2 cuillerées à soupe de persil frais, finement haché

1 cuillerée à soupe de thym, finement haché

1 cuillerée à soupe de sauge, finement hachée

1 morceau de crépine ou 250 g (½ lb) de fines tranches de bacon

environ 500 g (1 lb) de saindoux, fondu

Pour la marinade

⅓ tasse de kirsch ou de cognac

3 ou 4 branchettes de thym

3 ou 4 feuilles de sauge

1 cuillerée à thé de poivre noir en grains, grossièrement moulu

2 feuilles de laurier, légèrement grillées et émiettées (voir Conseils, à droite)

1 cuillerée à thé de zeste de citron, râpé

1 Mettez les morceaux de lapin et de porc dans un bol de préparation et mélangez-les à tous les ingrédients de la marinade. Couvrez et mettez à réfrigérer 12 heures.

2 Faites blondir les échalotes dans l'huile. Faites blanchir les carottes 1 minute, puis asséchez-les, rafraîchissez-les et asséchez-les à nouveau (voir p. 46).

3 Retirez les filets de lapin de la marinade. Passez au hache-viande le reste de viande et les échalotes (grille pour hachis fin). Filtrez la marinade ; versez-y le hachis, les carottes, les œufs, le poivre vert, le sel et le poivre. Mélangez intimement, puis couvrez et mettez à réfrigérer 2 à 3 heures.

4 Mélangez les herbes hachées, puis éparpillez-les sur une plaque à biscuits. Roulez les filets de lapin dans les herbes jusqu'à ce qu'ils en soient complètement recouverts.

5 Chemisez une terrine de crépine ou de minces tranches de bacon (voir étape 2, p. 70). Remplissez à la cuiller la terrine avec la moitié de la viande mélangée, en chassant les bulles d'air et en tassant bien avec le dos de la cuiller.

6 Étendez les filets aux herbes au milieu du pâté. Achevez de remplir la terrine, toujours en chassant les bulles d'air et en tassant. Rabattez le surplus de crépine ou de bacon sur le pâté ; fermez la terrine avec son couvercle ou au moyen d'une double épaisseur de papier aluminium.

7 Mettez la terrine dans une rôtissoire avec de l'eau chaude jusqu'à mi-hauteur. Faites cuire à four préchauffé à 160 °C (325 °F) 1 h 30 min à 2 heures ; le pâté doit s'écarter des bords de la terrine et se couvrir de graisse liquide.

8 Retirez la terrine de la rôtissoire. Déposez un poids sur le pâté (voir p. 46), laissez refroidir, puis mettez à réfrigérer 12 heures.

9 Démoulez le pâté et débarrassez-le de toute trace de gelée ou de liquide à l'aide d'un papier absorbant.

10 Dans le fond de la terrine nettoyée, versez une couche de 1 cm (½ po) de saindoux fondu et mettez à réfrigérer jusqu'à ce qu'elle se fige. Réintroduisez le pâté dans la terrine, puis ajoutez le reste du saindoux, en veillant à bien remplir les bords et à recouvrir de 1 cm (½ po) la crépine ou le bacon. Couvrez et mettez au réfrigérateur. Ce pâté sera bon à consommer dans 2 ou 3 jours.

☆ **Niveau de difficulté**
☆☆ Difficile

 Temps de cuisson
1 h 30 min à 2 heures

 Matériel nécessaire
Hache-viande ; terrine de 6 tasses

 Quantité obtenue
Environ 1,25 kg (3 lb)

Durée de conservation
3 semaines, au réfrigérateur

Suggestions d'accompagnement
Servez avec le chutney aux carottes et aux amandes (voir recette p. 121) ou les poires aux épices (voir recette p. 103)

CONSEILS

• Pour griller les feuilles de laurier, faites-les chauffer dans une petite poêle à frire, jusqu'à ce qu'elles commencent à changer de couleur. Elles seront alors plus faciles à moudre ou à émietter.

• Pour vérifier le bon dosage des saveurs du pâté juste avant de remplir la terrine, faites frire 1 cuillerée à soupe du mélange dans un peu d'huile et laissez refroidir. Au besoin, rectifiez l'assaisonnement.

• Pour vous assurer que le pâté est cuit, glissez un thermomètre à viande au cœur de la terrine : il doit indiquer 75 °C (167 °F).

• Plutôt que de servir le pâté seulement recouvert de saindoux, décorez-le de feuilles de laurier, de sauge fraîche et de branchettes de thym. Vous pouvez aussi retirer la couche supérieure de saindoux et la remplacer par une coulée de gelée au madère, en ayant préalablement décoré le pâté.

• Évitez de servir le pâté au sortir du réfrigérateur ; il vaut mieux qu'il soit à température ambiante.

• Laissez toujours le pâté dans sa terrine, et protégez l'entame après chaque service.

CONSEIL

Quand vous utilisez des herbes fraîches pour une marinade, commencez par les écraser légèrement du plat d'un couteau de cuisine pour en exprimer les arômes.

Terrine de cailles et de faisan

(voir illustration p. 25)

Il s'agit bien de la recette la plus compliquée de ce livre. Sans vouloir vous décourager, il est relativement difficile de désosser les cailles. Aussi, votre boucher est-il celui qui saurait le mieux procéder à cette opération... à condition de bien vouloir !

INGRÉDIENTS

4 cailles, désossées, mais avec leur peau

2 cuillerées à soupe de miel

¼ cuillerée à soupe de sel

4 cuillerées à thé de cognac

Pour le hachis de viandes

1 beau faisan, désossé, peau et nerfs retirés

300 g (10 oz) de longe de veau (ou de porc), coupée en cubes

½ tasse de cognac

250 g (½ lb) d'échalotes, hachées

2 gousses d'ail, hachées

un peu d'huile ou de beurre

500 g (1 lb) de poitrine de porc salée, coupée en petits morceaux

1 tasse de vin blanc sec

2 œufs

1½ cuillerée à thé de sel

1½ cuillerée à thé de poivre noir, fraîchement moulu

2 cuillerées à soupe de thym, finement haché

15 baies de genièvre, grossièrement moulues

zeste finement râpé de ½ citron

Pour le hachis d'herbes

5 tasses de jeunes épinards

2 cuillerées à soupe de persil frais, finement haché

Pour les terrines

2 morceaux de crépine ou 300 g (10 oz) de fines tranches de bacon

1 Ouvrez les cailles désossées sur votre plan de travail, et enduisez-les à l'intérieur du mélange de miel, de sel et de cognac. Refermez-les et placez-les dans un bol de préparation. Couvrez et mettez à réfrigérer pendant 12 heures.

2 Pour le hachis de viandes, mélangez intimement faisan, longe et cognac. Couvrez et mettez à réfrigérer 12 heures.

3 Faites blondir les échalotes avec l'ail dans un peu d'huile ou de beurre ; laissez refroidir. Mettez-les dans le robot de cuisine avec le faisan, la longe et la poitrine de porc.

4 Mixez pendant 1 à 2 minutes, en ajoutant le vin et le liquide resté dans le bol, jusqu'à obtention d'une pâte homogène. Incorporez les œufs, le sel, le poivre, le thym, les baies de genièvre et le zeste de citron. Mixez à nouveau. Mesurez ½ tasse du mélange et réservez-le. Couvrez le reste et mettez-le à réfrigérer 2 heures.

5 Pour le hachis d'herbes, faites blanchir les épinards 2 minutes (voir p. 46). Pressez-les pour en extraire l'eau, puis réduisez-les en purée au robot. Incorporez-y le hachis de viandes réservé et le persil. Mettez à réfrigérer 2 heures.

6 Ouvrez à nouveau les cailles sur votre plan de travail. Partagez le hachis d'herbes en quatre parts égales et farcissez-en les cailles. Refermez-les de manière à insérer la farce.

7 Garnissez les terrines de crépine ou de fines tranches de bacon (voir étape 2, p. 70). Remplissez à la cuiller chaque terrine du quart du hachis et lissez à la spatule. Disposez les cailles au-dessus, en les pressant légèrement. Achevez de remplir les terrines, en chassant les bulles d'air et en tassant bien.

8 Rabattez le surplus de crépine ou de bacon sur les pâtés ; fermez les terrines avec leur couvercle ou au moyen d'une double épaisseur de papier aluminium. Mettez-les dans une rôtissoire, avec de l'eau chaude jusqu'à mi-hauteur. Faites cuire à four préchauffé à 160 °C (325 °F) pendant 2 heures ; les pâtés doivent s'écarter des bords des terrines et se couvrir de graisse liquide.

9 Retirez les terrines de la rôtissoire et laissez-les refroidir complètement. Déposez un poids sur chaque pâté (voir p. 46), puis mettez à réfrigérer jusqu'au lendemain. Ces terrines sont prêtes à être dégustées.

 Niveau de difficulté
 Difficile

 Temps de cuisson
Environ 2 heures

 Matériel nécessaire
Robot ; 2 terrines de 4 tasses chacune

 Quantité obtenue
Environ 2 litres

 Durée de conservation
3 à 4 semaines, scellées par du saindoux, au réfrigérateur

Suggestions d'accompagnement
Servez-la décorée de grains de raisin avec une salade de roquette ou un chutney aux pêches (voir recette p. 125)

CONSEILS

• Décorez les terrines avec des feuilles de laurier, des grains de poivre ou des baies de genièvre ; ou bien couvrez le tout d'une fine couche de gelée au madère, voire de gelée de fruits.

• Pour conserver les terrines plus longtemps, recouvrez-les d'une couche de saindoux fondu ou serrez-les dans du papier aluminium.

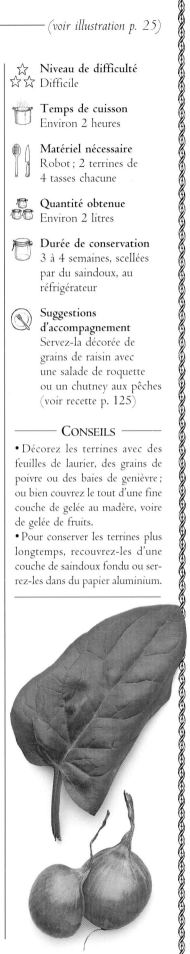

Pâté de campagne

(voir technique p. 70)

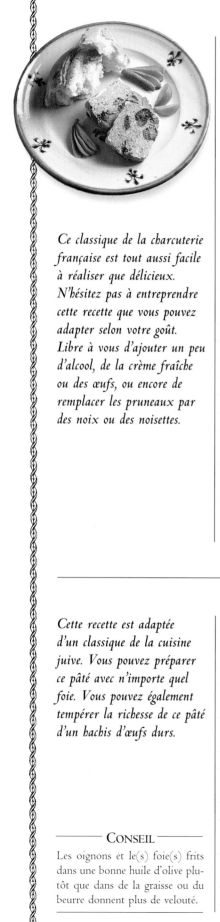

Ce classique de la charcuterie française est tout aussi facile à réaliser que délicieux. N'hésitez pas à entreprendre cette recette que vous pouvez adapter selon votre goût. Libre à vous d'ajouter un peu d'alcool, de la crème fraîche ou des œufs, ou encore de remplacer les pruneaux par des noix ou des noisettes.

INGRÉDIENTS

500 g (1 lb) de poitrine de porc, désossée, sans la peau, coupée en gros cubes

500 g (1 lb) de porc maigre, dans le filet, l'épaule ou le jarret, coupé en gros cubes

500 g (1 lb) de foie de veau ou de porc

150 g (¼ lb) de bacon, en tranches fines

1 ou 2 gousses d'ail, finement hachées

1 cuillerée à thé de baies de genièvre, moulues

½ cuillerée à thé de poivre noir en grains, fraîchement moulu

1 cuillerée à soupe de thym, finement haché

2 cuillerées à thé de sel

½ tasse de pruneaux macérés 2 heures dans 5 cuillerées à thé de cognac chaud

⅔ tasse de vin blanc sec

2 cuillerées à soupe de cognac

Pour les terrines

2 morceaux de crépine

6 fines rondelles d'orange ou de citron

4 à 6 feuilles de laurier

500 à 750 g (1-1½ lb) de saindoux, fondu

baies de genièvre, feuilles de laurier et canneberges, pour décorer (facultatif)

1 Mélangez toutes les viandes, puis passez-les au hache-viande. Ajou-tez les autres ingrédients, mélangez. Couvrez et mettez à réfrigérer 3 à 4 heures.

2 Garnissez les terrines de crépine (voir étape 2, p. 70). Remplissez-les à la cuiller de hachis, en chassant les bulles d'air. Rabattez le surplus de crépine ou de bacon sur les pâtés. Déposez dessus les feuilles de laurier et les rondelles d'orange ou de citron. Fermez avec les couvercles ou une double épaisseur de papier aluminium.

3 Mettez les terrines dans une rôtis-soire, avec de l'eau chaude jusqu'à mi-hauteur. Faites cuire à four pré-chauffé à 160 °C (325 °F) pendant 1 h 30 min à 2 heures ; les pâtés doi-vent s'écarter des bords des terrines et se couvrir de graisse liquide. Laissez re-froidir les terrines puis mettez-les à ré-frigérer pour la nuit sous un poids (voir p. 46).

4 Retirez les rondelles d'orange ou de citron et le laurier, démoulez précautionneusement chaque pâté et ôtez la gelée. Entourez les pâtés de saindoux fondu (voir étape 7, p. 71). Décorez, puis couvrez et mettez au réfrigérateur. Ce pâté sera bon à con-sommer dans 2 ou 3 jours.

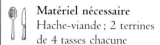 **Niveau de difficulté**
Assez facile

 **Temps de cuisson**
1 h 30 min à 2 heures

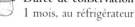 **Matériel nécessaire**
Hache-viande ; 2 terrines de 4 tasses chacune

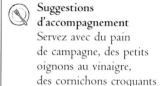 **Quantité obtenue**
Environ 2 kg (4 lb)

Durée de conservation
1 mois, au réfrigérateur

Suggestions d'accompagnement
Servez avec du pain de campagne, des petits oignons au vinaigre, des cornichons croquants et un verre de bon vin

CONSEIL

Cette recette réclame l'utilisation de la grille pour hachis grossier afin d'obtenir une consistance et un aspect plus rustiques. Mais si vous préférez une texture plus dé-licate, hachez la viande avec une grille pour hachis fin.

Pâté de foie moelleux

(voir illustration p. 24)

Cette recette est adaptée d'un classique de la cuisine juive. Vous pouvez préparer ce pâté avec n'importe quel foie. Vous pouvez également tempérer la richesse de ce pâté d'un hachis d'œufs durs.

CONSEIL

Les oignons et le(s) foie(s) frits dans une bonne huile d'olive plu-tôt que dans de la graisse ou du beurre donnent plus de velouté.

INGRÉDIENTS

250 g (½ lb) de graisse d'oie ou de canard, ou de beurre clarifié (voir p. 73)

250 g (½ lb) d'oignons, hachés

500 g (1 lb) de foie de veau ou de foies de volaille, parés et nettoyés

150 g (6 oz) de bacon pas trop maigre, en tranches fines

1 cuillerée à thé de sel

½ cuillerée à thé de poivre noir en grains, fraîchement moulu

2 cuillerées à soupe de cognac (facultatif)

2 cuillerées à soupe de persil, finement haché (facultatif)

½ cuillerée à thé de zeste d'orange ou de citron, finement râpé (facultatif)

1 gousse d'ail, pilée (facultatif)

1 Faites chauffer la moitié de la graisse d'oie ou du beurre dans une poêle, jetez-y les oignons et laissez-les à feu doux 15 à 20 minutes. Ajoutez le foie et faites-le frire 2 minutes sur chaque face ; il doit être rose à l'inté-rieur. Laissez tiédir.

2 Travaillez le contenu de la poêle au robot. Incorporez les autres in-grédients et mixez davantage.

3 Remplissez le pot ou les rame-quins. Laissez refroidir, puis cou-vrez et mettez au réfrigérateur. Faites fondre le reste de matière grasse et ver-sez-la sur le pâté. Laissez réfrigérer au moins 12 heures avant de servir.

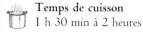 **Niveau de difficulté**
Facile

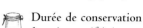 **Temps de cuisson**
Environ 25 minutes

Matériel nécessaire
Robot de cuisine ; pot en faïence de 2 tasses ou 3 ramequins de ¾ tasse, stérilisés (voir pp. 42-43)

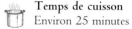 **Quantité obtenue**
Environ 750 g (1½ lb)

Durée de conservation
2 semaines, au réfrigérateur

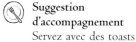 **Suggestion d'accompagnement**
Servez avec des toasts

Pâté de canard aux pistaches et aux kumquats

La présence de kumquats dans ce grand classique de la gastronomie française fait toute l'originalité de ce pâté, particulièrement exquis. Le goût acidulé des kumquats contraste merveilleusement avec la saveur de la chair du canard. La chair d'un gros canard est préférable à celle des canetons destinés au rôtissage. Les os serviront à préparer un succulent bouillon. Ne jetez pas non plus la peau : celle-ci fera d'excellentes couennes rissolées (voir Conseils, en bas à droite).

INGRÉDIENTS

1 canard de 3 kg (6 lb), avec son foie, désossé et sans la peau
300 g (10 oz) de longe de porc ou de veau, coupée en gros cubes
500 g (1 lb) de poitrine de porc, désossée, sans la peau, coupée en gros cubes
2 œufs
1 tasse de pistaches bien vertes, mondées (voir Conseils, à droite)
1 cuillerée à soupe de sel
1 cuillerée à thé de poivre noir en grains, fraîchement moulu
1 cuillerée à soupe d'estragon, finement haché
2 morceaux de crépine ou 300 g (10 oz) de fines tranches de bacon
16 kumquats
500 à 750 g (1-1½ lb) de saindoux, fondu
Pour la marinade
½ tasse de cognac
2 gousses d'ail, hachées
le jus et le zeste de 1 grosse orange
quelques branchettes de thym, finement émiettées

1 Mettez dans un grand bol la chair et le foie de canard, et les cubes de longe de porc ou de veau. Ajoutez tous les ingrédients de la marinade et mélangez soigneusement pour bien mêler les arômes. Couvrez et mettez à réfrigérer 12 heures.

2 Retirez les blancs et le foie du canard et coupez-les en dés de 1 cm (½ po). Passez au hache-viande (grille pour hachis fin) le reste de viandes marinées, ainsi que la poitrine de porc.

3 Incorporez à ce hachis les dés de chair blanche et de foie, la marinade, les œufs, les pistaches, le sel, le poivre et l'estragon. Mélangez bien.

4 Garnissez les terrines de crépine ou de fines tranches de bacon (voir étape 2, p. 70). Remplissez à la cuiller chaque terrine avec le quart du hachis, en tassant bien la préparation avec le dos de la cuiller.

5 Disposez une rangée de kumquats entiers au milieu de chaque pâté. Achevez de remplir les terrines, en chassant les bulles d'air et en tassant bien. La préparation doit arriver à 2,5 cm (1 po) du bord. Rabattez le surplus de crépine ou de bacon sur les pâtés, et fermez les terrines avec leur couvercle ou au moyen d'une double épaisseur de papier aluminium.

6 Mettez les terrines dans une rôtissoire, avec de l'eau chaude jusqu'à mi-hauteur. Faites cuire au four à 160 °C (325 °F) pendant 2 heures ; les pâtés doivent s'écarter du bord des terrines et se couvrir de graisse liquide.

7 Retirez les terrines de la rôtissoire, laissez refroidir, puis mettez à réfrigérer 12 heures sous un poids (voir p. 46). Démoulez précautionneusement chaque pâté et débarrassez-les de toute trace de gelée ou de liquide à l'aide d'un papier absorbant.

8 Entourez les pâtés de saindoux fondu (voir étape 7, p. 71). Décorez à votre goût, couvrez et laissez au réfrigérateur au moins 12 heures avant de servir.

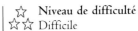
☆ **Niveau de difficulté**
☆☆ Difficile

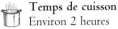
Temps de cuisson
Environ 2 heures

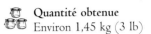
Matériel nécessaire
Hache-viande ; 2 terrines de 4 tasses chacune

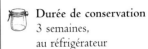
Quantité obtenue
Environ 1,45 kg (3 lb)

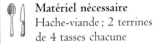
Durée de conservation
3 semaines, au réfrigérateur

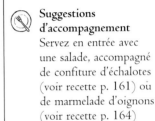
Suggestions d'accompagnement
Servez en entrée avec une salade, accompagné de confiture d'échalotes (voir recette p. 161) ou de marmelade d'oignons (voir recette p. 164)

CONSEILS

• Pour monder les pistaches, faites-les blanchir, rincez-les brièvement à l'eau froide puis frottez-les entre vos doigts.

• Si vous recherchez un pâté à la texture fine et délicate, hachez deux fois la viande, ou passez-la au robot.

• Pour préparer des couennes rissolées avec la peau du canard, découpez celle-ci en gros morceaux et plongez-les dans une casserole avec ½ tasse d'eau. Portez à ébullition, puis laissez cuire à petit feu jusqu'à ce que l'eau soit presque complètement évaporée, et toute la graisse fondue. Augmentez le feu et faites cuire le temps que la peau dore et croustille. Séchez bien les peaux et servez-les chaudes, saupoudrées de sel et de poivre. Ce succulent amuse-gueule peut aussi être conservé dans sa propre graisse et simplement réchauffé à l'heure de l'apéritif.

Rillettes

(voir illustration p. 25)

Les rillettes sont l'équivalent, en France, de nos cretons. La différence tient à ce que la viande est déchiquetée au lieu d'être hachée. Voici une recette de rillettes pur porc, mais vous pourrez également en préparer de la même façon à base d'oie, de canard ou de lapin.

INGRÉDIENTS

1 kg (2 lb) de poitrine de porc, coupée en morceaux de 1 × 5 cm (½ × 2 po)

500 g (1 lb) de gras de lard, découenné et coupé en petits morceaux

½ tasse d'eau ou de vin blanc sec

3 ou 4 branchettes de thym

2 gousses d'ail, épluchées

1½ cuillerée à thé de sel

1 cuillerée à thé de poivre noir ou blanc en grains, fraîchement moulu

1 brin de macis

environ 250 g (½ lb) de saindoux, fondu, pour couvrir

1 Mettez tous les ingrédients, à l'exception du saindoux, dans une marmite à fond épais, et portez lentement à ébullition.

2 Faites cuire 3 heures à couvert, à très petit feu, en remuant fréquemment pour que la préparation n'accroche pas. Retirez le couvercle et laissez encore cuire 1 heure, le temps que la viande soit réduite en une purée épaisse.

3 Versez le contenu de la casserole dans une passoire posée sur un bol. Retirez le thym, l'ail et le macis, et pressez la viande pour en exprimer graisse et jus de cuisson. Réservez ceux-ci. A l'aide de fourchettes, déchiquetez la viande.

4 Remettez la viande dans la casserole nettoyée, ajoutez la graisse et le jus de cuisson passés. Faites chauffer à feu doux 10 minutes, en mélangeant bien pour obtenir une pâte homogène. Goûtez et rectifiez au besoin l'assaisonnement, puis remplissez le pot ou la terrine de la préparation. Laissez refroidir, puis versez le saindoux fondu sur les rillettes. Couvrez et mettez à réfrigérer.

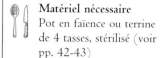 **Niveau de difficulté**
Assez facile

 **Temps de cuisson**
Environ 4 h 30 min

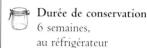 **Matériel nécessaire**
Pot en faïence ou terrine de 4 tasses, stérilisé (voir pp. 42-43)

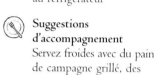 **Quantité obtenue**
Environ 1 kg (2 lb)

Durée de conservation
6 semaines, au réfrigérateur

Suggestions d'accompagnement
Servez froides avec du pain de campagne grillé, des oignons au vinaigre (voir recette p. 92) ou des cornichons en saumure (voir recette p. 93)

Terrine de venaison

(voir technique p. 72)

Le gibier en général permet de mitonner de succulents apprêts, ce dont témoignent les conserves de sanglier, chevreuil, cerf, faisan...

INGRÉDIENTS

250 g (½ lb) de bacon

750 g (1½ lb) d'épaule ou de cuissot de venaison, bien préparé et coupé en cubes de 2,5 cm (1 po)

7 cuillerées à soupe (100 g) de beurre

2 gousses d'ail, pilées

1 tasse de porto ou de bon vin rouge

1 cuillerée à thé de baies de genièvre, écrasées

1 cuillerée à thé de poivre noir en grains, fraîchement moulu

2 brins de macis

½ à 1 tasse (100-250 g) de beurre clarifié, pour couvrir (voir p. 73)

quelques feuilles de laurier et des canneberges, pour décorer (facultatif)

Pour le bouquet garni

2 branchettes de thym

1 feuille de laurier

2 ou 3 feuilles de sauge

quelques lanières d'écorce de citron

1 Hachez grossièrement le bacon et mettez-le dans une cocotte avec le bouquet garni et tous les autres ingrédients, à l'exception du beurre clarifié et des éléments de décoration. Couvrez et faites cuire au four à 160 °C (325 °F) pendant 2 h 30 min à 3 heures ; la viande doit être très tendre.

2 Retirez le macis, le bouquet garni et la couenne. Passez la viande au robot jusqu'à obtention d'une pâte lisse et homogène. Remplissez-en le pot ou les ramequins individuels. Laissez refroidir complètement. Couvrez et mettez à réfrigérer 2 à 3 heures.

3 Versez le beurre clarifié sur la viande (voir étape 5, p. 73). Attendez qu'il fige pour décorer la terrine de feuilles de laurier ou de canneberges. Cette terrine de venaison est d'ores et déjà prête à être dégustée.

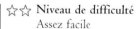 **Niveau de difficulté**
Assez facile

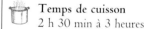 **Temps de cuisson**
2 h 30 min à 3 heures

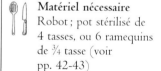 **Matériel nécessaire**
Robot ; pot stérilisé de 4 tasses, ou 6 ramequins de ¾ tasse (voir pp. 42-43)

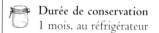 **Quantité obtenue**
Environ 1 kg (2 lb)

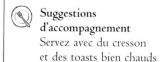 **Durée de conservation**
1 mois, au réfrigérateur

Suggestions d'accompagnement
Servez avec du cresson et des toasts bien chauds

VARIANTE

◆ Avant de remplir les ramequins, garnissez-en le fond de 1 cuillerée à soupe de gelée de groseille, de cassis ou de canneberge.

Bœuf en pot

Autrefois, les viandes en pot participaient surtout de l'art d'accommoder les restes. Mais ces recettes n'en étaient pas moins délicieuses. Celle-ci fait appel à du bœuf cru, mais vous pouvez aussi utiliser des restes de viande cuite. Dans ce cas, le temps de cuisson sera évidemment réduit.

INGRÉDIENTS

1 kg (2 lb) de bœuf (dans l'épaule ou la cuisse), débarrassé du gras et des tendons et coupé en cubes

1 tasse de bouillon de bœuf

3 ou 4 filets d'anchois, hachés

10 cuillerées à soupe (150 g) de beurre

2 ou 3 branchettes de thym

2 feuilles de laurier

2 brins de macis

1 cuillerée à thé de sel

½ cuillerée à thé de zeste de citron, râpé

7 cuillerées à soupe (100 g) de beurre clarifié (voir p. 73)

1 Mettez dans une cocotte tous les ingrédients sauf le beurre clarifié, le sel et le zeste de citron. Couvrez et portez à ébullition, puis faites cuire à très petit feu jusqu'à ce que la viande soit tendre. (Autre méthode : faites cuire 2 heures à four préchauffé à 160 °C (325 °F).

2 Retirez les herbes et le macis ; égouttez la viande. Versez le liquide de cuisson dans une casserole et faites-le réduire à 1 tasse.

3 Travaillez la viande au robot avec le jus de cuisson ; incorporez le zeste de citron râpé et le sel. Remplissez le pot ou les ramequins et mettez à réfrigérer 2 à 3 heures. Versez le beurre clarifié fondu (voir étape 5, p. 73), couvrez et remettez au réfrigérateur. Ce bœuf en pot sera bon à consommer dans 2 jours.

☆ **Niveau de difficulté**
Facile

🍲 **Temps de cuisson**
Environ 2 heures

🍴 **Matériel nécessaire**
Robot ; pot en faïence de 4 tasses, ou 6 ramequins de ¾ tasse, stérilisés (voir pp. 42-43)

🫙 **Quantité obtenue**
Environ 750 g (1½ lb)

🫙 **Durée de conservation**
5 semaines, au réfrigérateur

🍽 **Suggestions d'accompagnement**
Servez avec une salade de cresson ou de pommes de terre tièdes

Fromage en pot

Puisque la conservation des aliments en pot, protégés d'une épaisse couche de bonne graisse, fait des merveilles, pourquoi ne pas l'appliquer à des fromages ? Mélangés à du beurre, les bleus et les pâtes cuites forment une crème savoureuse pour tartiner du pain ou garnir des pâtes. Cette pâte se gardera 1 mois.

INGRÉDIENTS

500 g (1 lb) de cheddar, finement râpé

5 cuillerées à soupe de beurre doux, ramolli

1 cuillerée à soupe de xérès sec

1 cuillerée à thé de moutarde anglaise

¼ cuillerée à thé de zeste de citron, râpé

1 grosse pincée de noix muscade, fraîchement râpée

1 grosse pincée de piment oiseau en poudre ou de piment de Cayenne

¾ tasse de beurre clarifié (voir p. 73)

1 Mettez tous les ingrédients dans un grand bol de préparation, à l'exception du beurre clarifié. Battez-les jusqu'à obtention d'une pâte homogène. Remplissez-en le pot ou les ramequins jusqu'à 1 cm (½ po) du bord. Lissez la surface et mettez à réfrigérer 2 à 3 heures.

2 Versez le beurre clarifié (voir étape 5, p. 73), couvrez et remettez au réfrigérateur. Ce fromage en pot sera bon à consommer dans 2 jours.

☆ **Niveau de difficulté**
Facile

🍴 **Matériel nécessaire**
Pot en faïence de 2 tasses, ou 3 ramequins de ¾ tasse, stérilisés (voir pp. 42-43)

🫙 **Quantité obtenue**
Environ 500 g (1 lb)

🫙 **Durée de conservation**
6 semaines, au réfrigérateur

Crevettes en pot

Cette spécialité britannique, très facile à réaliser, est un régal. La fraîcheur des crevettes est primordiale et l'on aura recours de préférence aux toutes petites. Dans ce cas, les connaisseurs se garderont de les décortiquer et se contenteront de leur couper la tête !

INGRÉDIENTS

1 kg (2 lb) de crevettes crues

1 court-bouillon relevé

1¼ tasse de beurre clarifié (voir p. 73)

1 cuillerée à thé de sel

½ cuillerée à thé de poivre noir ou blanc en grains, fraîchement moulu

½ cuillerée à thé de macis moulu

1 pincée de piment de Cayenne

1 Plongez les crevettes 2 minutes dans le court-bouillon à ébullition. Asséchez-les, rafraîchissez-les, asséchez-les à nouveau, et décortiquez-les.

2 Mettez les crevettes dans un bol et mélangez-les avec les autres ingrédients, après avoir prélevé 5 cuillerées à soupe du beurre clarifié. Remplissez les ramequins de la préparation et faites cuire 15 minutes au four préchauffé à 190 °C (375 °F).

3 Laissez refroidir, puis mettez à réfrigérer 2 à 3 heures. Versez le reste de beurre clarifié (voir étape 5, p. 73). Couvrez et remettez au réfrigérateur. Les crevettes seront bonnes à consommer dans 24 heures.

☆ **Niveau de difficulté**
Facile

🍲 **Temps de cuisson**
Environ 17 minutes

🍴 **Matériel nécessaire**
6 ramequins de ¾ tasse

🫙 **Quantité obtenue**
Environ 1 kg (2 lb)

🫙 **Durée de conservation**
1 mois, au réfrigérateur

CONSERVES DE POISSON

LE POISSON PERMET DE RÉALISER d'excellentes conserves, quel que soit le traitement qu'on lui réserve – bain de vinaigre, bain d'huile, saumure, salaison à sec, fumage... Autant d'apprêts variés et hautement gastronomiques qui lui font parfois gagner une nouvelle renommée. C'est ainsi que la morue séchée devient le stockfish, et l'églefin fumé le haddock. Les recettes qui suivent concernent principalement le saumon et le hareng, mais bien d'autres poissons de mer et d'eau douce peuvent également être mis en bocaux par vos soins – sans oublier les coquillages et crustacés.

Poisson mariné

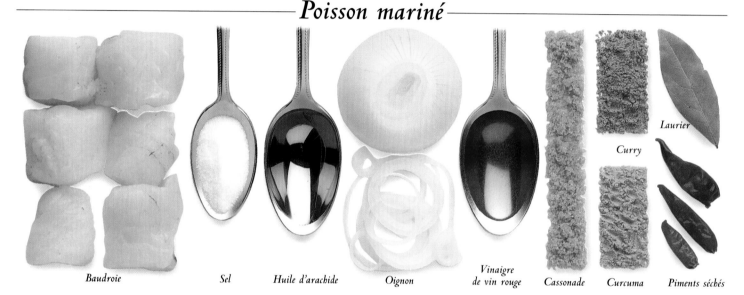

Baudroie   Sel   Huile d'arachide   Oignon   Vinaigre de vin rouge   Cassonade   Curcuma   Piments séchés   Curry   Laurier

Cette recette délicieusement piquante est originaire d'Afrique du Sud, où elle est préparée avec du saumon. Mais, à défaut de saumon du Cap, vous pouvez réaliser cette recette avec de la baudroie, de l'églefin, de l'anguille de mer ou du maquereau.

INGRÉDIENTS

1 kg (2 lb) de filets de poisson très frais, coupés en morceaux de 5 cm (2 po)
5 cuillerées à thé de sel
6 à 7 cuillerées à soupe d'huile d'arachide ou d'huile de sésame raffinée
4 tasses de vinaigre de vin rouge ou blanc
500 g (1 lb) d'oignons, coupés en fines rondelles
2 cuillerées à soupe de cassonade
1 cuillerée à soupe de curry doux en poudre
1 cuillerée à thé de curcuma en poudre
2,5 cm (1 po) de gingembre frais, râpé
2 ou 3 piments rouges séchés
1 ou 2 feuilles de laurier

1 Dans un grand bol, saupoudrez le poisson de 3 cuillerées à soupe de sel et laissez dégorger 2 heures. Séchez les filets sur du papier absorbant.

2 Dans une grande poêle à frire, chauffez 4 cuillerées à soupe d'huile, jetez-y les filets et faites-les cuire à feu vif 3 minutes de chaque côté. Égouttez le poisson sur du papier absorbant.

3 Dans une marmite anticorrosion, mettez le vinaigre, les oignons, la cassonade, le curry, le curcuma, le gingembre et le reste de sel. En écumant, portez à ébullition et maintenez-la 5 à 6 minutes, le temps que les oignons blondissent. Retirez les oignons à l'aide d'une cuiller ajourée et égouttez-les bien.

4 Disposez le poisson et les oignons en couches successives dans le pot ou le bocal stérilisé chaud, en y incorporant piments et feuilles de laurier. Ramenez le mélange au vinaigre à ébullition ; versez-le dans le bocal. Ajoutez ce qui reste d'huile pour couvrir entièrement les ingrédients et fermez. Cette conserve sera bonne à consommer au bout de 2 semaines.

☆ **Niveau de difficulté**
Facile

Temps de cuisson
Environ 30 minutes

Matériel nécessaire
Pot en faïence ou bocaux stérilisés, avec couvercles résistant au vinaigre (voir pp. 42-43)

Quantité obtenue
Environ 1,5 litre

Durée de conservation
3 à 4 mois, au réfrigérateur

Suggestions d'accompagnement
Servez avec des achards de légumes, des poivrons marinés ou une salade d'avocats et de pamplemousses

LE POISSON MARINÉ *est un amuse-gueule original, simplement garni de persil frais et de quartiers de lime. Si vous le servez en entrée, accompagnez-le de salades composées et de pain beurré.*

UN POISSON À CHAIR
FERME, comme la baudroie
ou la morue, donne
les meilleurs résultats
pour cette recette.

OIGNONS, GINGEMBRE
ET CURRY apportent
leurs saveurs à cette
conserve, tandis que
le curcuma y ajoute
de la couleur.

VARIANTES

◆ *Poisson mariné au citron*

Coupez 2 citrons en tranches fines, sau-poudrez-les de 2 cuillerées à soupe de sel et laissez-les dégorger 2 heures. Séchez-les bien, puis ajoutez-les aux oignons égouttés.

◆ *Poisson mariné à l'aneth*

Aux oignons égouttés, ajoutez 4 cuille-rées à soupe d'aneth frais haché.

Saumon mariné

(voir illustration p. 27)

Cette recette de chez nous peut également être réalisée avec du brochet. Le résultat est tout aussi savoureux.

INGRÉDIENTS

4 oignons, émincés

1 kg (2 lb) de filets de saumon, coupés en tronçons épais de 2,5 cm (1 po)

2½ cuillerées à thé de sel

le jus de 1 citron

¾ tasse de vinaigre de vin blanc

2 cuillerées à soupe de sucre

2 feuilles de laurier

1 cuillerée à thé de poivre noir en grains

½ cuillerée à thé de graines de moutarde

½ cuillerée à thé de graines d'aneth

¾ cuillerée à thé de clous de girofle

1 Mettez la moitié des rondelles d'oignons dans une poissonnière et placez-y les filets de saumon en une seule couche.

2 Ajoutez 1 cuillerée à thé de sel, le jus de citron et suffisamment d'eau froide pour couvrir. Portez lentement à ébullition, puis réduisez et laissez cuire à feu doux 1 minute. Retirez du feu et laissez le saumon refroidir dans le liquide.

3 Garnissez le bocal stérilisé chaud de couches alternées de poisson et d'oignons, en terminant par une couche d'oignons.

4 Filtrez le liquide de cuisson dans une casserole inoxydable, portez à ébullition et faites réduire à 3 tasses environ.

5 Ajoutez le vinaigre, le sucre, les feuilles de laurier, le poivre, les graines de moutarde et d'aneth, les clous de girofle et ce qui reste de sel ; ramenez à ébullition et maintenez-la 2 à 3 minutes.

6 Remplissez le bocal du mélange au vinaigre, en veillant à ce que ce liquide recouvre tous les ingrédients, puis fermez. Ce saumon sera bon à consommer dans 3 ou 4 jours.

CONSEIL

Inutile d'enlever les petites arêtes : le vinaigre les rendra parfaitement inoffensives.

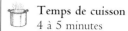

☆ **Niveau de difficulté**
Facile

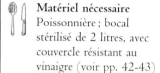

Temps de cuisson
4 à 5 minutes

Matériel nécessaire
Poissonnière ; bocal stérilisé de 2 litres, avec couvercle résistant au vinaigre (voir pp. 42-43)

Quantité obtenue
Environ 1,25 litre

Durée de conservation
3 mois, au réfrigérateur

Suggestions d'accompagnement
Servez avec une salade de betteraves ou de concombres à la crème

Rollmops

(voir illustration p. 27)

Cette spécialité allemande exige des harengs de première qualité. Les meilleurs sont les maatjes ou les schmaltz, mais d'autres conviennent pourvu qu'ils soient salés.

INGRÉDIENTS

8 harengs salés entiers ou 16 filets préparés

6 cuillerées à soupe de moutarde forte

4 gros cornichons malossol au vinaigre, coupés en deux sur la longueur

4 gros oignons, émincés et blanchis quelques secondes (voir p. 46)

2 cuillerées à soupe de câpres

Pour la marinade

2 tasses de vinaigre de vin blanc ou de vinaigre de cidre

2 tasses d'eau ou de vin blanc sec

2 cuillerées à thé de baies de genièvre, écrasées

1 cuillerée à thé de baies de piment de la Jamaïque, écrasées

2 ou 3 clous de girofle, écrasés

CONSEILS

• Pour enlever l'arête centrale des harengs, commencez par couper la tête et la queue. Puis, à l'aide d'un couteau à lame affûtée, incisez la chair le long du dos, de part et d'autre de l'arête. Ôtez l'arête avec vos doigts et videz le poisson.

• S'il n'y avait pas assez de marinade pour couvrir les rollmops, complétez avec du vinaigre froid.

1 Pour préparer les harengs entiers, recouvrez-les d'eau et mettez-les au réfrigérateur au moins 12 heures ; changez l'eau une ou deux fois.

2 Dans une marmite anticorrosion, mettez tous les ingrédients de la marinade, portez à ébullition, puis faites cuire à feu doux 10 minutes. Laissez complètement refroidir.

3 Égouttez et séchez les harengs, puis ôtez les arêtes (voir Conseils, à gauche) – ou rincez et séchez les filets vendus préparés ; réservez la marinade. Mettez les filets sur une planche, côté peau dessous, et badigeonnez-les de moutarde. Posez ½ cornichon à l'extrémité de chaque filet, côté large, et parsemez d'oignon et de câpres. Enroulez chaque hareng en le maintenant avec des piques en bois.

4 Rangez les harengs roulés et le reste d'oignon dans le bocal stérilisé, en finissant par une couche d'oignons. Versez la marinade, fermez et mettez au réfrigérateur. Ces rollmops seront prêts dans 1 semaine.

☆ **Niveau de difficulté**
Facile

Temps de cuisson
Environ 12 minutes

Matériel nécessaire
Bocal de 2 litres à col très large, stérilisé, avec couvercle résistant au vinaigre (voir pp. 42-43)

Quantité obtenue
Environ 1,5 litre

Durée de conservation
6 mois, au réfrigérateur

Suggestions d'accompagnement
Servez comme amuse-gueule avec du schnaps ou de la vodka glacée, ou en entrée avec une salade de pommes de terre tiède

Harengs à la moutarde

Originaire d'Europe du Nord, cette recette est extrêmement savoureuse et mérite d'être essayée.

INGRÉDIENTS

6 harengs salés entiers ou 12 filets préparés

1 tasse de vinaigre de vin blanc ou de vinaigre de malt distillé

¼ cuillerée à thé de clous de girofle

1 cuillerée à thé de poivre noir en grains

2 feuilles de laurier

3 oignons, émincés

4 œufs

1½ cuillerée à soupe de sucre

2 cuillerées à soupe de moutarde en poudre

1 grosse pincée de curcuma en poudre

CONSEILS

• Achetez de gros harengs salés et faites-les dessaler 12 heures avant utilisation.

• Juste avant de sceller le bocal, pensez à le taper légèrement contre une surface dure pour chasser d'éventuelles bulles d'air.

1 Pour préparer les harengs entiers, recouvrez-les d'eau et mettez-les au réfrigérateur au moins 12 heures ; changez l'eau une ou deux fois.

2 Dans une marmite anticorrosion, portez à ébullition le vinaigre avec les clous de girofle, le poivre et les feuilles de laurier, puis laissez cuire à feu doux quelques minutes.

3 Faites blanchir les oignons. Égouttez et séchez les harengs, ôtez les arêtes (voir recette des rollmops, p. 150) – ou rincez et séchez les filets vendus préparés. Coupez les poissons en morceaux de la taille d'une bouchée.

4 Battez les œufs avec le sucre, la moutarde et le curcuma ; incorporez le mélange au vinaigre refroidi. Versez le tout dans une casserole à fond épais (ou dans un bol placé au bain-marie). Faites mijoter en remuant jusqu'à ce que la préparation épaississe suffisamment. Versez sur les oignons et laissez refroidir.

5 Ajoutez les harengs et mélangez bien. Remplissez les bocaux stérilisés de cette préparation, fermez et mettez au réfrigérateur. Cette conserve sera prête dans 3 jours.

  Niveau de difficulté
Assez facile

 Temps de cuisson
35 à 40 minutes

 Matériel nécessaire
Bain-marie ; 2 bocaux stérilisés, de 500 ml chacun, avec couvercles résistant au vinaigre (voir pp. 42-43)

 Quantité obtenue
Environ 1 litre

Durée de conservation
1 à 2 semaines, au réfrigérateur

Suggestions d'accompagnement
Servez avec du pain de seigle beurré, accompagné de vodka ou d'aquavit glacés

Harengs à la crème

Très facile à réaliser, à servir en de multiples occasions, cette recette est, en outre, un véritable délice.

INGRÉDIENTS

6 harengs salés entiers ou 12 filets préparés

2 gros oignons, coupés en fines rondelles

6 à 8 baies de piment de la Jamaïque, écrasées

2 ou 3 feuilles de laurier séchées et émiettées

1½ tasse de crème fraîche épaisse

1 tasse de vinaigre de vin blanc

1 cuillerée à soupe de sucre

1 Pour préparer les harengs entiers, recouvrez-les d'eau et mettez-les au réfrigérateur au moins 12 heures ; changez l'eau une ou deux fois.

2 Égouttez et asséchez les harengs, ôtez les arêtes (voir recette des rollmops, p. 150) – ou rincez et asséchez les filets vendus préparés. Coupez les poissons en morceaux de la taille d'une bouchée.

3 Faites blanchir les oignons. Mélangez-les avec les feuilles de laurier et le piment de la Jamaïque. Garnissez-en les bocaux stérilisés, en alternant avec des couches de harengs et en finissant par les oignons.

4 Mélangez, en tournant, la crème fraîche, le vinaigre et le sucre et remplissez les bocaux de cette préparation ; chassez les bulles d'air, fermez, puis mettez au réfrigérateur. Ces harengs seront bons dans 2 ou 3 jours.

 Niveau de difficulté
Facile

 Matériel nécessaire
2 bocaux stérilisés, de 500 ml chacun, avec couvercles résistant au vinaigre (voir pp. 42-43)

 Quantité obtenue
Environ 1 litre

 Durée de conservation
1 semaine, au réfrigérateur

 Suggestions d'accompagnement
Servez en entrée avec du pain de seigle ou des pommes de terre cuites au four

CONSEIL

Si les harengs n'avaient pas suffisamment dessalé au bout de 12 heures, rincez-les, recouvrez-les d'eau fraîche et remettez-les à tremper 12 heures de plus.

Saumon fumé

(voir technique p. 66)

Habitué des tables de fête, qu'il soit de l'Atlantique, du Pacifique, norvégien ou écossais, le saumon fumé à froid ou à chaud doit une bonne part de sa saveur au bois de fumage utilisé, saveur remarquable avec les bois de hêtre, de chêne ou de cerisier.

── VARIANTE ──

♦ *Truite fumée*

N'ôtez pas l'arête. Saupoudrez la peau et l'intérieur de la truite de sel mélangé et mettez à réfrigérer 3 à 4 heures. Séchez-la comme le saumon, puis fumez-la à chaud pendant 1 h 30 min à 2 heures. Terminez comme pour le saumon.

INGRÉDIENTS

2 à 3 kg (4-6 lb) de saumon frais, nettoyé
1½ tasse de sel de mer
½ tasse de cassonade dorée
1 ou 2 cuillerées à soupe de whisky

1 Levez les filets et ôtez les petites arêtes (voir étapes 1 et 2, p. 66). Rincez et asséchez les filets.

2 Dans un plat inoxydable, étalez une couche de 5 mm (¼ po) de sel et de sucre mélangés. Couchez-y un filet, côté peau dessous; puis couvrez-le d'une nouvelle couche du mélange sel et sucre, épaisse de 1 cm (½ po).

3 Allongez le second filet, toujours côté peau dessous, et saupoudrez-le du reste du mélange sel et sucre. Couvrez et laissez reposer au frais pendant 3 h 30 min.

4 Retirez les filets du mélange sel et sucre, et rincez-les sous le robinet d'eau froide. Séchez-les, puis piquez une brochette de bois en haut de chaque filet (voir étape 5, p. 66). Frottez-les de whisky sur les deux faces.

5 Suspendez les filets dans un endroit froid (6-8 °C/42-46 °F), sec, sombre et bien ventilé pendant 24 heures, le temps que la chair et la peau soient presque sèches au toucher et comme vernies par le sel.

6 Étendez les filets sur les grilles du fumoir et procédez soit à un fumage à chaud (55 °C/130 °F) pendant 2 à 3 heures, soit à un fumage à froid (28 °C/82 °F) pendant 3 à 4 heures. Laissez refroidir les filets, puis mettez-les au réfrigérateur, bien enveloppés dans du papier ciré ou aluminium. Ce saumon fumé sera prêt à être dégusté dans 24 heures.

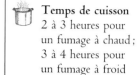 **Niveau de difficulté**
Assez facile

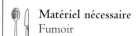 **Temps de cuisson**
2 à 3 heures pour un fumage à chaud ; 3 à 4 heures pour un fumage à froid

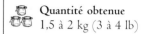 **Matériel nécessaire**
Fumoir

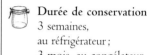 **Quantité obtenue**
1,5 à 2 kg (3 à 4 lb)

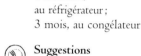 **Durée de conservation**
3 semaines, au réfrigérateur ; 3 mois, au congélateur

Suggestions d'accompagnement
Servez le saumon fumé à chaud, avec de l'aneth et des pommes de terre ; servez le saumon fumé à froid avec de la crème fraîche et des blinis

Crevettes fumées

Tout en augmentant assez sensiblement leur durée de conservation, le fumage modifie très subtilement la saveur des crevettes. Le bois de fumage a une grande importance : délicat, le bois de pommier ou de citronnier respecte la finesse naturelle de ces crustacés. Vous pouvez également appliquer cette recette à d'autres fruits de mer — seiche, poulpe, huîtres ou palourdes.

INGRÉDIENTS

1,5 kg (3 lb) de grosses crevettes
8 tasses d'eau
1 cuillerée à soupe de sel
1 botte d'aneth frais ou 2 cuillerées à soupe d'aneth séché
2 à 3 cuillerées à soupe d'huile d'olive ou de pépins de raisin
Pour la saumure
6 tasses d'eau
1⅓ tasse de sel

1 Coupez les têtes des crevettes ; lavez-les à l'eau froide, puis égouttez-les 30 à 45 minutes.

2 Préparez la saumure en faisant complètement dissoudre le sel dans l'eau. Plongez-y les crevettes et maintenez-les sous l'eau avec un poids (voir p. 46). Retirez-les au bout de 1 heure et séchez-les très soigneusement. (Si vous aimez les crevettes plus douces, ne les laissez que 30 minutes immergées dans l'eau salée.)

3 Dans une grande casserole, portez à ébullition 8 tasses d'eau avec 1 cuillerée à soupe de sel. Ajoutez l'aneth, baissez le feu faites cuire doucement 15 minutes, puis incorporez les crevettes. Laissez-les cuire 2 à 5 minutes à feu doux.

4 Retirez les crevettes et mettez-les à refroidir 1 à 2 heures, le temps qu'elles soient sèches au toucher.

5 Frottez d'huile les crevettes, puis faites-les fumer à froid (25 °C/77 °F) pendant 2 heures (voir p. 66).

6 Enveloppez les crevettes dans du papier ciré ou sulfurisé et mettez-les au réfrigérateur. Vous pouvez aussi les conserver à l'huile (voir recette des fruits de mer à l'huile, p. 109).

Niveau de difficulté
Assez facile

Temps de cuisson
Environ 20 minutes, plus 2 heures de fumage

Matériel nécessaire
Fumoir

Quantité obtenue
Environ 1 kg (2 lb)

Durée de conservation
1 mois, au réfrigérateur ; 3 mois, au congélateur

Suggestions d'accompagnement
Servez à l'apéritif ou en entrée, avec du pain frais beurré

Gravlax à la scandinave

(voir illustration p. 26)

Voici peut-être la façon la plus simple et la plus agréable de déguster du poisson. Cette recette est également excellente avec la truite, le flétan et le thon. L'alcool ne fait pas partie de la recette traditionnelle, mais il donne une note intéressante tout en aidant à la conservation.

CONSEIL

La cassonade donne non seulement une saveur exquise à cette spécialité, mais aussi une belle couleur.

INGRÉDIENTS

1 kg (2 lb) de saumon, découpé en filets et nettoyé de ses arêtes (voir étapes 1 et 2, p. 66)
4 cuillerées à soupe de gros sel
3 cuillerées à soupe de sucre blanc ou de cassonade dorée
1 cuillerée à soupe de poivre noir en grains, grossièrement moulu
1 botte d'aneth frais, grossièrement haché
2 à 3 cuillerées à soupe d'aquavit ou de vodka

1 Étendez le premier filet de saumon, côté peau dessous, sur un grand rectangle de papier aluminium. Mélangez le sel, le sucre ou la cassonade et le poivre. Saupoudrez le filet de la moitié du mélange.

2 Ajoutez au reste du mélange l'aneth et l'alcool, et versez sur le même filet. Posez le second filet sur le premier, côté peau dessus. Rabattez le papier aluminium et enveloppez-en étroitement le saumon.

3 Placez le saumon enveloppé dans un plat peu profond. Couvrez avec une planchette ou une assiette et mettez sous poids (voir p. 46) au réfrigérateur 24 à 36 heures en retournant le poisson enveloppé toutes les 12 heures.

4 Ouvrez le paquet, retirez-en précautionneusement les filets l'un après l'autre. Nettoyez-les délicatement du sel, du sucre, de l'aneth et du poivre. Pour servir le saumon, coupez-le en très fines tranches.

☆ **Niveau de difficulté**
Facile

Quantité obtenue
Environ 1 kg (2 lb)

Durée de conservation
1 semaine, au réfrigérateur (pour une conservation plus longue, voir recette des harengs à l'huile épicée, p. 109)

Suggestions d'accompagnement
Servez avec une sauce moutarde et des pommes de terre chaudes ou une salade de betteraves

Sprats au sel

(voir illustration p. 74)

Très utilisés dans la cuisine scandinave, ces petits poissons fumés sont délicieux. Cette recette se prépare aussi avec des sardines ou des harengs.

CONSEILS

• Choisissez de petits poissons de même taille, à la peau brillante et argentée.
• Coupez les têtes si vous voulez, mais sachez qu'elles contiennent de l'huile et que les sprats cuisinés y perdront un peu de leur caractère.
• Outre le poivre et le laurier, vous pouvez employer des baies de genièvre et de piment de la Jamaïque.
• Pour une conservation prolongée, les sprats peuvent aussi être laissés dans le sel : après l'étape 6, retirez-les de la saumure et disposez des couches alternées de gros sel et de poissons dans une boîte en bois (voir illustration p. 27).
• Quand vous décidez d'inscrire les sprats à votre menu, retirez-les de la saumure (ou du sel) et mettez-les à tremper quelques heures dans de l'eau fraîche, ou, mieux, dans un mélange d'eau et de lait.

INGRÉDIENTS

1 kg (2 lb) de sprats
2 tasses (500 g) de sel de mer fin
1 kg à 1,5 kg (2-3 lb) de gros sel ou de sel gemme
3 ou 4 feuilles de laurier
1 cuillerée à soupe de poivre noir en grains

1 Nettoyez et videz les poissons. A l'aide d'une paire de petits ciseaux, incisez la peau juste sous les ouïes et descendez le long du ventre jusqu'à la queue. Retirez les branchies et le contenu de l'abdomen (voir étapes 1, 2 et 3, p. 74).

2 Saupoudrez un peu de sel de mer fin à l'intérieur de chaque poisson et sur toute la peau, puis frottez-les minutieusement.

3 Dans un plat peu profond, disposez les sprats en couches successives, en saupoudrant chacune de sel de mer. Entreposez dans un endroit froid (6-8 °C/42-46 °F), ou mettez au réfrigérateur 2 à 3 heures, le temps que les poissons se déshydratent.

4 Étalez une couche de gros sel dans le fond d'un grand récipient en verre ou en faïence.

5 Disposez-y une couche de sprats sur le sel ; ajoutez les feuilles de laurier et les grains de poivre. Recouvrez d'une nouvelle couche de gros sel ou de sel gemme, épaisse de 5 mm (¼ po). Continuez ainsi l'opération, en alternant les ingrédients jusqu'à parvenir en haut du récipient, et finissez par une couche de sel.

6 Couvrez et mettez sous poids (voir p. 46) dans un endroit froid (6-8 °C/42-46 °F) et à l'abri de la lumière. Ces sprats au sel seront bons à consommer dans 1 semaine.

7 Pour conserver le poisson plus longtemps, retirez l'huile qui s'est accumulée à la surface du récipient. S'il ne s'était pas formé assez de saumure pour recouvrir les sprats, complétez avec une solution saline faite d'eau et de sel en proportions égales. Fermez le récipient et remettez-le au réfrigérateur ou dans un endroit froid.

☆ **Niveau de difficulté**
Facile

Matériel nécessaire
Pot en faïence ou récipient en verre stérilisé, avec couvercle résistant au vinaigre (voir pp. 42-43)

Quantité obtenue
Environ 750 g (1½ lb)

Durée de conservation
2 ans, au réfrigérateur

Suggestions d'accompagnement
Servez avec de l'oignon cru

VARIANTES

◆ Les sprats au sel peuvent être découpés en filets et conservés comme les harengs à l'huile épicée (voir p. 109).

◆ **Anchois à l'huile d'olive**
Procédez comme avec les sprats, puis découpez les anchois en filets. Enroulez chaque filet autour d'une grosse câpre et fixez-les à l'aide de bâtonnets en bois. Mettez-les dans un petit bocal et couvrez-les d'huile d'olive.

CONFITURES, GELÉES ET MARMELADES

L'ÉTÉ EST LA SAISON IDÉALE pour réaliser des conserves sucrées, tant les fruits juteux y abondent. C'est le moment de mêler sucre et fruits pour mitonner des confitures, ces gourmandises appréciées entre toutes. Mais il ne faut pas se limiter aux confitures quand on peut aussi facilement réussir des gelées – des jus de fruits et du sucre sont portés à ébullition et cuits jusqu'à ce qu'ils nappent la cuiller – et des marmelades – des fruits en morceaux fondent dans le sucre jusqu'à acquérir la consistance d'une purée. A l'origine, les marmelades n'étaient pas forcément faites à partir d'agrumes, c'est pourquoi vous trouverez ici quelques recettes originales... à base de légumes (voir p. 164). Pour en revenir aux fruits, qui règnent tout de même ici en maîtres, utilisez-les frais de préférence ; si vous optez pour des fruits congelés, ajustez leur taux de pectine : la congélation en détruisant une partie, il vous faudra puiser dans votre provision de pectine (voir p. 47), ou bien ajouter des citrons ou des oranges.

Confiture de raisins

Raisin vert

Citron

Sucre cristallisé

Pacanes

Cognac

Cette confiture peu habituelle dans nos contrées est plus courante dans le Moyen-Orient, où l'on sert des confitures de cette sorte dans les cérémonies traditionnelles de bienvenue. La coutume veut qu'on les déguste à la petite cuiller, avec un verre d'eau fraîche.

INGRÉDIENTS

1 kg (2 lb) de grains de raisin, vert ou rouge, épépinés
2 citrons, coupés en fines demi-rondelles
3 tasses de sucre granulé
1 tasse de pacanes, légèrement grillées
⅓ tasse de cognac

1 Mettez le raisin, les citrons et le sucre dans une marmite. Mélangez bien, couvrez et laissez reposer quelques heures, le temps que les fruits expriment leur jus.

2 Portez à ébullition, puis laissez cuire à feu moyen 1 heure à 1 h 30 min, en remuant fréquemment pour que le fond n'attache pas.

3 Il est inutile de tester le degré de gélification pour cette confiture : elle est prête quand elle est assez épaisse pour que la cuiller en bois passée à la surface laisse un sillage.

4 Retirez la marmite du feu et laissez reposer la confiture quelques minutes avant de la mettre en bocal, le temps qu'elle prenne (cela empêchera les fruits de tomber au fond). Ajoutez, en tournant, les pacanes et le cognac. Remplissez les bocaux stérilisés chauds à la louche, puis fermez.

☆ **Niveau de difficulté**
Facile

Temps de cuisson
1 h 15 min à 1 h 45 min

Matériel nécessaire
Bocaux stérilisés et couvercles (voir pp. 42-43)

Quantité obtenue
Environ 1,25 litre

Durée de conservation
2 ans, après stérilisation (voir pp. 44-45)

LA CONFITURE DE RAISINS vient
couronner un gâteau de Savoie : en coulant, la
confiture forme une sauce délectable, tandis que
les noix et les morceaux de fruits contrastent
merveilleusement avec le fondant de la pâtisserie.

LES PACANES GRILLÉES
ajoutent une consistance
croustillante à cette
confiture.

LES LAMELLES
DE CITRON apportent
une note piquante
et acidulée.

VARIANTES

✦ Vous pouvez préparer exactement de la même
manière des confitures de figues, dates fraîches,
prunes, pêches et abricots.

✦ Les pacanes peuvent être remplacées par des
cerneaux de noix ou des amandes entières.

✦ A la place du citron, mettez 3 oranges, et à
la place du cognac, du rhum ou de la liqueur de
mandarine.

✦ Pour relever le goût, ajoutez 2 à 3 cuillerées
à soupe d'eau de fleurs d'oranger.

Povidle

A vrai dire, cette confiture de quetsches d'Europe de l'Est est quasiment une pâte de fruits. La quantité de sucre peut paraître faible (moitié moins que les fruits), mais c'est toute l'originalité de cette pâte – confiture un peu âpre, qui tire vers l'aigre-doux.

INGRÉDIENTS

2 kg (4 lb) de quetsches, dénoyautées et grossièrement coupées

1 kg (4 tasses) de sucre granulé

1 Alternez des couches de morceaux de prunes et de sucre dans une marmite, couvrez d'un linge et laissez reposer pendant quelques heures, le temps que les fruits commencent à rendre leur jus.

2 Portez à ébullition, en remuant jusqu'à dissolution du sucre. Baissez le feu et laissez cuire doucement 1 h 30 min à 2 heures, en remuant de temps à autre ; le mélange doit être rouge sombre et épais (inutile de tester le degré de gélification).

3 Remplissez à la louche les bocaux stérilisés chauds, puis fermez. Déjà prête à être consommée, cette confiture se bonifiera avec le temps.

 Niveau de difficulté
Facile

 Temps de cuisson
1 h 30 min à 2 heures

Matériel nécessaire
Bocaux stérilisés et couvercles (voir pp. 42-43)

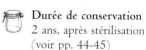 **Quantité obtenue**
Environ 1,5 litre

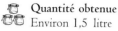 **Durée de conservation**
2 ans, après stérilisation (voir pp. 44-45)

Confiture de prunes

Cette recette convient à toutes les variétés de prunes. C'est une affaire de goût... et de couleurs : si vous voulez une confiture dorée, choisissez des mirabelles ; si vous la préférez rouge, prenez des prunes victoria ; si vous penchez pour le jaune-vert, optez pour des reines-claudes.

CONSEIL

La confiture de prunes rouges gagne beaucoup à être rehaussée par 5 cuillerées à soupe de gingembre frais, finement râpé, que vous incorporerez au sucre.

INGRÉDIENTS

1,25 kg (2½ lb) de prunes, dénoyautées et coupées en deux ou en quatre (selon grosseur)

1½ tasse d'eau

1 kg (4 tasses) de sucre granulé

1 Mettez les prunes et l'eau dans une marmite, et portez à ébullition. Baissez le feu et laissez cuire doucement environ 25 minutes, en remuant de temps à autre.

2 Ajoutez le sucre, en tournant jusqu'à dissolution complète. Reportez à ébullition et maintenez-la 25 à 30 minutes, le temps d'atteindre le point de gélification (voir p. 76).

3 Retirez la confiture du feu et laissez-la prendre. Remplissez les bocaux stérilisés chauds ; fermez.

VARIANTES

✦ Confiture de reines-claudes
Remplacez les prunes par le même poids de reines-claudes. Brisez 10 noyaux et mettez les amandes dans un sachet de gaze. Mettez les fruits et le sachet dans une marmite, avec le jus de 1 citron et 1 tasse d'eau. Poursuivez comme dans la recette principale.

✦ Confiture de prunes damson
Remplacez les prunes par le même poids de prunes damson. Faites-les cuire doucement dans 3 tasses d'eau jusqu'à ce qu'elles soient réduites en purée et ôtez les noyaux. Ajoutez 1¼ tasse de sucre pour chaque tasse de pulpe. Amenez au point de gélification.

☆ **Niveau de difficulté**
Facile

Temps de cuisson
Environ 1 heure

Matériel nécessaire
Bocaux stérilisés et couvercles (voir pp. 42-43)

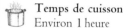 **Quantité obtenue**
Environ 1,75 litre

Durée de conservation
2 ans, après stérilisation (voir pp. 44-45)

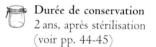 **Suggestions d'accompagnement**
Servez avec un baba au rhum ou une pomme au four

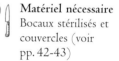

Confiture de reines-claudes

Confiture de prunes damson

Confiture de prunes

Confiture de framboises
(voir illustration p. 33)

Cette recette a ceci de particulier qu'elle n'utilise pas d'eau, de manière que la confiture soit encore plus parfumée et plus savoureuse.

INGRÉDIENTS

4 tasses de framboises

4 tasses de sucre granulé

le jus de 1 citron

1 Mélangez les framboises et le sucre dans une marmite. Couvrez d'un linge et laissez reposer toute la nuit.

2 Le lendemain, ajoutez le jus de citron et portez lentement à ébullition, en remuant jusqu'à dissolution du sucre.

3 A feu vif, faites bouillir 20 à 25 minutes, jusqu'au point de gélification (voir p. 76). Remuez constamment en fin de cuisson, pour éviter que le fond et les bords n'attachent. (Facultatif: versez la moitié de la confiture dans une passoire pour enlever les petites graines des framboises et remettez à bouillir 5 minutes.)

4 Retirez du feu et laissez prendre quelques minutes. Remplissez à la louche les bocaux chauds ; fermez.

 Niveau de difficulté
Facile

 Temps de cuisson
Environ 45 minutes

 Matériel nécessaire
Bocaux stérilisés et couvercles (voir pp. 42-43)

 Quantité obtenue
Environ 1,5 litre

 Durée de conservation
2 ans, après stérilisation (voir pp. 44-45)

Confiture de bleuets
(voir illustration p. 33)

La confiture de bleuets est l'une des meilleures. Elle peut être dégustée nature, ou utilisée pour napper des gâteaux au fromage ou des crêpes.

INGRÉDIENTS

4 tasses de bleuets

4 tasses de sucre granulé

4 cuillerées à soupe d'eau

le jus de 1 citron

1 Mettez tous les ingrédients dans une marmite et portez lentement à ébullition, en remuant de temps à autre jusqu'à complète dissolution du sucre. Baissez le feu et faites cuire tout doucement les fruits pendant environ 10 minutes.

2 Reportez à ébullition et faites bouillir à feu vif 15 à 20 minutes, jusqu'à atteindre le point de gélification (voir p. 76).

3 Retirez du feu et laissez la confiture prendre pendant quelques minutes. Remplissez à la louche les bocaux stérilisés chauds, puis fermez.

 Niveau de difficulté
Facile

 Temps de cuisson
Environ 45 minutes

 Matériel nécessaire
Bocaux stérilisés et couvercles (voir pp. 42-43)

 Quantité obtenue
Environ 1,5 litre

 Durée de conservation
2 ans, après stérilisation

Confiture de cassis

Les baies de cassis sont très riches en pectine ; ce fruit est donc idéal pour les confitures et les gelées.

INGRÉDIENTS

4 tasses de baies de cassis

3 tasses d'eau

3 tasses de sucre granulé

un peu de cognac

1 Mettez le cassis et l'eau dans une marmite anticorrosion, et portez très lentement à ébullition. Baissez le feu et laissez cuire tout doucement pendant 20 à 25 minutes en remuant de temps à autre ; le mélange doit réduire d'environ un tiers.

2 Ajoutez le sucre. Reportez lentement à ébullition, en remuant jusqu'à dissolution du sucre, puis faites bouillir à feu vif pendant 15 à 20 minutes, jusqu'au point de gélification (voir p. 76).

3 Retirez la marmite du feu et laissez la confiture refroidir complètement.

4 Remplissez à la louche les bocaux stérilisés. Déposez sur chacun un disque de papier ciré humecté de cognac, puis fermez.

VARIANTE

◆ *Si vous préférez une confiture onctueuse et sans pépins, pressez la pulpe de fruits dans une passoire après l'étape 1. Versez-la ensuite dans la marmite nettoyée et continuez selon la recette principale.*

 Niveau de difficulté
Facile

 Temps de cuisson
Environ 1 heure

 Matériel nécessaire
Bocaux stérilisés et couvercles (voir pp. 42-43)

 Quantité obtenue
Environ 1,5 litre

 Durée de conservation
2 ans, après stérilisation (voir pp. 44-45)

Suggestions d'accompagnement
Délicieuse en dessert avec du yogourt brassé

Confiture d'abricots

A la fois douce et légèrement acidulée, d'une appétissante couleur ambrée, la confiture d'abricots renferme l'essence de l'été. Elle a plus d'un tour dans son pot : irrésistible sur des tartines au petit déjeuner comme au goûter, elle n'est pas moins succulente pour fourrer les gâteaux ou glacer les tartes.

INGRÉDIENTS

1,25 kg (2½ lb) d'abricots mûrs, mais bien fermes

le jus de 1 citron

1 kg (4 tasses) de sucre granulé ou de cassonade

1¼ tasse d'eau

1 Ouvrez les abricots en deux, ôtez et réservez les noyaux. Mettez les fruits dans un bol de préparation en verre et versez le jus de citron. Mélangez bien et couvrez.

2 Cassez 10 noyaux pour en extraire les amandes (goûtez-en une : si elle vous semble très amère, n'en employez que 5) ; faites-les blanchir 1 minute, puis brisez-les en deux morceaux ou davantage.

3 Mettez le sucre et l'eau dans une marmite, et portez lentement à ébullition, en remuant jusqu'à dissolution du sucre. A feu vif, faites bouillir

3 à 4 minutes ; ajoutez les abricots. Reportez à ébullition, puis laissez cuire à feu doux 5 minutes.

4 Ranimez l'ébullition et maintenez-la 20 à 25 minutes, jusqu'au point de gélification (voir p. 76). Environ 5 minutes avant, ajoutez, en tournant, les amandes d'abricots.

5 Retirez la marmite du feu et laissez la confiture prendre pendant quelques minutes. Écumez soigneusement. Remplissez à la louche les bocaux stérilisés chauds, puis fermez.

VARIANTE

◆ *Pour faire une confiture d'abricots bien lisse et moelleuse, laissez la préparation refroidir complètement au terme de l'étape 3, puis passez-la à la moulinette. Reversez-la dans la marmite nettoyée et reprenez le cours de la recette ci-dessus.*

  Niveau de difficulté
Facile

 Temps de cuisson
45 à 55 minutes

Matériel nécessaire
Marteau ou casse-noix ; bocaux stérilisés et couvercles (voir pp. 42-43)

Quantité obtenue
Environ 1,5 litre

Durée de conservation
2 ans, après stérilisation (voir pp. 44-45)

Suggestions d'accompagnement
Superbe pour napper les tartes aux fruits, ou glacer le gigot d'agneau ou le rôti de porc avant cuisson au four Mélangée à un ketchup épicé, c'est une délicieuse sauce aigre-douce

Confiture d'oranges et de tomates vertes

Le goût âpre des tomates vertes et la saveur acidulée des oranges se complètent à merveille, pour donner naissance à cette succulente confiture que sa fraîcheur tonique semble destiner au petit déjeuner. Attendez les beaux jours pour réussir au mieux cette recette : on trouve toute l'année de bonnes oranges, douces et juteuses, mais la pleine saison des tomates est en été.

INGRÉDIENTS

4 grosses oranges douces

2 citrons

1 kg (2 lb) de tomates vertes

3 tasses d'eau

1 kg (4 tasses) de sucre granulé

1½ cuillerée à soupe de graines de coriandre, grossièrement écrasées

1 Coupez les oranges en rondelles et retirez les pépins. Pressez le jus des citrons et réservez leurs pépins. Préparez un sachet de mousseline et mettez-y tous les pépins.

2 Passez les tomates et les oranges au hachoir manuel, ou hachez-les dans un robot.

3 Mettez le hachis de tomates et d'oranges dans une marmite avec l'eau et le sachet de mousseline. Por-

tez à ébullition, puis baissez le feu et laissez cuire doucement environ 45 minutes, le temps que la peau des oranges se ramollisse.

4 Ajoutez le sucre et le jus des citrons, en remuant jusqu'à dissolution complète du sucre.

5 Reportez à ébullition, puis laissez bouillir à feu moyen, en remuant de temps à autre, pendant 30 à 35 minutes ; la préparation doit être assez épaisse pour que la cuiller en bois laisse derrière elle un sillage.

6 Retirez la marmite du feu et laissez la confiture prendre pendant quelques minutes. Écumez au besoin, puis retirez le sachet de mousseline et ajoutez, en tournant, les graines de coriandre. Remplissez à la louche les bocaux stérilisés chauds, puis fermez.

Niveau de difficulté
Facile

Temps de cuisson
1 h 30 min à 1 h 45 min

Matériel nécessaire
Hachoir ou robot de cuisine ; bocaux stérilisés et couvercles (voir pp. 42-43)

Quantité obtenue
Environ 2 litres

Durée de conservation
1 an, après stérilisation (voir pp. 44-45)

Suggestions d'accompagnement
Excellente sur des toasts chauds beurrés, ou pour accompagner de la crème glacée à la vanille

Confiture de carottes
— (voir illustration p. 23)

Les confitures de légumes-racines se préparent en hiver, quand on dispose de peu de fruits frais. Celle-ci est parfaite pour fourrer des gâteaux et garnir des tartelettes.

CONSEIL

La plupart des racines et tubercules se prêtent bien aux confitures, mais betterave, panais, navet ou chou-navet demandent à être blanchis au préalable plusieurs fois.

INGRÉDIENTS

1 kg (2 lb) de carottes, soigneusement grattées

1½ tasse de raisins sultanas

2 tasses d'eau

3 tasses de sucre granulé

le zeste de 2 citrons

le jus de 3 citrons

2 cuillerées à thé de gingembre en poudre

1 Mettez les carottes, les raisins et l'eau dans une marmite ; portez à ébullition, puis faites cuire à feu doux pendant 10 à 15 minutes.

2 Ajoutez le sucre, le zeste et le jus des citrons, en tournant jusqu'à dissolution complète du sucre. Reportez rapidement à ébullition, puis baissez le feu et laissez cuire doucement pendant encore 1 heure, en remuant fréquemment ; le mélange doit être très épais (il est inutile de tester le degré de gélification).

3 Incorporez le gingembre et retirez la marmite du feu. Remplissez à la louche les bocaux stérilisés chauds, puis fermez.

☆ **Niveau de difficulté**
Facile

Temps de cuisson
Environ 1 h 15 min

Matériel nécessaire
Bocaux stérilisés et couvercles (voir pp. 42-43)

Quantité obtenue
Environ 1,25 litre

Durée de conservation
2 ans, après stérilisation (voir pp. 44-45)

Confiture de fruits exotiques
— (voir technique p. 76)

Bien d'autres fruits exotiques peuvent entrer dans cette recette, la papaye et la mangue, par exemple. Quel que soit votre choix, gardez toujours la même proportion de pommes.

INGRÉDIENTS

1 ananas de taille moyenne (environ 1,25 kg/2½ lb)

1 kg (2 lb) de pommes à cuire, pelées, évidées et grossièrement coupées

300 g (10 oz) de litchis frais, épluchés, dénoyautés et coupés en deux, ou 1 boîte de litchis au sirop, égouttés et coupés en deux

1 tasse d'eau

le zeste de 1 citron

le jus de 2 citrons

5 tasses de sucre granulé

1 Préparez l'ananas comme illustré ci-dessous, puis hachez-le finement dans un robot, avec les pommes.

2 Mettez le hachis dans une marmite ; ajoutez les litchis, l'eau, le zeste et le jus de citron. Portez à ébullition, puis baissez le feu et faites cuire pendant 20 à 25 minutes, le temps que les pommes se désagrègent et que l'ananas se ramollisse.

3 Ajoutez le sucre, en tournant pour le dissoudre. Ramenez l'ébullition et maintenez-la, en remuant souvent, 20 à 25 minutes, jusqu'au degré de gélification (voir p. 76).

4 Retirez la marmite du feu et laissez la confiture prendre pendant quelques minutes. Écumez soigneusement la mousse.

5 Remplissez à la louche les bocaux stérilisés chauds, puis fermez. La confiture sera meilleure si vous attendez un peu avant de la déguster.

☆ **Niveau de difficulté**
Facile

Temps de cuisson
Environ 1 heure

Matériel nécessaire
Robot de cuisine ; bocaux stérilisés et couvercles (voir pp. 42-43)

Quantité obtenue
Environ 1,5 litre

Durée de conservation
2 ans, après stérilisation (voir pp. 44-45)

Suggestions d'accompagnement
Servez avec des petits pains chauds ou des crêpes flambées au rhum

PRÉPARER UN ANANAS

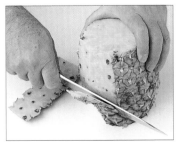

1 Avec un couteau bien tranchant, coupez l'ananas du côté du plumet et de la base.

2 Pelez l'ananas par sections, en suivant la courbe du fruit ; retirez les « yeux ».

3 Pour ôter le cœur (partie dure), coupez d'abord l'ananas en quatre dans le sens de la longueur.

4 Retirez et jetez la partie dure de chaque quartier, puis découpez la chair en morceaux.

Confit de figues vertes

Cette recette est une spécialité de la cuisine sud-africaine, qui a su élever la préparation des conserves au rang d'un art. Les figues doivent être vertes et non mûres, car elles résisteraient mal au procédé de conservation. Vous les trouverez plus facilement sur les marchés au début de l'été ; préférez alors la variété de figues blanches aux violettes (qui ont une peau plus épaisse).

INGRÉDIENTS

1 kg (2 lb) de figues vertes (pas encore mûres)

4 cuillerées à soupe de sel

1 cuillerée à soupe de bicarbonate de soude (facultatif)

1 kg (2 lb) de sucre granulé

½ tasse d'eau

1 Équeutez chaque figue, puis, au moyen d'un petit couteau aiguisé, entaillez l'autre bout d'une croix très profonde.

2 Mettez les figues dans un bol en verre ; recouvrez-les d'eau froide et ajoutez le sel. Mélangez, puis couvrez d'une assiette et d'un poids (voir p. 46) ; laissez mariner toute la nuit.

3 Le lendemain, portez à ébullition une grande casserole d'eau additionnée du bicarbonate de soude (facultatif, mais conseillé : il préserve la belle couleur verte). Ajoutez les figues égouttées.

4 Faites reprendre l'ébullition, puis baissez le feu et laissez cuire doucement 25 à 30 minutes. Préparez un grand bol d'eau glacée pour y plonger aussitôt les figues. Laissez-les refroidir, puis égouttez-les avec soin avant de les mettre dans une marmite.

5 Dans une autre casserole, portez à ébullition l'eau et le sucre, en tournant jusqu'à dissolution ; écumez. Faites bouillir 5 minutes, puis versez l'eau sucrée sur les figues et laissez reposer toute la nuit.

6 Le lendemain, portez lentement à ébullition, puis laissez cuire à feu doux 2 heures à 2 h 30 min ; les figues doivent devenir presque translucides. Retirez-les du sirop à l'aide d'une cuiller ajourée et garnissez-en les bocaux stérilisés chauds.

7 Reportez le sirop à ébullition et laissez mijoter 10 minutes, le temps qu'il prenne la consistance d'un miel liquide. Versez-le dans les bocaux, puis fermez.

VARIANTES

◆ *A l'étape 5, ajoutez au sirop 5 cm (2 po) de gingembre frais, finement râpé.*

◆ *Confit de melon*
Remplacez les figues par 1 kg (2 lb) de chair de melon coupée en cubes de 4 cm (1½ po). N'employez pas de bicarbonate. Réduisez le temps de cuisson de l'étape 4 à 15 ou 20 minutes.

  Niveau de difficulté
☆☆ Difficile

 Temps de cuisson
40 à 45 minutes, le deuxième jour ; 2 h 15 min à 2 h 45 min, le troisième jour

 Matériel nécessaire
Bocaux stérilisés et couvercles (voir pp. 42-43)

 Quantité obtenue
Environ 1 litre

 Durée de conservation
2 ans, après stérilisation (voir pp. 44-45)

Suggestions d'accompagnement
Servez en dessert, avec de la crème fraîche. Accompagne également le jambon et les volailles froides ou chaudes

Confiture de griottes

La confiture de cerises est un produit vedette au rayon gourmandise. Très acidulées, les griottes font sans doute les meilleures confitures.

INGRÉDIENTS

1,25 kg (2½ lb) de griottes, dénoyautées

3 tasses de sucre granulé

1 tasse de jus de cassis ou de groseille (voir gelée de pomme sauvage au piment pour la méthode, p. 166)

4 cuillerées à soupe de kirsch

1 Mélangez les griottes et le sucre dans une marmite. Ajoutez le jus de cassis ou de groseille, couvrez, laissez reposer quelques heures.

2 Portez lentement le mélange à ébullition, en secouant légèrement la marmite de temps à autre. Écumez avec soin, et laissez bouillir 20 à 25 minutes, jusqu'au point de gélification (voir p. 76).

3 Retirez la marmite du feu et laissez la confiture prendre pendant quelques minutes. Ajoutez l'alcool en tournant. Remplissez à la louche les bocaux stérilisés chauds ; fermez.

CONSEIL

A la place du jus de cassis ou du jus de groseille, vous pouvez employer le jus de 3 citrons.

 Niveau de difficulté
☆ Facile

 Temps de cuisson
Environ 30 minutes

 Matériel nécessaire
Bocaux stérilisés et couvercles (voir pp. 42-43)

 Quantité obtenue
Environ 1,5 litre

 Durée de conservation
2 ans, après stérilisation (voir pp. 44-45)

 Suggestion d'accompagnement
Délicieuse sur des crêpes

Confiture de fraises des bois

Incroyablement parfumées, les petites fraises des bois sont un pur délice et donnent une confiture sublime. Pour ne pas les abîmer, faites les cuire doucement après les avoir mises à mariner. Cette confiture sera idéale pour garnir des tartelettes ou pour tartiner des tranches de baguette bien fraîche.

INGRÉDIENTS

750 g (3 tasses) de sucre granulé

1 kg (2 lb) de fraises des bois

1 tasse de bonne vodka

1 Dans un grand bol en verre, étalez en couches successives le sucre et les fraises des bois, en commençant et en terminant par une couche de sucre. Versez la vodka, couvrez et laissez reposer toute la nuit.

2 Le lendemain, égouttez et versez le liquide de macération dans une marmite ; portez à ébullition et laissez bouillir à feu vif, jusqu'à ce que le thermomètre indique 116 °C (240 °F).

3 Incorporez les fraises des bois. Reportez à ébullition et maintenez-la 5 à 7 minutes, jusqu'à la gélification. La prise s'effectue en douceur.

4 Retirez la marmite du feu et laissez refroidir la confiture quelques minutes en l'écumant avec soin. Remplissez à la louche les bocaux stérilisés chauds ; fermez.

 Niveau de difficulté
Assez facile

 Temps de cuisson
25 à 30 minutes

 Matériel nécessaire
Thermomètre ; bocaux stérilisés et couvercles (voir pp. 42-43)

 Quantité obtenue
Environ 1,25 litre

Durée de conservation
6 mois, après stérilisation (voir pp. 44-45)

Confiture d'échalotes

(voir illustration p. 19)

Cette confiture épicée est une version d'une ancienne recette du Moyen-Orient (patrie, justement, de l'échalote, qui, dit-on, fut ramenée en Europe par les croisés). Cuites dans un sirop pimenté et aromatisé, les échalotes caramélisées y gagnent une chatoyante couleur brun doré. La lenteur calculée de la cuisson est indispensable à la bonne consistance des échalotes.

INGRÉDIENTS

1,3 kg (2½ lb) d'échalotes

¾ tasse de sel

6 tasses de vinaigre blanc distillé ou de vinaigre de vin blanc

1 kg (4 tasses) de sucre granulé

Pour le sachet d'épices (voir p. 47)

4 graines de cardamome

2 bâtons de cannelle

3 lanières d'écorce de citron

1 cuillerée à soupe de graines de carvi

1 cuillerée à soupe de clous de girofle

½ cuillerée à thé de piments oiseaux

1 Épluchez les échalotes après les avoir préalablement blanchies (voir p. 46). Faites bien attention à ne pas entamer le côté de la racine, car les échalotes se désagrégeraient pendant la cuisson.

2 Mettez les échalotes épluchées dans un grand bol en verre, couvrez d'eau et ajoutez le sel. Mélangez jusqu'à dissolution du sel, puis mettez un poids dessus (voir p. 46) et laissez tremper 24 heures.

3 Mettez le vinaigre, le sucre et le sachet d'épices dans une marmite anticorrosion. Portez à ébullition et maintenez-la pendant environ 10 minutes, en remuant de temps à autre. Écumez soigneusement.

4 Égouttez les échalotes, rincez-les, égouttez-les à nouveau. Plongez-les délicatement dans le sirop bouillant. Reportez à ébullition, puis baissez le feu au minimum et faites cuire 15 minutes. Retirez du feu et laissez refroidir, puis couvrez et laissez reposer toute la nuit.

5 Le lendemain, portez lentement à ébullition, puis faites cuire à tout petit feu 15 minutes. Laissez à nouveau reposer une nuit, comme précédemment.

6 Le lendemain, portez à nouveau lentement à ébullition, puis faites cuire à tout petit feu pendant 2 heures à 2 h 30 min ; les échalotes doivent être translucides et brun doré.

7 Retirez délicatement les échalotes à l'aide d'une cuiller ajourée et rangez-les sans les tasser dans les bocaux stérilisés chauds. Ramenez le sirop à ébullition et laissez bouillir à feu vif environ 5 minutes. Remplissez les bocaux de sirop pour recouvrir les échalotes et fermez. La confiture d'échalotes se bonifie avec le temps.

 Niveau de difficulté
Difficile

 Temps de cuisson
30 à 35 minutes, le deuxième jour ; 15 minutes, le troisième jour ; 2 h 15 min à 2 h 45 min, le quatrième jour

 Matériel nécessaire
Bocaux stérilisés et couvercles (voir pp. 42-43)

 Quantité obtenue
Environ 1,25 litre

 Durée de conservation
2 ans, après stérilisation (voir pp. 44-45)

 Suggestions d'accompagnement
Particulièrement goûteuse avec l'agneau et le gibier, accompagne aussi bien un cari, un rôti de porc, des cailles farcies, ou des gambas grillées au gingembre

Mini-aubergines confites

Cette recette très originale est originaire du Maroc. La préparation révèle une saveur surprenante. Au pays du soleil, on la consomme traditionnellement à la cuiller, servie avec un verre d'eau fraîche et un thé à la menthe brûlant.

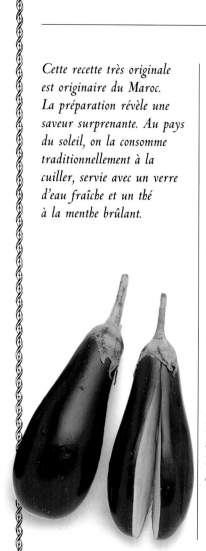

INGRÉDIENTS

1 kg (2 lb) de mini-aubergines
4 cuillerées à soupe de sel
1 kg (2 lb) de sucre granulé
le jus de 3 gros citrons
le zeste de 1 citron, coupé en allumettes de taille égale
5 cuillerées à soupe de gingembre frais, finement râpée
12 clous de girofle
2 tuyaux de cannelle

1 Retirez la couronne verte qui ceint la base des aubergines, mais laissez la queue en place. Avec une brochette en bois, piquez chaque aubergine en différents endroits.

2 Mettez les aubergines dans un grand bol en verre et saupoudrez-les de sel. Mélangez bien, puis couvrez et laissez dégorger quelques heures. Rincez les aubergines sous le robinet d'eau froide.

3 Portez à ébullition une grande casserole d'eau et plongez-y les au-bergines. Reportez à ébullition, puis faites cuire 5 minutes à feu doux. Re-tirez les aubergines de la casserole et égouttez-les bien.

4 Versez le sucre et le jus de citron dans une marmite anticorrosion. Portez à ébullition, en tournant jus-qu'à dissolution du sucre ; écumez. Ajoutez le zeste de citron, les aroma-tes, et faites bouillir 5 minutes.

5 Plongez délicatement les aubergi-nes dans le sirop bouillant. Baissez le feu et laissez cuire tout doucement, en remuant de temps à autre, pendant 1 h 30 min à 2 heures ; les aubergines doivent avoir absorbé la moitié du si-rop et paraître translucides.

6 A l'aide d'une cuiller ajourée, re-tirez les aubergines du sirop l'une après l'autre. Rangez-les dans les bo-caux stérilisés chauds. Ramenez le si-rop à ébullition, remplissez-en les bo-caux et fermez. Cette conserve se bonifie avec le temps.

☆☆ **Niveau de difficulté**
Assez facile

Temps de cuisson
1 h 45 min à 2 h 15 min

Matériel nécessaire
Bocaux stérilisés et couvercles (voir pp. 42-43)

Quantité obtenue
Environ 1,5 litre

Durée de conservation
2 ans, après stérilisation (voir pp. 44-45). (La conserve peut cristalliser avec le temps, sans que cela nuise à son goût.)

CONSEILS

• La variété des aubergines utili-sées importe peu ; ce qui compte, ici, c'est leur taille (la plus petite possible) et le fait qu'elles soient exemptes de tout défaut.

• Si vous ne souhaitez pas avoir des épices entières dans votre con-serve, mettez-les dans un sachet de mousseline (voir p. 47) que vous retirerez en fin de cuisson.

Courge au gingembre

Voici un parfait exemple de la magie des conserves : la courge au gingembre, ou comment transformer un humble légume en un mets somptueux...

INGRÉDIENTS

1 courge d'été de 1,5 kg (3 lb), épluchée, évidée et coupée en cubes de 4 cm (1½ po)
1 kg (4 tasses) de sucre granulé
2 tasses d'eau
le jus de 1 citron
5 cm (2 po) de gingembre râpé
3 ou 4 lanières de zeste de citron
1 cuillerée à soupe d'eau de fleurs d'oranger (facultatif)

VARIANTE

♦ *Rutabagas au gingembre*
Remplacez la courge par le même poids de rutabagas, pelés et coupés en cubes. Pour le reste, procédez exac-tement comme il est indiqué dans la recette ci-contre.

1 Mettez les cubes de courge dans une grande casserole et versez-y as-sez d'eau pour les recouvrir. Portez à ébullition, puis faites cuire à feu doux pendant 10 à 15 minutes, le temps que la courge commence à se ramollir. Égouttez soigneusement.

2 Mettez tous les autres ingrédients dans une marmite et portez à ébul-lition, en remuant jusqu'à dissolution complète du sucre. Laissez bouillir quelques minutes avant d'ajouter les cubes de courge. Reportez à ébullition, puis réduisez le feu au minimum et faites cuire pendant 2 heures à 2 h 30 min ; la courge doit devenir translucide.

3 Retirez les cubes de courge à l'aide d'une cuiller ajourée et garnissez-en les bocaux stérilisés chauds.

4 Faites bouillir le sirop 5 minutes, puis versez-le dans les bocaux et fermez. Cette conserve se bonifie avec le temps.

☆ **Niveau de difficulté**
Facile

Temps de cuisson
2 h 15 min à 2 h 45 min

Matériel nécessaire
Bocaux stérilisés et couvercles (voir pp. 42-43)

Quantité obtenue
Environ 1,5 litre

Durée de conservation
2 ans, après stérilisation (voir pp. 44-45)

Suggestions d'accompagnement
Délicieuse avec un gâteau aux fruits secs ou une crème glacée

Confit de tomates jaunes — (voir illustration p. 15)

Les tomates jaunes permettent de confectionner un délicieux et somptueux confit doré. Encore faut-il n'utiliser que de petites tomates bien fermes, pas encore mûres, et d'une couleur éclatante (plus mûres et molles, elles rendraient la conserve aqueuse).

INGRÉDIENTS

1 kg (2 lb) de tomates jaunes
2 citrons, coupés en fines demi-rondelles
1 brin de citronnelle, finement haché
⅓ tasse d'eau
3 tasses de sucre granulé
1 tasse de cassonade dorée

1 Mettez tous les ingrédients dans une marmite (inutile de couper les tomates en morceaux). Portez lentement à ébullition, puis faites cuire 15 minutes à feu doux.

2 En remuant fréquemment, ramenez à vive ébullition et maintenez-la 25 minutes, jusqu'au point de gélification (voir p. 76).

3 Retirez la marmite du feu et laissez la prise s'effectuer pendant quelques minutes. Remplissez à la louche les bocaux stérilisés chauds, puis fermez.

☆ **Niveau de difficulté**
Facile

Temps de cuisson
Environ 1 heure

Matériel nécessaire
Bocaux stérilisés et couvercles (voir pp. 42-43)

Quantité obtenue
Environ 1,5 litre

Durée de conservation
2 ans, après stérilisation (voir pp. 44-45)

Marmelade d'oranges à la coriandre — (voir illustration p. 29)

Cette marmelade tient son originalité de l'adjonction de graines de coriandre et de liqueur d'orange. Bien que l'on puisse utiliser des oranges douces, mieux vaut choisir des oranges amères (appelées aussi bigarades ou oranges de Séville). Elles ne font malheureusement qu'une brève apparition sur le marché ; guettez-les donc vers le milieu de l'hiver et précipitez-vous.

INGRÉDIENTS

1 kg (2 lb) d'oranges amères
2 citrons
8 tasses d'eau
6 tasses de sucre granulé
3 cuillerées à soupe de graines de coriandre, écrasées
⅓ tasse de triple-sec

1 Coupez en deux les oranges et les citrons, ôtez et réservez les pépins. Émincez les fruits comme illustré ci-dessous (étape 1). Mettez-les, avec le sachet de mousseline (ci-dessous, étape 2), dans un grand bol en verre rempli d'eau. Couvrez, posez un poids dessus et laissez tremper toute la nuit (ci-dessous, étape 3).

2 Le lendemain, versez l'eau et les fruits dans une marmite. Portez à ébullition, puis faites cuire tout doucement entre 45 minutes et 1 heure, le temps que l'écorce des oranges se ramollisse et que la préparation réduise de moitié.

3 Ajoutez le sucre et reportez lentement à ébullition, en tournant jusqu'à dissolution. Écumez avant d'incorporer les graines de coriandre.

4 Faites bouillir à feu vif pendant 10 à 15 minutes, jusqu'au degré de gélification (voir p. 76). Retirez la marmite du feu et laissez la marmelade prendre pendant quelques minutes. Incorporez l'alcool. Remplissez à la louche les bocaux brûlants et fermez.

☆ **Niveau de difficulté**
Facile

Temps de cuisson
1 heure à 1 h 30 min

Matériel nécessaire
Bocaux stérilisés et couvercles (voir pp. 42-43)

Quantité obtenue
Environ 2 litres

Durée de conservation
2 ans, après stérilisation (voir pp. 44-45)

Suggestions d'accompagnement
Servez sur toasts ou muffins au petit déjeuner, en garniture d'un gâteau au chocolat, ou encore avec des crêpes flambées

PRÉPARER LES AGRUMES

1 Brossez les oranges et les citrons sous l'eau courante. Coupez-les en quatre, réservez les pépins, puis découpez de fines demi-rondelles.

2 Mettez tous les pépins dans un carré de mousseline ; nouez les coins et attachez le sachet avec de la ficelle de cuisine.

3 Versez l'eau et les fruits dans un bol en verre ; déposez une assiette sur les oranges pour les maintenir immergées (voir p. 46).

Marmelade de citrouille
(voir illustration p. 21)

L'automne voit apparaître des cucurbitacées de toutes tailles et de toutes formes sur les étals. La citrouille est idéale pour faire des confitures et des marmelades, car elle absorbe le sucre à la perfection. N'oubliez pas, outre les pépins, d'enlever aussi les parties filandreuses.

INGRÉDIENTS

1,5 kg (3 lb) de citrouille

4 tasses d'eau

2 oranges, coupées en fines demi-rondelles

3 citrons, coupés en fines demi-rondelles

7 cm (3 po) de gingembre frais, finement râpé

1 kg (4 tasses) de sucre granulé

1 Pelez la citrouille et retirez les pépins. Coupez la pulpe en morceaux et râpez-la grossièrement dans le sens de la longueur.

2 Mettez la pulpe de citrouille dans une marmite, avec l'eau, les oranges, les citrons et le gingembre. Portez à ébullition, puis faites cuire doucement 25 à 30 minutes, le temps que l'écorce des agrumes se ramollisse.

3 Ajoutez le sucre, en remuant jusqu'à complète dissolution. Reportez à ébullition, puis laissez cuire encore 25 à 30 minutes à feu moyen ; la préparation doit être assez épaisse pour que la cuiller en bois laisse derrière elle un sillage.

4 Retirez la marmite du feu et laissez la marmelade prendre pendant quelques minutes. Remplissez à la louche les bocaux stérilisés chauds, puis fermez.

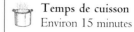 **Niveau de difficulté**
Facile

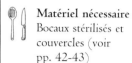 **Temps de cuisson**
Environ 15 minutes

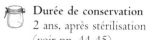 **Matériel nécessaire**
Bocaux stérilisés et couvercles (voir pp. 42-43)

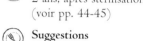 **Quantité obtenue**
Environ 1,75 litre

Durée de conservation
2 ans, après stérilisation (voir pp. 44-45)

Suggestions d'accompagnement
Servez avec du magret ou comme garniture de tarte

Marmelade d'oignons
(voir illustration p. 19)

Cette préparation peu banale est succulente et, aussi étrange que cela puisse paraître, elle n'a pas le goût d'oignon. Sa saveur fraîche peut être rehaussée par de la menthe séchée. Elle accompagne très bien l'agneau et le gibier.

INGRÉDIENTS

1,25 kg (2½ lb) d'oignons, émincés

3 cuillerées à soupe de sel

1 kg (4 tasses) de sucre granulé

2 tasses de vinaigre

1½ cuillerée à thé de clous de girofle, dans un sachet de mousseline

2 cuillerées à thé de graines de carvi

1 Saupoudrez les oignons de sel, mélangez et laissez dégorger 1 heure. Rincez et séchez.

2 Mettez le sucre, le vinaigre et le sachet de mousseline dans une marmite anticorrosion. Portez à ébullition, puis faites cuire doucement 5 minutes. Ajoutez les oignons et le carvi. Reportez à ébullition, écumez, puis réduisez le feu au minimum et laissez cuire 2 heures à 2 h 30 min ; le sirop doit être épais et les oignons doivent être translucides.

3 Retirez la marmite du feu et laissez la marmelade prendre pendant quelques minutes. Remplissez à la louche les bocaux stérilisés chauds, puis fermez. Cette conserve se bonifie avec le temps.

 **Niveau de difficulté**
Facile

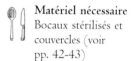 **Temps de cuisson**
2 h 15 min à 2 h 45 min

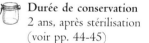 **Matériel nécessaire**
Bocaux stérilisés et couvercles (voir pp. 42-43)

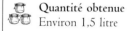 **Quantité obtenue**
Environ 1,5 litre

Durée de conservation
2 ans, après stérilisation (voir pp. 44-45)

Marmelade de tomates rouges
(voir illustration p. 15)

Les tomates mûres permettent de concocter une marmelade succulente, avec un petit goût insaisissable, qui surprend, intrigue... et séduit.

INGRÉDIENTS

1 kg (2 lb) de tomates mûres mais fermes, épluchées, épépinées et concassées

1 kg (4 tasses) de sucre granulé

le zeste haché et le jus de 2 citrons

1½ cuillerée à soupe de graines de coriandre, grossièrement écrasées

1 Mettez tous les ingrédients (sauf la coriandre) dans une marmite. Portez lentement à ébullition, puis faites cuire tout doucement pendant 5 minutes. Écumez et ajoutez la coriandre.

2 Ranimez à ébullition et maintenez-la 30 minutes, en remuant fréquemment, jusqu'au degré de gélification (voir p. 76). Retirez la marmite du feu et laissez la marmelade prendre pendant quelques minutes. Remplissez à la louche les bocaux stérilisés chauds, puis fermez.

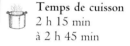 **Niveau de difficulté**
Facile

Temps de cuisson
Environ 50 minutes

Matériel nécessaire
Bocaux stérilisés et couvercles (voir pp. 42-43)

Quantité obtenue
Environ 1 litre

Durée de conservation
2 ans, après stérilisation (voir pp. 44-45)

Marmelade de pêches à la vanille

Bien que cette conserve soit un peu délicate à réaliser, elle mérite tous les efforts. N'utilisez que des pêches presque mûres, fermes et sans taches, et maniez-les délicatement, car elles s'abîment facilement.

INGRÉDIENTS

1,25 kg (2½ lb) de pêches blanches ou jaunes, juste mûres et bien fermes

1 kg (4 tasses) de sucre granulé

le jus de 2 citrons

4 cuillerées à soupe d'excellent cognac

1 ou 2 gousses de vanille, coupée(s) en morceaux de 7 cm (3 po)

1 Pelez les pêches après les avoir blanchies (voir p. 46). Coupez-les en deux, ôtez le noyau et découpez la chair en fines tranches.

2 Mettez les tranches de fruits dans une marmite, avec le sucre et le jus des citrons. Couvrez et laissez reposer pendant quelques heures.

3 Portez le mélange à ébullition, puis baissez l'intensité de la chaleur et faites cuire doucement pendant 20 minutes, le temps que les pêches se ramollissent.

4 Ramenez rapidement à ébullition et maintenez-la 20 à 25 minutes, en remuant fréquemment, jusqu'à atteindre le degré de gélification (voir p. 76). La prise s'effectue en douceur.

5 Retirez du feu, écumez avec soin. Laissez refroidir 10 minutes avant d'ajouter l'alcool et de mélanger soigneusement.

6 Remplissez à la louche les bocaux stérilisés chauds, en introduisant dans chacun 1 morceau de gousse de vanille, puis fermez. Cette marmelade de pêche à la vanille sera bonne à consommer dans 1 mois, mais gagnera à attendre davantage.

CONSEIL

Les pêches ayant tendance à produire beaucoup de mousse à la surface, prenez soin d'écumer cette marmelade à chaque étape de la cuisson.

 Niveau de difficulté
Facile

 Temps de cuisson
50 à 55 minutes

 Matériel nécessaire
Bocaux stérilisés et couvercles (voir pp. 42-43)

 Quantité obtenue
Environ 1 litre

 Durée de conservation
1 an, après stérilisation

 Suggestions d'accompagnement
Servez avec des petits pains et de la crème, ou avec des croissants

Gelée de cassis à l'ancienne

Si la liste des ingrédients se réduit au strict minimum, la procédure, elle, est plutôt longue. Mais elle donne naissance à une gelée si haute en couleur et en parfum que le jeu en vaut vraiment la chandelle !

INGRÉDIENTS

1 kg (2 lb) de baies de cassis

Sucre granulé

1 Mettez les baies de cassis préalablement lavées et séchées dans une cocotte ; couvrez et faites cuire au four à 140 °C (275 °F), pendant 1 heure. (Autre méthode : faites cuire les fruits 1 heure dans une terrine mise au bain-marie). Le cassis doit être juteux et réduit en purée.

2 Versez les fruits et le liquide dans un sac à gelée stérilisé (voir p. 80). Laissez égoutter.

3 Retirez la pulpe du sac à gelée et mettez-la dans une marmite, avec assez d'eau froide pour couvrir.

Portez à ébullition, puis faites cuire 20 minutes à feu doux. Laissez égoutter dans le sac à gelée, comme précédemment.

4 Mélangez les deux liquides filtrés et mesurez la quantité obtenue. Comptez 1 tasse de sucre pour chaque tasse de jus.

5 Versez le jus et le sucre dans la marmite. Chauffez lentement, en tournant jusqu'à complète dissolution du sucre, puis portez à ébullition. Écumez soigneusement.

6 Faites bouillir 10 minutes à feu vif, jusqu'à ce que le degré de gélification soit atteint (voir p. 76). Remplissez les bocaux stérilisés chauds à la louche, puis fermez.

 Niveau de difficulté
Assez facile

 Temps de cuisson
Environ 1 h 45 min

 Matériel nécessaire
Cocotte ; marmite ; sac à gelée stérilisé ; bocaux stérilisés et couvercles (voir pp. 42-43)

 Quantité obtenue
Environ 1,5 litre

 Durée de conservation
2 ans, après stérilisation (voir pp. 44-45)

 Suggestions d'accompagnement
Servez avec une pomme au four ; originale pour enduire une pièce d'agneau avant cuisson

Gelée de framboise

(voir technique p. 80)

Chaque pot de cette gelée abrite une petite feuille de géranium. C'est joli, original et on ne peut plus facile : la gelée est mise à refroidir dans le bocal et, quand elle a à moitié pris, on y glisse la petite feuille au milieu. (Attention à ne pas gâcher l'effet avec d'inesthétiques bulles d'air.)

INGRÉDIENTS

500 g (1 lb) de pommes à cuire

1 kg (4 tasses) de framboises

2 tasses d'eau

du sucre granulé

le jus de 1 citron

des feuilles de géranium, lavées et soigneusement séchées

un petit peu de cognac

1 Évidez les pommes (réservez les trognons), coupez-les grossièrement en morceaux. Travaillez-les au robot avec les framboises, afin de les réduire en purée bien homogène.

2 Mettez la purée de fruits dans une marmite, avec l'eau et les trognons réservés. Portez à ébullition, puis baissez l'intensité de la chaleur et faites cuire pendant 20 à 30 minutes à feu doux.

3 Versez le tout dans un sac à gelée stérilisé (voir p. 80). Laissez égoutter pendant au moins 2 à 3 heures, ou jusqu'à ce que plus rien ne s'écoule. Mesurez la quantité de jus obtenue et comptez 1 tasse de sucre pour chaque tasse de liquide.

4 Versez le jus, le sucre et le jus de citron dans la marmite que vous aurez nettoyée. Chauffez doucement en remuant jusqu'à complète dissolution du sucre. Portez à ébullition, puis baissez l'intensité de la chaleur, le temps d'écumer. Ramenez rapidement à ébullition et maintenez-la 10 minutes, jusqu'au degré de gélification (voir p. 76).

5 A la louche, remplissez de gelée les bocaux stérilisés chauds. Pour insérer les feuilles de géranium, attendez que la gelée refroidisse au point d'être à demi prise. Introduisez 1 feuille par bocal, en chassant les bulles d'air à l'aide d'une pique en bois. Déposez sur chaque pot un petit disque de papier ciré humecté de cognac, puis fermez.

 Niveau de difficulté
Assez facile

 Temps de cuisson
45 à 55 minutes

 Matériel nécessaire
Robot de cuisine ; sac à gelée stérilisé ; bocaux stérilisés et couvercles (voir pp. 42-43)

 Quantité obtenue
Environ 2 litres

Durée de conservation
2 ans, après stérilisation (voir pp. 44-45)

VARIANTE

◆ *Gelée de gadelle*

Remplacez les framboises par le même poids de groseilles à grappes ; ne prévoyez ni pommes ni feuilles de géranium. Faites cuire les fruits dans 2½ tasses d'eau, en les écrasant contre la marmite. Pour le reste, suivez la recette principale.

Gelée de pommette au piment

La gelée de pommette peut être parfumée de bien des façons. Ici, des piments rouges la rehaussent d'une saveur piquante, pour une fascinante association de doux et de fort.

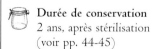

INGRÉDIENTS

1 kg (2 lb) de pommettes, coupées en deux

4 ou 5 piments rouges, frais ou séchés, grossièrement hachés, plus 1 piment rouge frais pour chaque bocal

du sucre granulé

un petit peu de cognac

1 Mettez les pommettes et le hachis de piments dans une marmite, et ajoutez assez d'eau pour les couvrir. Portez à ébullition, puis faites cuire 25 minutes à feu doux.

2 Versez le tout dans un sac à gelée stérilisé (voir p. 80). Laissez égoutter 2 à 3 heures, ou jusqu'à ce que plus rien ne s'écoule.

3 Mesurez la quantité de jus obtenue et comptez 1 tasse de sucre pour chaque tasse de liquide. Versez le jus et le sucre dans la marmite nettoyée. Portez lentement à ébullition, en remuant bien jusqu'à complète dissolution du sucre. Baissez le feu, le temps d'écumer. Ramenez l'ébullition et maintenez-la 10 minutes, jusqu'au degré de gélification (voir p. 76).

4 Retirez du feu et écumez. Versez la gelée encore liquide dans les bocaux stérilisés chauds.

5 Fendez les piments entiers dans le sens de la longueur et épépinez-les soigneusement. Attendez que la gelée soit à moitié prise pour en garnir chaque bocal. Chassez les bulles d'air éventuelles à l'aide d'une brochette en bois. Déposez sur chaque pot un disque de papier ciré humecté de cognac et fermez.

 Niveau de difficulté
Assez facile

 Temps de cuisson
50 à 55 minutes

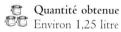 **Matériel nécessaire**
Sac à gelée stérilisé ; bocaux stérilisés et couvercles (voir pp. 42-43)

 Quantité obtenue
Environ 1,25 litre

Durée de conservation
2 ans, après stérilisation (voir pp. 44-45)

Suggestions d'accompagnement
Délicieuse servie avec un rôti de porc ou un cari de poulet, ou avec un sandwich au jambon ou à la volaille

Gelée de pomme à la menthe

Les pommes sont un don du ciel pour les amateurs de gelées, dans la mesure où elles contiennent naturellement le dosage idéal d'acidité et de pectine. Cela étant, une gelée pure pomme manque de goût ; il faut donc la parfumer avec des feuilles de thé, des fleurs de lavande ou des herbes : thym, estragon et menthe.

INGRÉDIENTS

1 petite botte de menthe fraîche

quelques lanières de zeste de citron

1 kg (2 lb) de pommes, en morceaux

7 tasses d'eau ou de cidre brut

du sucre granulé

le jus de 1 citron

3 à 4 cuillerées à soupe de menthe fraîche, finement hachée

un petit peu de cognac

1 Ficelez ensemble la botte de menthe et le zeste de citron. Mettez-les dans une marmite, avec les pommes et 5 tasses de cidre ou d'eau.

2 Portez à ébullition, puis faites cuire 25 minutes à feu doux, en remuant de temps à autre. Versez le tout dans un sac à gelée stérilisé (voir p. 80). Laissez égoutter 2 à 3 heures, ou jusqu'à ce que plus rien ne s'écoule.

3 Reversez la pulpe dans la marmite nettoyée. Ajoutez le reste de cidre

ou d'eau. Portez à ébullition, puis laissez cuire à feu doux 20 minutes. Laissez égoutter dans le sac à gelée, comme précédemment.

4 Mélangez les deux liquides filtrés et mesurez la quantité obtenue. Comptez 1 tasse de sucre pour chaque tasse de jus. Reversez le jus dans la marmite, avec le jus de citron.

5 Portez à ébullition et maintenez-la 10 minutes. Ajoutez le sucre, en tournant jusqu'à dissolution, et faites encore bouillir à feu vif 8 à 10 minutes, jusqu'au degré de gélification (voir p. 76).

6 Retirez du feu et laissez refroidir 10 minutes. Incorporez la menthe hachée en tournant, puis versez la gelée dans les bocaux stérilisés chauds et laissez complètement refroidir. Déposez sur chaque pot un petit disque de papier ciré humecté de cognac, puis fermez.

 Niveau de difficulté
Facile

 Temps de cuisson
Environ 1 h 15 min

 Matériel nécessaire
Sac à gelée stérilisé ; bocaux stérilisés et couvercles (voir pp. 42-43)

 Quantité obtenue
Environ 1,25 litre

 Durée de conservation
2 ans, après stérilisation (voir pp. 44-45)

 Suggestions d'accompagnement
Incomparable avec l'agneau

— CONSEIL —

Inutile d'évider les pommes avant de les couper à la main ; mais si vous vous servez d'un robot, retirez d'abord les trognons, car les pépins broyés peuvent donner de l'amertume à la gelée. Compte tenu de leur richesse en pectine, n'oubliez pas de mettre les trognons avec les pommes dans la marmite.

Gelée de prune rouge

Préparez cette gelée avec des variétés de prunes rouge foncé. Leur saveur sera rehaussée par l'ajout d'amandes amères.

INGRÉDIENTS

1 kg (2 lb) de prunes rouges

15 amandes amères, grossièrement hachées, ou 1 cuillerée à thé d'extrait d'amande amère

du sucre granulé

4 cuillerées à soupe d'eau-de-vie de prune

quelques amandes amères blanchies pour chaque bocal (facultatif)

1 Mettez les prunes entières et les amandes amères (ou l'extrait) dans une marmite, avec assez d'eau pour les couvrir. Portez à ébullition, puis faites cuire 20 à 25 minutes à feu doux.

2 Versez le tout dans un sac à gelée stérilisé (voir p. 80). Laissez égoutter 2 à 3 heures, ou jusqu'à ce que plus rien ne s'écoule. Mesurez la

quantité de jus obtenue et comptez 1 tasse de sucre pour chaque tasse de liquide.

3 Versez le jus et le sucre dans la marmite nettoyée. Portez à ébullition, en remuant jusqu'à dissolution du sucre. Laissez bouillir quelques minutes, puis baissez le feu, le temps d'écumer. Ramenez l'ébullition et maintenez-la 10 minutes, jusqu'au degré de gélification (voir p. 76).

4 Laissez refroidir 5 minutes. Écumez, puis incorporez l'eau-de-vie en tournant. Remplissez les bocaux stérilisés chauds et attendez que la gelée ait à moitié pris pour introduire les amandes amères à mi-hauteur. Déposez sur chaque pot un petit disque de papier ciré humecté d'eau-de-vie, puis fermez.

 Niveau de difficulté
Facile

 Temps de cuisson
40 à 50 minutes

Matériel nécessaire
Sac à gelée stérilisé ; bocaux stérilisés et couvercles (voir pp. 42-43)

 Quantité obtenue
Environ 1,25 litre

 Durée de conservation
2 ans, après stérilisation (voir pp. 44-45)

 Suggestions d'accompagnement
Servez avec du gigot, un carré ou des côtelettes d'agneau, ou encore avec du poulet froid ; utilisez pour garnir des tartelettes ou pour napper un gâteau blanc

Gelée d'ananas aux oranges

Une lumineuse gelée, éclairée du soleil de l'ananas et égayée par un soupçon d'orange. Choisissez un ananas mûr, reconnaissable à son parfum et à sa couleur dorée, et des oranges douces (additionnées d'un filet de lime, les sanguines donnent d'excellents résultats mais nuisent à la clarté de la gelée).

INGRÉDIENTS

1 petit ananas (environ 500 g / 1 lb), coupé en tranches

500 g (1 lb) de pommes, grossièrement coupées en tranches

2 oranges, coupées en tranches

6 tasses d'eau

du sucre granulé

1 Mettez tous les ingrédients, sauf le sucre, dans une marmite et portez lentement à ébullition, puis faites cuire 30 minutes à feu doux ; les fruits doivent être tendres.

2 Versez le tout dans un sac à gelée stérilisé (voir p. 80). Laissez égoutter 2 à 3 heures, ou jusqu'à ce que plus rien ne s'écoule.

3 Retirez la pulpe de fruits du sac à gelée et reversez-la dans la marmite nettoyée, avec assez d'eau froide pour couvrir. Portez à ébullition, puis baissez l'intensité de la chaleur et faites cuire 30 minutes à feu doux.

4 Laissez égoutter dans le sac à gelée, comme précédemment. Mélangez les deux liquides filtrés et mesurez la quantité obtenue. Comptez 1 tasse de sucre pour 1 tasse de jus.

5 Versez le jus et le sucre dans la marmite nettoyée. Portez lentement à ébullition, en remuant jusqu'à dissolution complète du sucre. Laissez bouillir quelques minutes, puis baissez le feu, le temps d'écumer. Reportez à ébullition et maintenez-la 10 minutes à feu vif, jusqu'au point de gélification (voir p. 76).

6 Retirez la marmite du feu et laissez la gelée prendre pendant quelques minutes. Écumez bien avant de remplir les bocaux stérilisés chauds ; fermez.

VARIANTE

◆ *Gelée de coing*

Mettez 1 kg (2 lb) de coings et 5 tasses d'eau dans une marmite. Portez à vive ébullition, puis laissez cuire à tout petit feu 1 heure à 1 h 30 min. Ajoutez au besoin de l'eau bouillante pour couvrir les fruits. Une fois égouttée, remettez la pulpe dans la marmite comme dans l'étape 3. A l'étape 5, ajoutez le jus de 2 citrons au sucre et au jus de coing. Amenez l'ébullition et maintenez-la 1 à 2 minutes à feu vif ; écumez et laissez encore bouillir 10 à 15 minutes, jusqu'au degré de gélification.

 ☆☆ **Niveau de difficulté**
Assez facile

 Temps de cuisson
Environ 1 h 30 min

Matériel nécessaire
Sac à gelée stérilisé ; bocaux stérilisés et couvercles (voir pp. 42-43)

Quantité obtenue
Environ 1,25 litre

Durée de conservation
2 ans, après stérilisation (voir pp. 44-45)

Suggestions d'accompagnement
Succulente sur du veau
Servez la gelée de coing (variante) avec du gibier, et notamment du sanglier

Gelée de goyave

La saveur de ce fruit exotique fait merveille dans une gelée. Vous pouvez y ajouter une gousse de vanille, dont le parfum exaltera celui de la goyave.

CONSEIL

Cette gelée pourra vous paraître trop liquide au premier abord. Si ce défaut persistait après 1 ou 2 jours, refaites-la bouillir jusqu'au degré de gélification.

INGRÉDIENTS

1 kg (2 lb) de goyaves bien fermes, grossièrement découpées

1 lime, coupée en morceaux grossiers

du sucre granulé

1 Mettez tous les fruits dans une marmite, avec assez d'eau pour les couvrir. Portez lentement à ébullition, puis faites cuire 30 minutes à feu doux ; les goyaves doivent être tendres.

2 Versez le tout dans un sac à gelée stérilisé (voir p. 80). Laissez égoutter 2 à 3 heures, ou jusqu'à ce que plus rien ne s'écoule. Mesurez la quantité de jus obtenue et comptez ¾ tasse de sucre pour chaque tasse de jus.

3 Versez le jus et le sucre dans la marmite nettoyée. Portez lentement à ébullition, en remuant jusqu'à dissolution du sucre, puis baissez le feu et écumez bien.

4 Reportez à ébullition et maintenez-la pendant 12 minutes à feu vif, jusqu'au point de gélification (voir p. 76).

5 Versez la gelée liquide dans les bocaux stérilisés chauds, puis fermez.

 ☆ **Niveau de difficulté**
Facile

 Temps de cuisson
45 à 55 minutes

 Matériel nécessaire
Sac à gelée stérilisé ; bocaux stérilisés et couvercles (voir pp. 42-43)

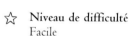 **Quantité obtenue**
Environ 1 litre

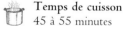 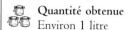 **Durée de conservation**
2 ans, après stérilisation (voir pp. 44-45)

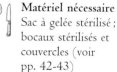 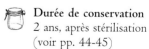 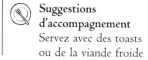 **Suggestions d'accompagnement**
Servez avec des toasts ou de la viande froide

Gelée de figue de Barbarie aux épices

——— (voir illustration p. 35)

La recette de cette gelée exceptionnelle nous vient d'Israël. C'est l'une des meilleures gelées dont on puisse rêver. Durant l'été, on trouve des figues de Barbarie (en fait, les fruits charnus et sucrés du cactus opuntia) dans les épiceries exotiques ; si vous avez le choix, optez pour la variété violette.

INGRÉDIENTS

1 kg (2 lb) de figues de Barbarie violettes, rouges ou orange

2 pommes à cuire moyennes, coupées en morceaux

3 tasses d'eau

2 tasses de vinaigre de cidre ou de vinaigre de vin blanc

½ tasse de jus de citron

du sucre granulé

1 cuillerée à soupe d'arak, d'ouzo ou de Pernod

Pour le sachet d'épices (voir p. 47)

1 cuillerée à thé de baies de piment de la Jamaïque, légèrement écrasées

4 à 6 petits piments oiseaux séchés, non épépinés, écrasés

3 feuilles de laurier séchées, grossièrement émiettées

1 Protégez vos mains avec des gants et frottez les figues dans un torchon épais et rugueux pour en retirer les piquants, puis pelez-les et lavez-les minutieusement. Réduisez les fruits en pulpe avec un presse-purée.

2 Mettez la pulpe dans une marmite, avec les pommes et l'eau. Portez lentement à ébullition, puis faites cuire 30 minutes à feu doux.

3 Versez le tout dans un sac à gelée stérilisé (voir p. 80). Laissez égoutter 2 à 3 heures, ou jusqu'à ce que plus rien ne s'écoule. Ajoutez le jus de citron et le vinaigre au jus de figues de Barbarie, et mesurez la quantité de liquide obtenue ; comptez 1 tasse de sucre pour chaque tasse de jus.

4 Versez le jus et le sucre dans la marmite nettoyée ; ajoutez le sachet d'épices. Portez lentement à ébullition, en remuant jusqu'à dissolution du sucre. Laissez bouillir 25 minutes, jusqu'au degré de gélification (voir p. 76).

5 Retirez la marmite du feu, jetez le sachet d'épices, puis incorporez l'alcool en tournant. Versez la gelée liquide dans les bocaux stérilisés chauds et fermez.

 Niveau de difficulté
Assez facile

 Temps de cuisson
Environ 1 heure

 Matériel nécessaire
Presse-purée ; sac à gelée stérilisé ; bocaux stérilisés et couvercles (voir pp. 42-43)

 Quantité obtenue
Environ 1,5 litre

 Durée de conservation
2 ans, après stérilisation (voir pp. 44-45)

 Suggestions d'accompagnement
Délicieuse avec des viandes froides ou incorporée au jus de cuisson d'un poisson cuit au four

Mincemeat

Ce mélange de fruits secs et frais, imbibé d'alcool, est l'une des plus célèbres recettes de la cuisine anglaise au Moyen Âge. Le mincemeat contenait alors de la viande de mouton, et l'humidité qu'apporte la graisse est restée indispensable au moelleux de cette spécialité. On peut donc y ajouter, juste avant de servir, de la graisse végétale ou du beurre congelés (125 g pour 1 kg, ou ¼ lb pour 2 lb), que l'on râpe.

INGRÉDIENTS

2 pommes à cuire moyennes, pelées

200 g (½ lb) de carottes, grattées

¾ tasse d'abricots secs, hachés

¾ tasse de prunes, grossièrement coupées

¾ tasse de cerises confites, hachées

¾ tasse de gingembre frais, râpé

1½ tasse de raisins secs

1½ tasse de raisins sultanas

1½ tasse de raisins de Corinthe

1¼ tasse d'écorces confites mélangées

le zeste râpé et le jus de 2 citrons

le zeste râpé et le jus de 2 oranges

½ tasse de miel ou de mélasse

2 à 3 cuillerées à soupe de masala doux (voir p. 117) ou de votre mélange préféré d'épices en poudre

1 tasse de cognac, plus un peu pour chaque bocal

1 Mettez tous les ingrédients dans un grand bol et mélangez-les bien. Couvrez avec un linge et laissez reposer 2 à 3 jours dans un endroit chaud.

2 Garnissez les bocaux du mélange, en tassant bien ; versez dans chacun 1 à 2 cuillerées à soupe de cognac. Déposez des disques de papier ciré et fermez.

3 Tous les 6 mois, ouvrez les bocaux, ajoutez un peu de cognac, puis fermez à nouveau.

——— CONSEIL ———

Si possible, employez des écorces entières que vous hacherez vous-même. Ou, mieux encore, confectionnez vos propres écorces confites (voir p. 181).

 Niveau de difficulté
Facile

 Matériel nécessaire
Bocaux stérilisés et couvercles (voir pp. 42-43)

Quantité obtenue
Environ 2,5 litres

 Durée de conservation
2 ans, après stérilisation (voir pp. 44-45)

Suggestions d'accompagnement
Délicieux en garniture de tarte ou de pommes cuites au four

——— VARIANTE ———

◆ Le mincemeat sera plus moelleux si vous y ajoutez un quart de son poids en pommes râpées, et de la poudre d'amandes.

BEURRES DE FRUITS, CURDS ET PÂTES DE FRUITS

LA CONFITURE ET LA GELÉE sont très semblables, puisque toutes deux sont faites à partir de pulpe de fruits cuite avec du sucre. Comme leur nom le suggère, les pâtes de fruits ont une consistance beaucoup plus ferme ; elles sont d'ailleurs généralement moulées et proposées en portions. Quant aux beurres de fruits, leur composition fait appel à moins de sucre – d'où une plus grande douceur, mais aussi une durée de conservation plus courte. Restent les curds, ces crèmes typiquement britanniques à base de jus de fruits cuits avec des œufs et du beurre, qui sont divinement moelleuses. Traditionnellement, les pâtes et beurres de fruits se servent en sucreries, bien sûr, mais aussi en accompagnement de viandes. Tels qu'on les évoquera dans ces pages, leurs multiples usages font de tous ces produits les piliers d'un garde-manger.

Beurre de fruits du verger

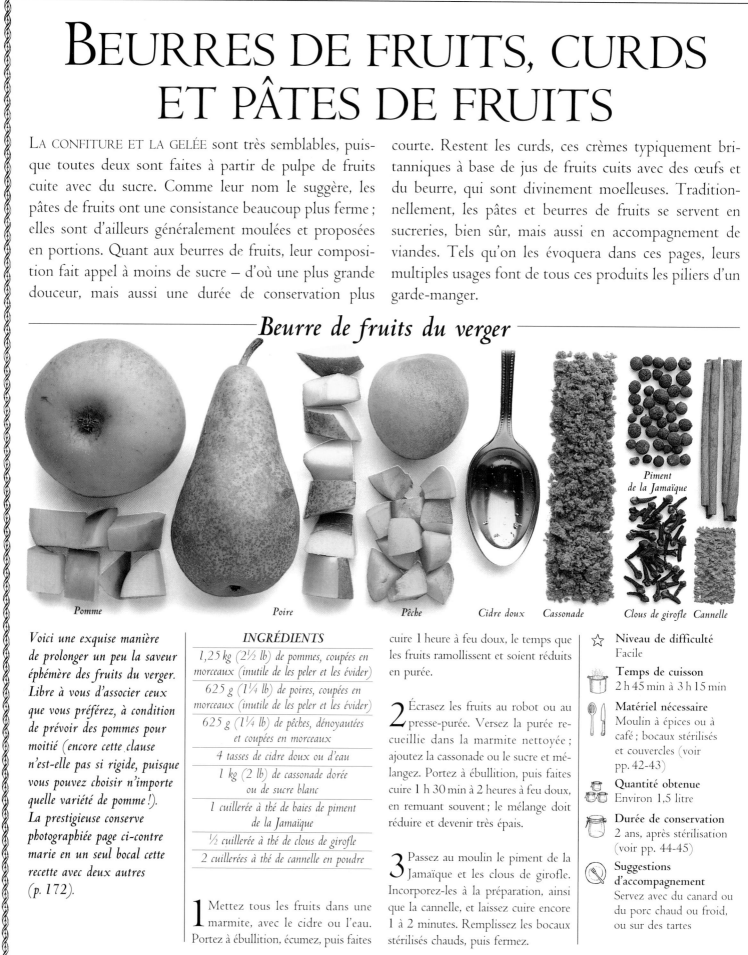

Pomme — Poire — Pêche — Cidre doux — Cassonade — *Piment de la Jamaïque* — Clous de girofle — Cannelle

Voici une exquise manière de prolonger un peu la saveur éphémère des fruits du verger. Libre à vous d'associer ceux que vous préférez, à condition de prévoir des pommes pour moitié (encore cette clause n'est-elle pas si rigide, puisque vous pouvez choisir n'importe quelle variété de pomme !). La prestigieuse conserve photographiée page ci-contre marie en un seul bocal cette recette avec deux autres (p. 172).

INGRÉDIENTS

1,25 kg (2½ lb) de pommes, coupées en morceaux (inutile de les peler et les évider)

625 g (1¼ lb) de poires, coupées en morceaux (inutile de les peler et les évider)

625 g (1¼ lb) de pêches, dénoyautées et coupées en morceaux

4 tasses de cidre doux ou d'eau

1 kg (2 lb) de cassonade dorée ou de sucre blanc

1 cuillerée à thé de baies de piment de la Jamaïque

½ cuillerée à thé de clous de girofle

2 cuillerées à thé de cannelle en poudre

1 Mettez tous les fruits dans une marmite, avec le cidre ou l'eau. Portez à ébullition, écumez, puis faites cuire 1 heure à feu doux, le temps que les fruits ramollissent et soient réduits en purée.

2 Écrasez les fruits au robot ou au presse-purée. Versez la purée recueillie dans la marmite nettoyée ; ajoutez la cassonade ou le sucre et mélangez. Portez à ébullition, puis faites cuire 1 h 30 min à 2 heures à feu doux, en remuant souvent ; le mélange doit réduire et devenir très épais.

3 Passez au moulin le piment de la Jamaïque et les clous de girofle. Incorporez-les à la préparation, ainsi que la cannelle, et laissez cuire encore 1 à 2 minutes. Remplissez les bocaux stérilisés chauds, puis fermez.

☆ **Niveau de difficulté**
Facile

Temps de cuisson
2 h 45 min à 3 h 15 min

Matériel nécessaire
Moulin à épices ou à café ; bocaux stérilisés et couvercles (voir pp. 42-43)

Quantité obtenue
Environ 1,5 litre

Durée de conservation
2 ans, après stérilisation (voir pp. 44-45)

Suggestions d'accompagnement
Servez avec du canard ou du porc chaud ou froid, ou sur des tartes

LE BEURRE DE MANGUES
(recette page suivante)
peut être parfumé avec
de l'orange, de la vanille
ou de la cannelle.

LE BEURRE DE FRUITS DU
VERGER tient son goût raffiné
de la présence assez discrète
de piment de la Jamaïque,
de girofle et de cannelle.

CONSEIL

Pour composer cette superbe conserve, prévoyez un bocal stérilisé et chaud d'une contenance de 1 litre. Faites chauffer dans une petite casserole environ 1¼ tasse de beurre de
kiwis et portez doucement à ébullition. Pour
l'empêcher de brûler, ajoutez 1 à 2 cuillerées à
soupe d'eau chaude. Remplissez le tiers du bocal et laissez refroidir. Répétez cette opération
avec le beurre de fruits du verger, puis avec le
beurre de mangues. Déposez à la surface un
disque de papier ciré imbibé de cognac ; fermez (voir p. 43). Réfrigérez ou stérilisez.

LE BEURRE DE FRUITS DU VERGER
est idéal pour fourrer un gâteau roulé
ou des brioches chaudes.

LE BEURRE DE KIWIS
(recette en page suivante)
a un goût insolite.

Beurre de mangues

(voir illustration p. 34)

Ce savoureux beurre de fruits est un excellent moyen d'utiliser des mangues très mûres. Parfumez-le à votre fantaisie, avec des zestes d'orange râpés, de la vanille, de la cannelle...

INGRÉDIENTS

2 kg (4 lb) de mangues mûres

1⅓ tasse de cidre doux ou d'eau

1 kg (2 lb) de sucre granulé

le zeste râpé et le jus de 2 citrons

1 Préparez les mangues (voir p. 175); découpez la chair en gros morceaux et mettez-les dans une marmite avec le cidre ou l'eau. Portez à ébullition, puis faites cuire 15 à 20 minutes à feu doux. Écrasez les fruits au robot ou au presse-purée. Remettez la purée de fruits recueillie dans la marmite nettoyée.

2 Ajoutez le sucre, le zeste et le jus des citrons, en tournant jusqu'à complète dissolution du sucre. Portez à ébullition, puis laissez cuire à feu doux pendant 35 à 40 minutes, en remuant fréquemment; la préparation doit avoir suffisamment réduit et épaissi. Remplissez les bocaux stérilisés chauds et fermez.

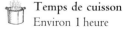 **Niveau de difficulté**
Facile

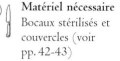 **Temps de cuisson**
Environ 1 heure

Matériel nécessaire
Bocaux stérilisés et couvercles (voir pp. 42-43)

Quantité obtenue
Environ 1,5 litre

Durée de conservation
2 ans, après stérilisation (voir pp. 44-45)

Beurre de melons

(voir illustration p. 21)

Le melon est un fruit fragile qui se gâte rapidement. Laissez-le mûrir doucement à la température de la pièce jusqu'à ce qu'il dégage de l'arôme. Il vous donnera un beurre de fruits particulièrement goûteux, à la saveur à la fois subtile et très parfumée, qui peut servir comme garniture de gâteau.

INGRÉDIENTS

2 kg (4 lb) de melons à point, pelés, épépinés et coupés en morceaux

2 tasses de cidre doux ou d'eau

1 kg (2 lb) de sucre granulé

le jus de 2 citrons

2 tiges de citronnelle, finement hachées (facultatif)

1 cuillerée à soupe d'eau de fleurs d'oranger

1 Mettez les morceaux de melon dans une marmite, avec le cidre ou l'eau. Portez à ébullition, écumez, puis faites cuire environ 40 minutes à feu doux. Écrasez les fruits au robot ou au presse-purée.

2 Ajoutez le sucre, le jus de citron, et la citronnelle, si vous en utilisez, et mélangez jusqu'à dissolution du sucre. Portez à ébullition, baissez le feu et laissez cuire 1 heure à feu doux, en remuant.

3 Retirez du feu et incorporez l'eau de fleurs d'oranger. Remplissez les bocaux stérilisés chauds et fermez. Stérilisez, à votre convenance.

Niveau de difficulté
Facile

Temps de cuisson
Environ 1 h 45 min

Matériel nécessaire
Bocaux stérilisés et couvercles (voir pp. 42-43)

Quantité obtenue
Environ 1 litre

Durée de conservation
2 ans, après stérilisation (voir pp. 44-45)

Beurre de kiwis

(voir illustration p. 34)

Ne vous inquiétez pas si, malgré tous vos efforts, ce merveilleux beurre jaune (et non pas vert) ne consent pas à épaissir dans la marmite : il aura la bonne consistance dès qu'il aura pris le temps de refroidir.

INGRÉDIENTS

1 kg (2 lb) de kiwis mûrs, coupés en morceaux (inutile de les peler)

3 tasses de cidre brut ou d'eau

le zeste râpé et le jus de 1 citron

5 cuillerées à soupe de gingembre frais, finement râpé

sucre granulé

1 cuillerée à thé de poivre noir, moulu (facultatif)

1 Mettez les morceaux de kiwis dans une marmite, avec le cidre ou l'eau et le jus de citron. Portez à ébullition, écumez, puis faites cuire 15 à 20 minutes à feu doux. Écrasez les fruits au robot ou au presse-purée.

2 Mesurez la quantité de purée de fruits recueillie et comptez ¾ tasse de sucre pour chaque tasse de purée. Remettez la purée dans la marmite avec le sucre, le zeste de citron, le gingembre et, le cas échéant, le poivre.

3 Portez lentement à ébullition, puis baissez le feu et laissez cuire doucement, en remuant souvent, pendant 30 à 35 minutes; le beurre doit avoir la consistance d'une confiture commençant à prendre. Remplissez les bocaux stérilisés chauds, puis fermez.

 Niveau de difficulté
Facile

Temps de cuisson
Environ 1 heure

Matériel nécessaire
Bocaux stérilisés et couvercles (voir pp. 42-43)

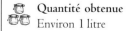 **Quantité obtenue**
Environ 1 litre

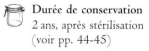 **Durée de conservation**
2 ans, après stérilisation (voir pp. 44-45)

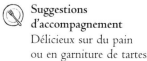 **Suggestions d'accompagnement**
Délicieux sur du pain ou en garniture de tartes

Curd de fruit de la Passion

Le fruit de la Passion apporte au curd une texture croquante. Si vous recherchez un curd fondant et moelleux, qu'à cela ne tienne : prévoyez 1 kg (2 lb) de fruits et passez-les avant d'ajouter les œufs.

———— CONSEIL ————

Choisissez des fruits de la Passion ridés : c'est signe qu'ils sont mûrs et bien juteux.

INGRÉDIENTS

750 g (1½ lb) de fruits de la Passion

le jus de 1 citron

1¼ tasse de sucre granulé

¼ tasse (150 g) de beurre, ramolli

4 œufs, battus

1 Coupez en deux les fruits de la Passion, dégagez la pulpe et les graines ; vous devez obtenir à peu près 2 tasses de chair.

2 Mettez les fruits dans une petite casserole, avec le jus de citron et le sucre ; chauffez doucement en remuant, jusqu'à dissolution du sucre. Ajoutez le beurre en tournant.

3 Versez le mélange dans une casserole à fond épais (ou un grand bol mis au bain-marie). Incorporez les œufs en les filtrant (voir p. 79) et faites cuire 25 à 40 minutes à tout petit feu, en remuant régulièrement, jusqu'à ce que le curd ait assez épaissi pour enrober le dos de la cuiller.

4 Retirez la casserole du feu. Remplissez les bocaux stérilisés chauds et fermez. Laissez refroidir avant de ranger au réfrigérateur.

☆☆ **Niveau de difficulté**
Assez facile

 Temps de cuisson
30 à 45 minutes

 Matériel nécessaire
Bocaux stérilisés et couvercles (voir pp. 42-43)

Quantité obtenue
Environ 1 litre

 Durée de conservation
3 mois, au réfrigérateur

Suggestion d'accompagnement
Succulent sur du pain grillé

Curd de citron ———————————— *(voir illustration p. 29)*

Utilisé en pâtisserie, ce curd y rend bien des services : il permet de réaliser rapidement de délicieuses tartelettes aux amandes ou tartes meringuées au citron. Cette version utilise assez peu de sucre. Si vous tenez au goût traditionnel de ce classique, ajoutez simplement un tiers de sucre.

INGRÉDIENTS

le zeste râpé et le jus de 6 citrons

1½ tasse de sucre granulé

¾ tasse (150 g) de beurre, ramolli

5 œufs, battus

1 Mettez le zeste et le jus de citron dans une casserole, avec le sucre. Chauffez doucement, en remuant jusqu'à dissolution du sucre. Ajoutez le beurre en tournant.

2 Versez le mélange dans une casserole à fond épais (ou un bol mis au bain-marie). Incorporez les œufs en les filtrant (voir p. 79) et faites cuire 25 à 40 minutes à tout petit feu, en remuant régulièrement, jusqu'à ce que le curd enrobe le dos de la cuiller.

3 Retirez la casserole du feu. Remplissez les bocaux stérilisés chauds et fermez. Laissez refroidir avant de ranger au réfrigérateur.

☆☆ **Niveau de difficulté**
Assez facile

 Temps de cuisson
30 à 45 minutes

 Matériel nécessaire
Casserole à fond épais ; bocaux stérilisés et couvercles (voir pp. 42-43)

Quantité obtenue
Environ 750 ml

 Durée de conservation
3 mois, au réfrigérateur

Curd de pomelo rose ———————————— *(voir technique p. 78)*

Un merveilleux curd rosé, d'une délicate texture. Préparez-le exclusivement avec des pamplemousses roses ou rouges, les autres lui donnant une piètre couleur. Ce curd met du temps à épaissir : soyez patient, la réussite est au bout.

INGRÉDIENTS

le zeste râpé et le jus de 1 pomelo rose ou rouge

la chair à vif de 1 pomelo rose ou rouge (voir p. 78, étapes 2 et 3)

le jus de 2 citrons

1½ tasse de sucre granulé

7 cuillerées à soupe (100 g) de beurre, ramolli

4 œufs et 2 jaunes d'œufs, battus

3 cuillerées à soupe d'eau de fleurs d'oranger

1 Mettez le zeste, le jus et la chair des pomelos dans une casserole, avec le sucre. Chauffez doucement, en remuant jusqu'à dissolution du sucre. Ajoutez le beurre et mélangez soigneusement.

2 Versez le mélange dans une casserole à fond épais (ou un bol mis au bain-marie). Incorporez les œufs en les filtrant (voir p. 79) et faites cuire 25 à 40 minutes à tout petit feu, en remuant régulièrement, jusqu'à ce que le curd enrobe le dos de la cuiller.

3 Retirez du feu et ajoutez l'eau de fleurs d'oranger. Remplissez les bocaux stérilisés chauds et fermez. Laissez refroidir avant de ranger au réfrigérateur.

☆☆ **Niveau de difficulté**
Assez facile

 Temps de cuisson
30 à 45 minutes

 Matériel nécessaire
Casserole à fond épais ; bocaux stérilisés et couvercles (voir pp. 42-43)

 Quantité obtenue
Environ 1 litre

 Durée de conservation
3 mois, au réfrigérateur

 Suggestions d'accompagnement
Servez avec du pain grillé ou sur des meringues

Pâte de coings

(voir technique p. 82)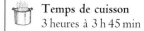

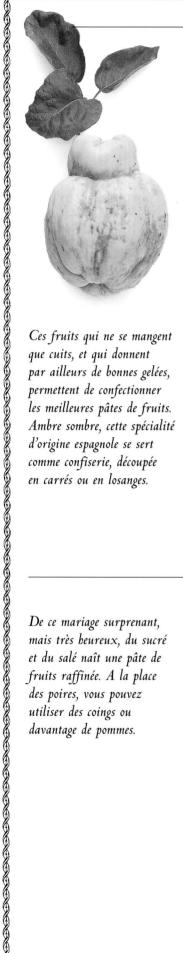

Ces fruits qui ne se mangent que cuits, et qui donnent par ailleurs de bonnes gelées, permettent de confectionner les meilleures pâtes de fruits. Ambre sombre, cette spécialité d'origine espagnole se sert comme confiserie, découpée en carrés ou en losanges.

INGRÉDIENTS

1,5 kg (3 lb) de coings mûrs (inutile de les peler)

environ 8 tasses d'eau ou de cidre brut

2 ou 3 lanières de zeste de citron

le jus de ½ citron

sucre granulé

huile douce (huile d'amandes ou d'arachides) pour le moule

sucre superfin pour saupoudrer

1 Lavez et frottez soigneusement les coings dans un torchon rugueux pour les débarrasser de leur duvet et coupez-les en morceaux. Mettez-les dans une marmite anticorrosion avec assez de cidre ou d'eau pour les couvrir ; ajoutez le jus et le zeste de citron. Portez à ébullition, puis laissez cuire pendant 30 à 45 minutes à feu doux ; les fruits doivent être fondants.

2 Écrasez les fruits au robot ou au presse-purée. Mesurez la quantité de purée de fruits recueillie et comptez ¾ tasse de sucre pour chaque tasse de purée. Reversez la purée dans la marmite nettoyée et ajoutez le sucre.

3 Portez lentement à ébullition, en tournant jusqu'à dissolution du sucre, puis laissez cuire doucement, en remuant souvent, pendant 2 h 30 min à 3 heures, jusqu'à ce que le mélange devienne très épais. Retirez du feu et laissez tiédir.

4 Huilez généreusement le fond d'une plaque à biscuits, versez-y la pâte de coings et lissez-la jusqu'à obtenir une couche d'environ 2,5 cm (1 po) d'épaisseur. Laissez complètement refroidir, puis couvrez avec un linge propre et entreposez pendant 24 heures dans un endroit chaud.

5 A l'aide d'une spatule, démoulez la pâte sur une feuille de papier sulfurisé. Découpez des losanges ou des carrés et saupoudrez de sucre. Laissez sécher la pâte de fruits sur les plaques, en couvrant de papier sulfurisé.

6 Rangez les pâtes de fruits dans une boîte hermétique, en intercalant une feuille de papier ciré entre chaque couche.

☆☆ **Niveau de difficulté**
Assez facile

Temps de cuisson
3 heures à 3 h 45 min

Matériel nécessaire
Marmite anticorrosion ;
boîte hermétique

Quantité obtenue
Environ 2,25 kg (4½ lb)

Durée de conservation
2 ans, au réfrigérateur

Suggestions d'accompagnement
Servez comme confiserie, avec un thé au miel ou à la cannelle, ou encore avec un petit verre d'alcool de figues

---

Pâte de poires à la tomate

(voir illustration p. 14)

De ce mariage surprenant, mais très heureux, du sucré et du salé naît une pâte de fruits raffinée. A la place des poires, vous pouvez utiliser des coings ou davantage de pommes.

INGRÉDIENTS

1 kg (2 lb) de tomates italiennes, grossièrement coupées

750 g (1½ lb) de poires mûres, évidées et grossièrement coupées

250 g (½ lb) de pommes, évidées et grossièrement coupées

1 citron, grossièrement coupé

2 tasses d'eau

sucre granulé

1 cuillerée à thé de poivre noir, moulu

1 cuillerée à thé de coriandre, moulue

½ cuillerée à thé de cannelle en poudre

½ cuillerée à thé de clous de girofle, moulus

1 Mettez les tomates et tous les fruits dans la marmite, avec l'eau. Portez à ébullition, puis laissez cuire 30 minutes à feu doux, le temps que les ingrédients soient fondants.

2 Écrasez les fruits au robot ou au presse-purée. Mesurez la quantité de purée recueillie et comptez ¾ tasse de sucre pour chaque tasse de purée. Reversez la purée dans la marmite nettoyée et ajoutez le sucre et les épices.

3 Portez à ébullition, puis laissez cuire 1 heure à 1 h 30 min à feu doux, en remuant fréquemment ; la préparation doit réduire et beaucoup épaissir.

4 Remplissez les bocaux stérilisés chauds et fermez, ou garnissez des moules et mettez-les à refroidir avant de les recouvrir de pellicule plastique.

☆ **Niveau de difficulté**
Facile

Temps de cuisson
2 heures à 2 h 30 min

Matériel nécessaire
Bocaux stérilisés et couvercles (voir pp. 42-43), ou moules individuels, huilés

Quantité obtenue
Environ 1,25 litre

Durée de conservation
2 ans, au réfrigérateur ou après stérilisation (voir pp. 44-45)

Suggestions d'accompagnement
Servez avec des viandes froides, comme de la dinde, ou en tartinade

Roulé de fruits

La pulpe de fruits séchée au soleil fut probablement l'ancêtre de la confiture. Voici une recette à base de mangues, mais bien d'autres fruits mûrs conviennent, notamment les abricots, les litchis et les pêches.

——— CONSEIL ———
Si le roulé est trop friable, ajoutez plus de sucre la prochaine fois.

INGRÉDIENTS

1 kg (2 lb) de fruits bien mûrs, par exemple des mangues, pelés, évidés et grossièrement coupés
1 cuillerée à soupe de jus de citron
2 à 3 cuillerées à soupe de sucre ou plus, selon convenance

1 Préparez les mangues comme illustré ci-dessous (étapes 1 et 2). Écrasez-les au robot ou au presse-purée. Ajoutez le jus de citron et le sucre, en remuant jusqu'à sa dissolution complète.

2 Tapissez de papier aluminium ou de pellicule plastique une plaque à biscuits humectée d'eau, en laissant dépasser 2,5 cm (1 po) de chaque côté. Étalez-y la purée de fruits (étape 3).

3 Mettez à four préchauffé à 110 °C (225 °F), porte entrouverte, pendant 12 à 14 heures.

4 Laissez la pâte refroidir, puis retirez le film comme indiqué ci-dessous (étape 4). Enroulez la pâte dans du papier ciré et rangez-la dans une boîte hermétique.

5 Autre procédé : exposez la purée de fruits au soleil pendant 1 jour ou 2 ; elle doit être sèche au toucher et facile à démouler. Retournez-la et laissez-la sécher 1 jour de plus.

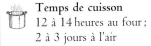
Niveau de difficulté
Facile

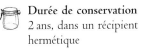
Temps de cuisson
12 à 14 heures au four ;
2 à 3 jours à l'air

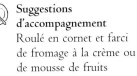
Matériel nécessaire
Robot de cuisine ou presse-purée

Quantité obtenue
Environ 150 g (5 oz)

Durée de conservation
2 ans, dans un récipient hermétique

Suggestions d'accompagnement
Roulé en cornet et farci de fromage à la crème ou de mousse de fruits

ROULÉ DE MANGUE

1 Coupez les mangues dans le sens de la longueur, et quadrillez les deux moitiés au couteau.

2 Bombez les moitiés et détachez au couteau des cubes de chair. Mixez-les pour obtenir une purée.

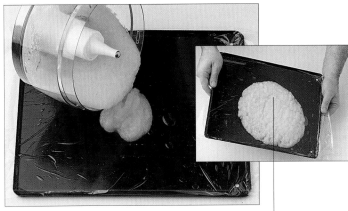

3 Versez la purée dans le plat à four et penchez-le pour répartir la mangue.

LA PURÉE DE MANGUE va s'étaler dans le plat, en formant une couche épaisse de 5 mm (¼ po).

4 Une fois la pâte séchée comme indiqué dans la recette, retournez-la et retirez le film plastique.

ROULÉ EN CORNET et décoré d'un nœud rustique, le roulé de mangue peut accueillir des fruits séchés ou confits par vos soins. Cette corne d'abondance sera superbe sur une table de fête ou en vedette d'un buffet de desserts.

FRUITS CONFITS, MACÉRÉS, CRISTALLISÉS OU EN SIROPS

À CHAQUE PROCÉDÉ sa récompense. Les fruits mûrs macérés dans l'alcool – le procédé de conservation le plus simple – jouent de l'alliance d'ingrédients qui s'imprègnent les uns les autres. Les sirops de fruits « maison », dilués dans de l'eau fraîche, composent des boissons désaltérantes qui ont le goût de l'authentique. Les fleurs cristallisées ajoutent une petite note de fantaisie aux desserts. Quant aux fruits confits, ils apportent un complément raffiné à une réception, particulièrement au temps des Fêtes.

Clémentines au cognac

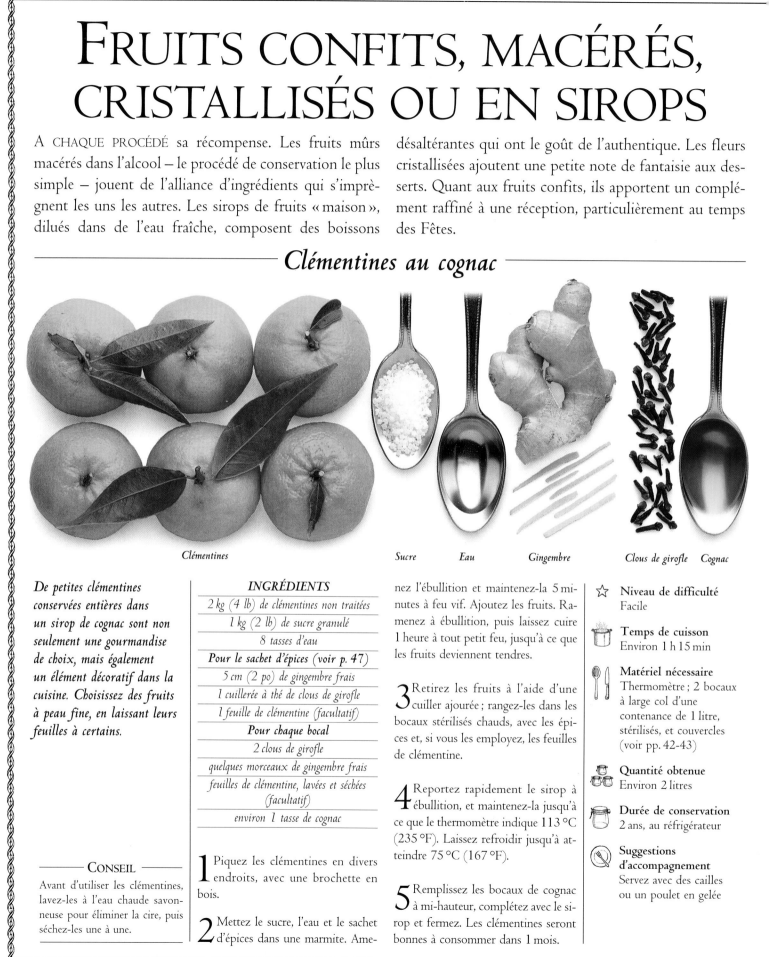

Clémentines   Sucre   Eau   Gingembre   Clous de girofle   Cognac

De petites clémentines conservées entières dans un sirop de cognac sont non seulement une gourmandise de choix, mais également un élément décoratif dans la cuisine. Choisissez des fruits à peau fine, en laissant leurs feuilles à certains.

CONSEIL
Avant d'utiliser les clémentines, lavez-les à l'eau chaude savonneuse pour éliminer la cire, puis séchez-les une à une.

INGRÉDIENTS

2 kg (4 lb) de clémentines non traitées
1 kg (2 lb) de sucre granulé
8 tasses d'eau
Pour le sachet d'épices (voir p. 47)
5 cm (2 po) de gingembre frais
1 cuillerée à thé de clous de girofle
1 feuille de clémentine (facultatif)
Pour chaque bocal
2 clous de girofle
quelques morceaux de gingembre frais
feuilles de clémentine, lavées et séchées (facultatif)
environ 1 tasse de cognac

1 Piquez les clémentines en divers endroits, avec une brochette en bois.

2 Mettez le sucre, l'eau et le sachet d'épices dans une marmite. Amenez l'ébullition et maintenez-la 5 minutes à feu vif. Ajoutez les fruits. Ramenez à ébullition, puis laissez cuire 1 heure à tout petit feu, jusqu'à ce que les fruits deviennent tendres.

3 Retirez les fruits à l'aide d'une cuiller ajourée ; rangez-les dans les bocaux stérilisés chauds, avec les épices et, si vous les employez, les feuilles de clémentine.

4 Reportez rapidement le sirop à ébullition, et maintenez-la jusqu'à ce que le thermomètre indique 113 °C (235 °F). Laissez refroidir jusqu'à atteindre 75 °C (167 °F).

5 Remplissez les bocaux de cognac à mi-hauteur, complétez avec le sirop et fermez. Les clémentines seront bonnes à consommer dans 1 mois.

☆ **Niveau de difficulté**
Facile

Temps de cuisson
Environ 1 h 15 min

Matériel nécessaire
Thermomètre ; 2 bocaux à large col d'une contenance de 1 litre, stérilisés, et couvercles (voir pp. 42-43)

Quantité obtenue
Environ 2 litres

Durée de conservation
2 ans, au réfrigérateur

Suggestions d'accompagnement
Servez avec des cailles ou un poulet en gelée

VARIANTES

◆ *Kumquats au cognac*

Remplacez les clémentines par le même poids de kumquats. Procédez exactement comme indiqué dans la recette princi-pale, à l'exception de l'étape 1 : laissez cuire 25 minutes.

◆ *Le cognac peut être remplacé par d'autres alcools : vodka, rhum, eau-de-vie.*

LES CLÉMENTINES AU COGNAC

garantissent un prestigieux dessert, servies sur leurs feuilles, parées de clous de girofle et de gingembre. Accompagnez-les, si vous le souhaitez, de crème fraîche épaisse.

QUELQUES FEUILLES
de clémentine et les
épices contribuent à
décorer et à parfumer
cette conserve.

LES FRUITS
se rident et
se ratatinent avec
le temps, mais
ils vont gagner
en saveur.

Pêches au cognac

(voir technique p. 84)

Cette recette convaincra les plus réticents du bien-fondé de l'alliance alcool-fruits. Il est conseillé d'employer un cognac de qualité et de ne pas omettre les cerises, qui offrent un merveilleux contraste de couleurs. Vous pouvez remplacer les pêches par d'autres fruits : des prunes (entières), des abricots (dénoyautés), des nectarines (pelées et dénoyautées) ou encore des poires (pelées et évidées) font aussi bien l'affaire.

INGRÉDIENTS

1,5 kg (3 lb) de pêches, mûres mais bien fermes

4 tasses d'eau

1,5 kg (3 lb) de sucre granulé

1⅓ tasse d'un excellent cognac

½ tasse de cerises confites, coupées en deux

Pour le sachet d'épices (voir p. 47)

1 gousse de vanille

1 morceau de bâton de cannelle

3 ou 4 graines de cardamome

4 clous de girofle

1 Faites blanchir les pêches (voir p. 46), puis coupez-les en deux et enlevez leur noyau.

2 Dans une grande casserole, portez l'eau à ébullition avec 2 tasses (500 g) de sucre. Écumez, baissez l'intensité de la chaleur, puis faites cuire pendant 5 minutes à feu doux.

3 Plongez délicatement les pêches dans le sirop. Ramenez à ébullition, puis faites cuire 5 minutes à tout petit feu. Retirez les pêches à l'aide d'une cuiller ajourée et laissez refroidir complètement.

4 Mettez 2½ tasses du sirop dans une petite casserole, avec le reste de sucre et le sachet d'épices. Portez rapidement à ébullition, en remuant jusqu'à dissolution complète du sucre. Écumez soigneusement, puis faites bouillir à feu vif jusqu'à ce que le thermomètre indique 104 °C (219 °F). Laissez tiédir, puis ajoutez le cognac.

5 Mettez 1 cerise au creux de chaque pêche, en la maintenant en place au moyen d'une mini-brochette en bois. Rangez les fruits dans le bocal stérilisé chaud.

6 Retirez le sachet d'épices de la casserole et versez assez de sirop dans le bocal pour recouvrir tous les fruits. Agitez le bocal pour chasser les bulles d'air, puis fermez. Ces pêches, prêtes à consommer dans 2 semaines, seront meilleures avec le temps.

 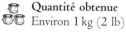 **Niveau de difficulté**
Assez facile

 Temps de cuisson
Environ 15 minutes

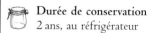 **Matériel nécessaire**
Thermomètre ; bocal à très large col d'une contenance de 1 litre, stérilisé, et couvercle (voir pp. 42-43)

Quantité obtenue
Environ 1 kg (2 lb)

Durée de conservation
2 ans, au réfrigérateur

Suggestions d'accompagnement
Servez avec de la crème ou de la crème glacée et un petit verre du sirop de cognac

Rumtopf

Cette recette traditionnelle de Noël est originaire d'Allemagne. Faute de récipient spécial, contentez-vous d'une cocotte en terre cuite. Qu'importe le flacon... l'important est ce que l'on met dans ce « pot-au-rhum », où alternent rhum, sucre et fruits frais panachés.

INGRÉDIENTS

assortiment de fruits frais, mûrs

Pour 1 kg (2 lb) de fruits préparés

1 tasse (250 g) de sucre granulé

environ 4 tasses de rhum

1 Préparez les fruits en les lavant, les équeutant, les pelant, les dénoyautant ou les épépinant, en ôtant les parties abîmées, en coupant les plus gros en quartiers et en les faisant blanchir.

2 Dans un grand bol, mélangez les fruits avec le sucre ; couvrez et laissez macérer environ 30 minutes.

3 Remplissez le récipient à la cuiller, puis versez le rhum. Couvrez d'un film plastique et fermez le couvercle.

4 Chaque semaine, agitez le récipient pour mélanger le contenu.

5 Préparez chaque nouveau fruit de saison et ajoutez-le, avec la dose nécessaire de sucre et de rhum. Le rumtopf sera bon à consommer 3 mois après l'incorporation du dernier fruit.

CONSEILS

• Tous les fruits mûrs et juteux conviennent : framboises, groseilles, cassis, pêches, poires, prunes, cerises...

• La proportion de sucre conseillée ici donne une préparation corsée ; pour une version adoucie, comptez 1½ tasse de sucre pour 1 kg (2 lb) de fruits.

• Si vous utilisez un bocal ou un récipient en matériau transparent, pensez à l'entreposer à l'abri de la lumière.

Niveau de difficulté
Facile

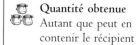 **Matériel nécessaire**
Récipient à rumtopf, grand bocal ou cocotte en terre cuite, avec couvercle

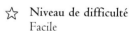 **Quantité obtenue**
Autant que peut en contenir le récipient

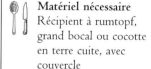 **Durée de conservation**
Se conserve indéfiniment au réfrigérateur

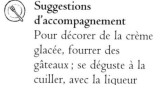 **Suggestions d'accompagnement**
Pour décorer de la crème glacée, fourrer des gâteaux ; se déguste à la cuiller, avec la liqueur

Poires à l'eau-de-vie

(voir illustration p. 31)

La classe et la finesse de l'alcool de poire ne sont plus à démontrer. Préparé avec des williams, c'est l'un des meilleurs digestifs, mais déguster, en plus, les poires fondantes est un plaisir inoubliable.

INGRÉDIENTS

3 ou 4 poires williams
1¼ à 1½ tasse de sucre granulé
1 gousse de vanille
environ 4 tasses d'eau-de-vie

1 Lavez les poires, essuyez-les et piquez-les en divers endroits avec une brochette en bois.

2 Disposez les poires dans le bocal. Ajoutez le sucre et la gousse de vanille, et versez l'eau-de-vie jusqu'à couvrir les fruits.

3 Entreposez le bocal dans un endroit frais et sombre pendant 3 ou 4 mois. Au cours des premières semaines, agitez-le tous les 2 ou 3 jours pour permettre la dissolution du sucre.

CONSEILS

• Cette recette donne aussi de bons résultats avec de la vodka ou du cognac.

• Pour une préparation plus douce, prévoyez 500 g (1 lb) de sucre.

 Niveau de difficulté
Facile

 Matériel nécessaire
Bocal à très large col, d'une contenance de 2 litres, stérilisé, et couvercle (voir pp. 42-43)

 Quantité obtenue
Environ 1 kg (2 lb)

 Durée de conservation
2 ans, au réfrigérateur

 Suggestions d'accompagnement
Avec un sorbet de poire, une crème au caramel

Ananas au kirsch

(voir illustration p. 35)

Ce fruit succulent garde toute sa saveur dans l'alcool, ainsi que ses vertus digestives. La vodka, l'eau-de-vie, le cognac se prêtent également bien à cette recette, qui est plus connue et sans doute encore meilleure avec du kirsch.

INGRÉDIENTS

4 ou 5 petits ananas, pelés, évidés et coupés en tranches de 1 cm (½ po) d'épaisseur
3 ou 4 bâtons de cannelle
3 ou 4 lanières de zeste d'orange
1¼ à 2 tasses de sucre granulé (selon le goût)
5 ou 6 amandes amères, blanchies (facultatif)
environ 4 tasses de kirsch

1 Rangez les tranches d'ananas dans le bocal stérilisé, avec les lanières de zeste d'orange enroulées autour des bâtons de cannelle. Ajoutez le sucre et, le cas échéant, les amandes.

2 Versez assez de kirsch pour couvrir les ananas, puis fermez. Entreposez le bocal dans un endroit frais et sombre pendant 2 ou 3 mois. Au cours des premières semaines, agitez-le tous les 2 ou 3 jours.

 Niveau de difficulté
Facile

 Matériel nécessaire
Bocal à très large col, d'une contenance de 2 litres, stérilisé, et couvercle (voir pp. 42-43)

 Quantité obtenue
Environ 1 kg (2 lb)

 Durée de conservation
2 ans, au réfrigérateur

Crème de cassis

Cette liqueur bien fruitée à l'arôme délicat fait partie des classiques. Sa réalisation est très facile.

CONSEILS

• N'employez que des baies de cassis mûres et intactes (jetez les baies abîmées ou moisies).

• Ne gâchez pas la pulpe restée dans le sac à gelée après avoir égoutté : cuite avec son poids en sucre et un peu d'eau, elle fera une délicieuse confiture alcoolisée.

• Vous pouvez appliquer la même recette à d'autres fruits, comme les fraises, les framboises, les groseilles, les bleuets ou les mûres.

INGRÉDIENTS

1 kg (2 lb) de baies de cassis, lavées et triées
2 tasses de cognac
1½ à 2 tasses de sucre granulé (au goût)

1 Passez les fruits au presse-purée et versez la pulpe dans le bocal stérilisé. Remplissez le bocal de cognac, puis fermez-le hermétiquement et entreposez-le 2 mois dans un endroit frais et sombre, en l'agitant de temps à autre.

2 Versez le contenu du bocal dans le sac à gelée stérilisé (voir p. 80). Laissez bien égoutter. Pressez la pulpe de fruits pour exprimer le maximum de liquide. Filtrez le jus à travers une double épaisseur de mousseline (voir p. 47).

3 Reversez le jus dans le bocal, ajoutez le sucre et fermez. Remettez le bocal au frais et à l'abri de la lumière pendant 2 semaines, en l'agitant tous les 2 jours, jusqu'à ce que le sucre soit dissous et que le liquide soit parfaitement clair.

4 Filtrez le jus une seconde fois si nécessaire. Remplissez les bouteilles stérilisées et bouchez-les. La crème de cassis est bonne à consommer immédiatement, mais elle gagnera à vieillir.

 Niveau de difficulté
Facile

 Matériel nécessaire
Bocal à large col d'une contenance de 1,5 litre, stérilisé ; presse-purée ; sac à gelée et mousseline stérilisés ; bouteilles stérilisées et bouchons (voir pp. 42-43)

 Quantité obtenue
Environ 1 litre

 Durée de conservation
Se conserve indéfiniment ; une fois ouverte, 3 mois

Suggestion de dégustation
En kir : comptez 1 à 2 cuillerées à thé pour 1 verre de vin blanc sec ou 1 coupe de champagne

Sirop de framboise

Quand des baies et des fruits rouges sont trop mûrs pour faire des confitures ou des gelées, sachez qu'ils conviendront parfaitement à des sirops (après un tri soigneux pour éliminer toute trace de moisissure). La méthode à chaud utilisée ici est plus simple que la méthode à froid (voir Sirop de cassis, en p. 181), mais elle lui cède en bouquet.

INGRÉDIENTS

4 tasses (1 kg) de framboises
⅓ tasse d'eau
sucre granulé

1 Mettez les fruits et l'eau dans un grand bol et écrasez-les. Placez le bol sur une casserole d'eau frémissante pendant 1 heure, en remuant de temps à autre.

2 Versez la purée de fruits dans le sac à gelée stérilisé (voir p. 80). Laissez bien égoutter. Pressez la pulpe pour exprimer le maximum de jus, filtrez-le à travers une double épaisseur de mousseline (voir p. 47).

3 Comptez ¾ tasse de sucre pour chaque tasse de liquide recueilli. Versez le jus et le sucre dans une casserole et portez lentement à ébullition, en remuant de temps à autre. Écumez, puis laissez bouillir 4 à 5 minutes (pas davantage, car le mélange commencerait à prendre).

4 Remplissez les bouteilles stérilisées chaudes ; laissez refroidir, bouchez, puis cachetez les bouchons à la cire (voir p. 43).

 Niveau de difficulté
Facile

 Temps de cuisson
Environ 1 h 15 min

 Matériel nécessaire
Sac à gelée et mousseline stérilisés ; bouteilles stérilisées, bouchon de liège et cire à cacheter (voir pp. 42-43)

Quantité obtenue
Environ 750 ml

Durée de conservation
2 ans

Liqueur de cassis

Sirop de cassis

Grenadine

Sirop de framboise

 Suggestions de dégustation
Ajouter 6 à 8 fois son volume d'eau fraîche ou de lait, selon le goût, pour obtenir une boisson rafraîchissante ; ou verser pur sur divers desserts, glaces et sorbets ; délicieux aussi en glaçons dans un verre de vin blanc

Grenadine

(voir illustration p. 35)

La meilleure grenadine est faite à partir de grenades aigrelettes (en vente dans les magasins d'importation de produits de l'Inde et du Moyen-Orient). Si vous ne disposez que de grenades douces, ajoutez le jus de 3 citrons ou 1 cuillerée à thé d'acide citrique.

INGRÉDIENTS

2 kg (4 lb) de grenades à graines rouge rubis

1½ tasse de sucre granulé

1 cuillerée à thé d'eau de fleurs d'oranger (facultatif)

1 Coupez les grenades en deux, horizontalement et exprimez tout leur jus au moyen d'un presse-citron. Vous devez obtenir environ 2 tasses de jus.

2 Filtrez le jus à travers une double épaisseur de mousseline (voir p. 47). Mettez-le dans une casserole avec le sucre et portez lentement à ébullition, en tournant jusqu'à dissolution du sucre.

3 Laissez bouillir 10 minutes, puis retirez du feu ; écumez bien et ajoutez éventuellement l'eau de fleurs d'oranger. Versez le sirop dans la bouteille stérilisée chaude et bouchez.

 Niveau de difficulté
Facile

 Temps de cuisson
Environ 15 minutes

 Matériel nécessaire
Mousseline stérilisée ; bouteille stérilisée et bouchon (voir pp. 42-43)

 Quantité obtenue
Environ 500 ml

Durée de conservation
2 ans, après stérilisation (voir pp. 44-45)

Sirop de cassis

C'est un des meilleurs sirops de fruits, parfumé et très rafraîchissant. Dans cette recette, on exprime le jus à froid, quand la saveur du fruit est le plus intense. Une brève période de fermentation est nécessaire pour éliminer le plus de pectine possible, faute de quoi le sirop commencerait à prendre.

INGRÉDIENTS

1 kg (2 lb) de baies de cassis mûres

sucre granulé

1 Écrasez les baies de cassis en purée au robot. Versez la purée recueillie dans un bol, couvrez et laissez reposer pendant au moins 24 heures.

2 Passez la purée de fruits dans le sac à gelée stérilisé (voir p. 80). Laissez bien égoutter. Pressez la pulpe pour en exprimer le maximum de jus.

Filtrez-le à travers une double épaisseur de mousseline (voir p. 47).

3 Mesurez le liquide recueilli et ajoutez ¾ tasse de sucre pour chaque tasse de jus. Mélangez jusqu'à dissolution du sucre.

4 Versez ce sirop dans la bouteille stérilisée chaude. Remplissez jusqu'à 5 cm (2 po) du bord, puis bouchez la bouteille. Faites stériliser votre sirop de cassis et cachetez le bouchon à la cire (voir pp. 43-45).

 Niveau de difficulté
Facile

 Temps de cuisson
Environ 20 minutes

 Matériel nécessaire
Sac à gelée et mousseline stérilisés ; bouteille stérilisée de 750 ml, bouchon de liège et cire à cacheter (voir pp. 42-43)

 Quantité obtenue
Environ 750 ml

Durée de conservation
2 ans, après stérilisation (voir pp. 44-45)

Écorces d'agrumes confites

Cette méthode permet de transformer des restes de fruits en une confiserie raffinée. On recommande souvent de râper la surface des écorces pour les rendre moins amères, mais cela n'est pas indispensable. Pour cette recette, les agrumes conseillés sont l'orange, le pomelo et le cédrat.

INGRÉDIENTS

1 kg (2 lb) d'écorces d'agrumes non traités, coupées en lanières de 5 cm (2 po) de long

1 kg (4 tasses) de sucre granulé

1½ tasse d'eau

1 Mettez les écorces dans une casserole inoxydable et couvrez d'eau. Portez à ébullition, puis faites cuire 10 minutes à feu doux. Égouttez, jetez le liquide de cuisson et remplacez par de l'eau fraîche. Portez à ébullition et faites cuire 20 minutes à feu doux.

2 Égouttez les écorces. Dans un bol, couvrez-les d'eau froide et laissez-les tremper 24 heures, puis égouttez à nouveau.

3 Dans une casserole, portez à ébullition l'eau et le sucre, en remuant jusqu'à complète dissolution. Incorporez les écorces, puis laissez cuire à feu très doux pendant 2 à 3 heures, le temps qu'elles deviennent presque translucides. Remuez assez fréquemment pour les empêcher de coller et de s'agglutiner.

4 Pour conserver les écorces dans le sirop, remplissez le bocal à la cuiller et fermez. Sinon, faites-les sécher sur une grille (voir Tranches d'ananas confites, p. 182) ; saupoudrez de sucre superfin et rangez dans une boîte parfaitement hermétique, en insérant une feuille de papier ciré entre les couches d'écorces.

 Niveau de difficulté
Facile

 Temps de cuisson
2 h 45 min à 3 h 45 min

 Matériel nécessaire
Récipient hermétique ou bocaux stérilisés et couvercles (voir pp. 42-43)

 Quantité obtenue
Environ 1,5 kg (3 lb)

 Durée de conservation
2 ans, dans le sirop ; 1 an, à l'état cristallisé

 Suggestions de dégustation

 A croquer nature ou enrobées de chocolat

Tranches d'ananas confites

(voir technique p. 86)

Le confisage est un procédé, un art pourrait-on dire, qui n'est pas si difficile sur le plan technique, mais qui demande beaucoup de temps et d'attention. Choisissez des fruits à peine mûrs parmi ceux qui donnent les meilleures confiseries : prunes, abricots, figues, kiwis, cerises, kumquats, fraises, poires, ananas, cédrats... Sans oublier l'angélique !

INGRÉDIENTS

1 gros ananas, pelé, évidé et coupé en tranches épaisses de 1,5 cm (⅝ po)
4 tasses (1 kg) de sucre granulé
le jus de 1 citron
sucre superfin, pour saupoudrer

1 Mettez les tranches d'ananas dans une casserole et couvrez d'eau. Portez à ébullition, puis laissez cuire 15 à 20 minutes à feu doux. Retirez les tranches, séchez-les et mettez-les dans un bol en verre.

2 Versez 4 tasses du jus de cuisson dans une marmite anticorrosion, en le filtrant à travers une passoire doublée de mousseline. Ajoutez le jus de citron et 1 tasse de sucre ; portez à ébullition, en remuant jusqu'à dissolution du sucre. Écumez et laissez bouillir 2 à 3 minutes à feu vif.

3 Versez le sirop sur les tranches d'ananas et mettez un poids dessus (voir p. 46). Laissez 24 heures à température ambiante.

4 Égouttez les tranches. Reversez le sirop dans la marmite et ajoutez ½ tasse de sucre ; portez à ébullition en tournant jusqu'à sa dissolution. Faites bouillir 1 à 2 minutes, puis écumez et versez sur l'ananas comme précédemment. Laissez 24 heures sous un poids.

5 Répétez l'étape 4.

6 Égouttez les tranches. Reversez le sirop dans la marmite et ajoutez ½ tasse de sucre ; portez à ébullition, en tournant jusqu'à dissolution du sucre. Faites bouillir 1 à 2 minutes, puis écumez et versez sur l'ananas, comme précédemment. Laissez encore 24 heures sous un poids.

7 Répétez l'étape 6.

8 Égouttez les tranches. Reversez le sirop dans la marmite, ajoutez le reste de sucre et portez à ébullition, en tournant jusqu'à sa dissolution. Faites bouillir 1 à 2 minutes, puis écumez et versez sur l'ananas, comme précédemment. Laissez 48 heures sous un poids.

9 Mettez les fruits et le sirop dans la marmite, faites cuire doucement environ 5 minutes. Retirez les tranches d'ananas à l'aide d'une cuiller ajourée. Disposez-les sur une grille placée sur une plaque à biscuits tapissée de papier d'aluminium. Laissez les fruits sécher et refroidir.

10 Mettez la grille et la plaque dans le four préchauffé à 120 °C (250 °F), et faites cuire, porte entrouverte, pendant 12 à 24 heures, le temps que les fruits séchés soient juste poisseux au toucher.

11 Retirez du four et laissez complètement refroidir. Saupoudrez les tranches de sucre superfin, puis rangez-les dans une boîte hermétique, en insérant une feuille de papier ciré entre chaque couche. Plutôt que de sucrer l'ananas, vous pouvez aussi le conserver au sirop (voir Abricots confits, étape 8).

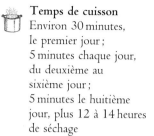

☆☆ **Niveau de difficulté**
Assez facile

Temps de cuisson
Environ 30 minutes, le premier jour ; 5 minutes chaque jour, du deuxième au sixième jour ; 5 minutes le huitième jour, plus 12 à 14 heures de séchage

Matériel nécessaire
Mousseline stérilisée ; marmite anticorrosion ; boîte ou coffret hermétique

Quantité obtenue
Environ 1 kg (2 lb)

Durée de conservation
2 ans, dans du sirop ; 1 an, à l'état cristallisé

Abricots confits

Voici un procédé de confisage simplifié. Ainsi traités, les fruits se conservent moins longtemps, mais vous pouvez remédier à cet inconvénient en les laissant dans le sirop jusqu'au moment de les confire. Gardez les abricots entiers (ils conserveront leur forme), mais coupez en deux et dénoyautez des fruits plus grands et plus fermes, comme les poires et les pêches.

CONSEIL

Pour accélérer le processus de confisage, intercalez l'opération suivante entre les étapes 1 et 2 : mettez les fruits à tremper pendant 24 à 48 heures dans une eau fortement salée (¼ tasse de sel pour 2 tasses d'eau).

INGRÉDIENTS

1 kg (2 lb) d'abricots
6 tasses (1,5 kg) de sucre
1 tasse d'eau
le jus de 1 citron ou 1 cuillerée à thé d'acide citrique

1 Piquez chaque abricot en divers endroits au moyen d'une brochette en bois.

2 Mettez 4 tasses de sucre dans une marmite anticorrosion, avec l'eau et le jus de citron ou l'acide citrique. Portez à ébullition, en tournant jusqu'à dissolution du sucre. Écumez. Faites bouillir jusqu'à ce que le thermomètre indique 110 °C (230 °F).

3 Plongez les abricots dans le sirop et laissez cuire 3 minutes à feu doux. Retirez les fruits à l'aide d'une cuiller ajourée et mettez-les dans un grand bol en verre. Reportez à ébullition et maintenez-la 5 minutes. Versez le sirop sur les abricots et mettez sous un poids pendant 24 heures (voir p. 46).

4 Égouttez les abricots. Reversez le sirop dans la marmite, ajoutez 1 tasse de sucre et portez lentement à ébullition, en tournant jusqu'à disso-lution complète. Écumez et laissez bouillir environ 5 minutes.

5 Incorporez les abricots. Ramenez à ébullition, puis faites cuire 5 minutes à feu très doux. Retirez les fruits à l'aide d'une cuiller ajourée et remettez-les dans le bol. Faites reprendre l'ébullition et maintenez-la 5 minutes. Versez le sirop sur les abricots et remettez sous un poids pendant au moins 24 heures.

6 Égouttez les abricots. Reversez le sirop dans la marmite, ajoutez le reste de sucre et portez à ébullition, en tournant jusqu'à dissolution complète. Écumez, puis laissez bouillir pendant 2 à 3 minutes.

7 Incorporez les abricots. Reportez à ébullition, puis baissez le feu au minimum et faites cuire 3 à 4 heures. Rangez les fruits dans le bocal stérilisé chaud, remplissez de sirop et fermez.

8 Si vous ne souhaitez pas conserver les abricots dans le sirop, disposez-les sur la grille du four pendant 24 heures, le temps qu'ils ne soient plus humides au toucher. Saupoudrez-les de sucre superfin et faites-les sécher au four pendant 12 à 24 heures (voir recette précédente, étape 8).

 Niveau de difficulté
Assez facile

 Temps de cuisson
Environ 10 minutes, le premier jour ; environ 5 minutes, le deuxième jour ; environ 15 minutes, le troisième jour ; 3 h 15 min à 4 h 15 min, le quatrième jour

 Matériel nécessaire
Thermomètre ; boîte ou coffret hermétique, ou bocal à large col, stérilisé, d'une contenance de 1,5 litre, et couvercle (voir pp. 42-43)

 Quantité obtenue
Environ 1,5 kg (3 lb)

 Durée de conservation
2 ans, dans du sirop ; 3 à 4 mois, à l'état cristallisé

Suggestions d'accompagnement
A déguster au dessert ou au goûter, avec des crêpes fines

Fleurs cristallisées

— (voir technique p. 87)

Les plus adaptées sont les fleurs très parfumées. La rose, la violette ainsi que le mimosa brillent au premier rang, mais les fleurs d'arbres fruitiers (pêcher, oranger, pommier, poirier) donnent aussi de très bons résultats. Dosez les quantités de blanc d'œuf et de sucre en fonction du nombre de fleurs à traiter.

INGRÉDIENTS

blanc d'œuf, pour l'enrobage
1 pincée de sel
quelques gouttes d'eau de rose ou de fleurs d'oranger
fleurs en parfait état (voir à gauche)
sucre superfin

1 Battez le blanc d'œuf avec le sel et l'eau de rose ou de fleurs d'oran-ger, jusqu'à ce qu'il soit mousseux. Laissez reposer le mélange pendant quelques minutes.

2 Peignez au pinceau trempé dans le blanc d'œuf l'intérieur et l'extérieur des pétales. Saupoudrez de sucre, de façon à enrober les fleurs.

3 Étalez une couche de 1 cm (½ po) de sucre sur une plaque. Posez-y délicatement les fleurs et nappez-les d'une nouvelle couche de sucre. Laissez sécher 1 à 2 jours dans un endroit chaud et bien ventilé, jusqu'à ce que les fleurs soient dures au toucher. Rangez-les dans une boîte hermétique, en insérant une feuille de papier ciré entre chaque couche.

 Niveau de difficulté
Facile

 Matériel nécessaire
Petit pinceau à poils doux ; boîte ou coffret hermétique

 Durée de conservation
3 mois

 Suggestions d'utilisation
Pour décorer avec raffinement gâteaux et desserts

GUIDE DE LA CONSERVATION ET DU SÉCHAGE

FAITES LE PLEIN de produits frais de saison, en vous reportant au tableau ci-dessous pour vérifier quelles sont les méthodes de conservation adaptées à tel fruit ou à tel légume. Ce tableau vous renseignera également sur leur teneur en pectine, ainsi que sur le taux d'acidité des fruits destinés aux confitures, gelées et autres conserves sucrées – ces éléments jouant un rôle déterminant dans la gélification du produit ; en effet, s'il y a trop peu de pectine et d'acide dans les fruits, les confitures ne prennent pas. Dans ce cas, vous pouvez compenser cette insuffisance par un ajout de pectine du commerce, ou, mieux encore, faite maison (voir recette p. 47). Vous pouvez également joindre à la préparation des fruits riches en cette substance.

LE SÉCHAGE AU FOUR DES FRUITS ET DES LÉGUMES

Pour fabriquer fruits et herbes séchés, faites préchauffer votre four à 110 °C (325 °F). N'employez que des produits exempts de tout défaut, et préparez-les comme indiqué dans le tableau ci-contre. La plupart des fruits doivent être mis à tremper dans un bain miellé ou acidulé (voir recette p. 61), afin de préserver leur couleur naturelle. Posez-les sur des grilles et enfournez-les ni plus ni moins que le temps conseillé.

Conserves de fruits et légumes

ABRÉVIATIONS UTILISÉES
H .... Haute teneur
M .... Teneur moyenne
F .... Faible teneur
X .. Recette figurant dans ce livre
X* .. Recette non donnée, mais produit pouvant être conservé par cette méthode

	Abricots	Ail	Ananas	Artichauts	Aubergines	Betteraves	Bleuets	Canneberges	Carottes	Cassis	Céleris	Céleris-raves	Cerises	Champignons	Choux	Choux-fleurs	Choux-raves	Citrons	Citrouilles/Potirons	Coings	Concombres/Cornichons	Courges	Courgettes	Échalotes	Figues	Figues de Barbarie	Fraises	Framboises	Fruits de la passion
Teneur en pectine	M	–	F	–	–	–	M	H	–	H	–	–	F	–	–	–	–	H	–	H	–	–	–	–	F	M	F	M	F
Niveau d'acidité	M	–	F	–	–	–	M	M	–	H	–	–	M	–	–	–	–	H	–	M	–	–	–	–	F	F	F	M	F/M
Marinade, aromatisation	X*	X	X*	X*	X	X	X*	X*	X	–	X	X	X*	X*	X	X	X*	X	X*	X*	X	X*	X	X	X*	–	–	–	–
Confitures, gelées, marmelades	X	X*	X	–	X	X*	X	X*	X	X	–	–	X	–	–	–	–	X*	X*	X	X	–	X	–	X	X	X	X	X*
Curds, pâtes de fruits, fruits confits	X*	–	X*	–	–	–	X*	X*	–	X*	–	–	X*	–	–	–	–	X	X*	X	–	–	–	–	X*	X*	X*	X*	X
Chutneys, condiments, sauces	X*	X	X	–	X	–	–	X	X	X*	X*	–	X*	X	X	X*	–	X*	X	X	X	X*	–	X	–	X	–	–	–
Conserves à l'huile	–	X*	–	X	X	–	–	–	–	–	–	–	–	X	–	–	–	X*	–	–	–	–	–	–	–	–	–	–	–
Conserves au vinaigre, à l'alcool, au sirop	X*	X*	X	–	X	–	X	X*	–	X	–	–	X*	–	X*	–	–	–	X*	–	X*	X	–	–	X*	X*	–	X	X*

184

Séchage au four des fruits et des herbes

	PRÉPARATION	BAIN	TEMPS DE SÉCHAGE
ABRICOTS	Coupés en deux et dénoyautés	Eau acidulée	36 à 48 heures
ANANAS	Épluchés (facultatif), évidés du cœur fibreux et coupés en tranches de 5 mm (¼ po)	Miel	36 à 48 heures
BAIES	Entières	Blanchies quelques secondes	12 à 18 heures
BANANES	Pelées et coupées en deux dans le sens de la longueur	Eau acidulée	10 à 16 heures
CERISES	Dénoyautées (facultatif)	Blanchies quelques secondes	18 à 24 heures
ÉCORCES D'AGRUMES	Découpées en longues lanières, toutes les parties blanches ôtées	–	10 à 12 heures
FRAISES	Coupées en deux	Miel	12 à 18 heures
HERBES	Attachées en bouquet (facultatif)	–	12 à 16 heures, au four / 2 à 3 jours, au soleil
PÊCHES	Pelées, coupées en deux, dénoyautées et découpées en quartiers (facultatif)	Eau acidulée	36 à 48 heures, coupées en deux / 12 à 16 heures, coupées en morceaux
POIRES	Pelées (facultatif), coupées en deux et évidées	Eau acidulée	36 à 48 heures
POMMES	Pelées (facultatif) et coupées en rondelles de 5 mm (¼ po)	Eau acidulée	6 à 8 heures
PRUNES	Entières ou coupées en deux, dénoyautées	Blanchies quelques secondes ou piquées de part en part	36 à 48 heures, entières / 18 à 24 heures, coupées en deux

GOMBOS	GOYAVES	GRENADES	GROSEILLES À MAQUEREAU	GROSEILLES BLANCHES	GROSEILLES ROUGES	HARICOTS	KIWIS	KUMQUATS	LIMES	LITCHIS	MAÏS	MANDARINES/CLÉMENTINES	MANGUES	MELONS	MÛRES	NAVETS	OIGNONS	ORANGES	PAMPLEMOUSSES	PANAIS	PÊCHES	PIMENTS	POIRES	POIVRONS	POMELOS	POMMES	POMMETTES	PRUNES	PRUNES DAMSON	RADIS	RAISINS	REINES-CLAUDES	TOMATES	TOPINAMBOURS
–	H	F	H	H	H	–	F	H	H	F	–	H	F	F	M	–	–	H	H	–	F	–	F	–	H	H	H	H	H	–	M	H	M	–
–	M	M/H	H	H	H	–	F	H	H	F	–	H	F	F	M	–	–	H	H	–	F	–	F	–	H	M	M	H	H	–	M	M	F/M	–
X	–	–	X	–	–	X	X	X*	X	–	X*	X*	–	X	X*	X	X	X	–	X*	X*	X	X	X	–	X*	X*	X	X*	X*	X	X*	X	X*
–	X	–	X*	X*	X	–	X*	X*	X	X	–	X*	X	X	X	X	X*	X*	X	X*	X*	–	X*	X	X	X	X*	–	X	X	X	X*	X	–
–	X*	–	X*	X*	X*	–	X*	–	X*	X*	–	X*	X	X	X*	–	–	X*	X*	–	X	–	X	–	X	X	X	–	X*	X*	–	–	X*	X
–	–	–	X*	–	–	X*	–	X	X*	–	X	–	X	–	X*	–	X	X	–	X	X	–	X	–	X	X*	X	X*	–	X	–	X	–	X
–	–	–	–	–	–	X*	–	–	–	–	–	–	–	–	–	–	–	X	–	X	–	–	X	–	X	–	–	–	–	–	X	–	X	–
–	–	X	X	X*	X	–	–	X	–	–	X	X	X*	–	X	–	–	X*	X	–	X	–	X*	–	X	X*	–	–	X*	X*	–	X*	X*	–

DÉFAUTS DE CONSERVATION

DE NOMBREUX FACTEURS peuvent venir troubler la préparation d'une conserve. Cela se traduit généralement par un aspect, une odeur ou un goût altéré(s), ou ne correspondant pas au résultat souhaité... Dans ce cas, il est important de savoir quelle est l'origine de ce défaut et si la conserve suspecte peut être consommée sans danger. Vous trouverez ci-dessous la liste des problèmes les plus courants avec, sinon la solution, la conduite à adopter pour la prochaine réalisation.

Marinades

Les marinades ne sont pas croquantes...
• Les légumes n'ont pas été salés suffisamment longtemps avant leur utilisation.
• Le vinaigre n'était pas assez fort ou trop dilué, la solution saline n'était pas suffisamment concentrée.

Les cornichons sont creux...
• Les concombres employés étaient trop mûrs ou conservés depuis trop longtemps.

Les légumes ont noirci...
• Le sel utilisé était du sel de table (iodé et fluoré).
• Les épices étaient trop abondantes.
• Les ustensiles employés étaient en fonte ou en cuivre.
• Le vinaigre utilisé était trop sombre.
• L'eau de la saumure était trop dure (à l'avenir, filtrez l'eau du robinet ou utilisez de l'eau de source).

Les légumes ont blanchi ou sont pâles...
• Le bocal a dû rester exposé à la lumière pendant le stockage.

Les légumes sont ramollis ou visqueux...
• La solution saline ou vinaigrée n'était pas assez forte.
• Le bocal n'était pas bien fermé.
Jetez immédiatement le produit.

Les gousses d'ail ont verdi...
• En marinant dans le vinaigre, l'ail peut prendre une couleur verte, inoffensive, mais peu appétissante. Pour éviter cela, faites blanchir les gousses avant utilisation.

Confitures et conserves sucrées

La confiture ou la gelée n'a pas pris...
• Il n'y avait pas assez de pectine. Ajoutez-en et faites à nouveau bouillir jusqu'au point de gélification (voir p. 47).

(A noter, les fruits congelés contiennent moins de pectine que les fruits frais.)
• L'équilibre acide/pectine était incorrect. Ajoutez du jus de citron et refaites bouillir (voir p. 47).

Les fruits ont noirci ou bruni...
• La préparation a souffert d'une cuisson trop longue, laquelle a entraîné un début de caramélisation du sucre. (Il est traditionnellement conseillé de faire chauffer le sucre avant de commencer la cuisson, mais la différence est vraiment minime.)

Les fruits sont massés en haut du bocal...
• Il faut toujours laisser refroidir le mélange quelques minutes avant d'en remplir le bocal, et veiller aussi à disperser le contenu de manière uniforme. Posez à la surface un disque de papier ciré trempé dans du cognac et fermez.
• Le sirop n'était pas suffisamment épais, reversez-le dans la marmite pour y ajouter du sucre. Portez rapidement à ébullition et laissez bouillir jusqu'au point de gélification (voir p. 47).

La confiture a cristallisé...
• La quantité de sucre utilisée était trop importante.
• Le bocal a été entreposé à une température trop basse. Cet inconvénient mineur n'a aucune incidence sur la saveur du produit.

Conserves sucrées et salées

Il y a de la moisissure à la surface...
Jetez immédiatement le produit. La moisissure a altéré l'ensemble de la conserve.

La conserve a fermenté...
• S'il s'agit d'une conserve sucrée, la quantité de sucre utilisée était insuffisante.
• S'il s'agit d'un chutney ou de marinades, cela signifie que la saumure ou la solution vinaigrée était trop faible.
• La conserve est restée entreposée dans un endroit trop chaud.

• Le matériel ou les récipients n'étaient pas parfaitement stériles.
• Le temps de cuisson était trop court.
Jetez le produit immédiatement. La fermentation génère des toxines qui peuvent être très nocives.
(A noter : la recette de certaines marinades passe par leur fermentation.)

La conserve dégage une odeur suspecte...
• *Tout produit dégageant une odeur douteuse doit être aussitôt jeté.*

Viandes et charcuterie

Une poudre blanche s'est formée sur un saucisson ou une viande traitée...
• Cette moisissure naturelle est paradoxalement favorisée par de bonnes conditions de stockage. Absolument inoffensive, elle ajoute même à la saveur du produit.

Une moisissure verte ou noire s'est formée sur un saucisson ou une viande traitée...
• La solution saline était trop faible.
• La viande n'a pas été salée correctement.
• Le stockage s'est déroulé dans une atmosphère trop chaude et trop humide.
Jetez immédiatement le produit.

En séchant, la viande présente des traces de sel blanches...
• La solution saline était trop forte.

Une fois séchée, la viande a une texture poudreuse...
• La solution saline était trop forte.

Le bain de saumure devient sirupeux...
• Le liquide n'a pas été suffisamment salé.
• La température de stockage était trop élevée.
Jetez la saumure et préparez-en une nouvelle. Stérilisez à nouveau le récipient. Lavez soigneusement la viande sous le robinet d'eau froide, puis frottez-la de vinaigre. Séchez-la minutieusement avec une serviette en papier avant de la plonger dans le nouveau bain de saumure.

INDEX

CRÉDITS ILLUSTRATIONS

h = haut, b = bas

Toutes les photographies sont de Ian O'Leary assisté d'Emma Brogi, à l'exception des suivantes :
Ann Ronan, Image Select, 9 h ; E.T. Archive, 9b, 10h ; Corbis-Bettman, 11h